Dagelijkse zonden

Van Ursula Hegi is leverbaar bij Uitgeverij Archipel:

Stenen van de rivier

Ursula Hegi

Dagelijkse zonden

Een Italiaanse familie
in de Bronx

Vertaald door Tinke Davids

Amsterdam · Antwerpen

Voor Gordon

Oorspronkelijke titel: *Sacred time*
Uitgave: Touchstone, New York

Omslagontwerp: Marjo Starink
Omslagillustratie: Elliott Erwitt/Magnum Photo's

ISBN 90 6305 111 5 / NUR 302
www.boekboek.nl

Inhoud

Boek een

Anthony 1953: *Ergens Anders*

In die winter van 1953 verschenen op vrijwel elke ruit in de Bronx kleurige plakplaatjes, en werd oom Malcolm naar de gevangenis gestuurd wegens diefstal van postzegels en kantoorbehoeften in zijn laatste nieuwe baan.

Mijn ouders hadden het zo druk met hun bezorgdheid over tante Floria – die weduwe leek doordat ze getrouwd was met oom Malcolm – dat ze ongeduldig reageerden telkens wanneer ik tegen hen zei dat ik zo graag van die plakplaatjes wilde hebben. 'Nu niet, Anthony,' zeiden ze dan, en ze wilden niet eens kijken naar het reclamefilmpje van dat meisje en haar moeder die hun plakplaatjes uitpakten. Ze haalden kometen tevoorschijn, en kerstklokken, en kerstbomen – allemaal van dik doorschijnend papier. Terwijl de moeder zo'n plaatje tegen het raam drukte, weekte het meisje een spons in roze glaswas, ze bewerkte het plaatje ermee, en dan glimlachten ze samen om de kometen en sneeuwvlokken die ze hadden gecreëerd.

'Alle andere kinderen hebben plakplaatjes,' loog ik tijdens de rit naar tante Floria.

Het was glad op de Fordham Road, en mijn vader reed voorzichtig door de ijsregen die onze Studebaker bekogelde. 'Per slot van rekening is Floria mijn zus,' zei hij.

Mijn moeder tikte met haar ene gelakte nagel tegen de Christoffelmedaille die op het dashboard geplakt zat. 'Misschien moet je eens uitzoeken wie je echte familie is, Victor.'

'En wat is er onecht aan mijn zuster?'

'Breng me niet in verleiding. Alsjeblieft.'

'We hebben al glaswas om de ramen te zemen,' zei ik tegen haar terwijl we onder de metro van Third Avenue door reden. 'Dus hoeven we alleen nog plakplaatjes te kopen.'

'Hou nou eens op met zeuren, Anthony.'

'Kevin heeft ook plakplaatjes.'

'Kevin heeft altijd alles wat jij probeert te krijgen. En als ik dat controleer bij Sheila Snor, dan blijkt het niet waar te zijn.' Mijn moeder verzon altijd bijnamen die helemaal klopten, bijvoorbeeld voor de drie Sheila's bij ons in de buurt, Ananas-Sheila, Sheila de Bazin en Sheila Snor. Ananas-Sheila was joods; Sheila de Bazin was Iers; en Sheila Snor was Iers, en bovendien de moeder van Kevin O'Dea.

'Maar alle kinderen hebben plakplaatjes.'

'*Basta!* Je weet dat ik het vreselijk vind als je zeurt. Het is altijd hetzelfde. Eerst probeer je iets te krijgen door lief te doen; en daarna begin je te zeuren.'

Ik liet me naar het zijraampje achter haar glijden, leunend op de armsteun om lang te lijken. In mijn linkerwant had ik Frogman, groen en hard, en ik klemde mijn vingers om hem heen. Frogman was een poppetje uit een doos van een soort cornflakes waaraan ik de pest had, maar Kevin had ten slotte Frogman willen ruilen voor mijn twee dierbaarste honkbalkaartjes, Phil Rizzuto en Yogi Berra.

Kevin woonde in het flatgebouw tegenover het onze aan Creston Avenue, naast de achtermuur van de Paradise, waar de films werden vertoond in een zaal met airconditioning, en waar de ouvreuses met zaklantaarns in je gezicht schenen als je praatte. Op zomeravonden, wanneer het te warm en kleverig was om je ergens anders op te houden, zaten onze families in de Paradise, ongeacht de film die er gedraaid werd, zolang het maar niet iets was wat verboden was door het *Legion of Decency*. In de kerk zat hun beoordeling van films met punaises op de wand van het portaal geprikt: A-I was moreel gepast voor alle leeftijden, zonder voorbehoud; B betekende gedeeltelijk afgekeurd en C was afgekeurd. Hoewel we ons plechtig tegen afgekeurde films keerden – niet alleen beloofden weg te blijven bij dergelijke films, maar ook bioscopen te boycotten waar ze waren vertoond –, stond pater Bonneducci nog steeds vanaf de kansel te schreeuwen dat het een doodzonde was een afgekeurde film te gaan zien, en ik kon zijn stem in mijn hoofd horen, telkens wanneer ik langs de Ascot kwam en probeerde geen blik te werpen op de posters van de afgekeurde films. Naast de Ascot was een joodse school, en ik vroeg me af of de rabbijn ook tegen de jongens schreeuwde dat ze niet naar die posters mochten kijken. Ik vond de Zweedse posters mooi. Vooral die van *Een zomer met Monika*.

Ik had gewild dat we zoveel geld hadden dat we elke dag naar de bioscoop konden, maar Kevin en ik konden tenminste gaan staan in de glimmende nis naast de fraaie kassa van de Paradise en de koele lucht voelen en de intriges navertellen van onze grootste favorieten: *It Came from Outer Space*; *Invaders from Mars*; en bovenal *Beast from 20.000 Fathoms*. Dan brulden we net als dat beest – 'oeoeoeah!' – zoals het opdook uit de oceaan bij Baffin Island, met zijn enorme hagedissentanden en hagedissenarmen – 'oeoeoeah!' –, klaar om Wall Street en het reuzenrad op Coney Island te verpletteren. Op een dag kwam de ouvreuse naar buiten en ze schreeuwde: 'Weg, lawaaischoppers, anders roep ik je moeder!'

's Middag spreidden we soms Kevins oude gestikte deken uit op zijn dak, en dan spioneerden we naar communisten die misschien over Creston Avenue kwamen. Tot dusver hadden we er geen een gezien, maar we wisten hoe we communisten konden herkennen, want dat waren enge kerels die rode uniformen droegen. Daarom werden ze 'roden' genoemd. Ze hadden Jell-O-dozen bij zich, zodat ze elkaar konden herkennen, en geheimen over de bom konden uitwisselen. Terwijl Kevin en ik afwachtten, lazen we onze stripverhalen van Tarzan en Bugs Bunny, of we krabden met lollystokjes in de teer langs de naden, waar het smolt in de hitte. We kregen ook wat teer op onze huid en kleren, maar we deden altijd of we lagen te zonnen op Orchard Beach, al konden we daar in de hoogte het Empire State Building zien.

'Ik had het erover dat we Floria te veel helpen zolang Malcolm Ergens Anders is,' zei mijn moeder tegen mijn vader. Ergens Anders kon van alles betekenen, van gevangenis tot Engeland tot op de loop zijn. Ergens Anders betekende nooit lang ergens op één plaats blijven omdat je de wet aan je laars lapte.

Mijn vader drukte zijn sigaret uit. 'En wie bepaalt wat te veel helpen is?'

'Jij denkt dat je net Jezus bent, die op het water wandelde. Jij denkt dat je alles kan doen zonder natte voeten te krijgen.'

'Voeten? Jezus?'

'Nou, laat mij je dan maar vertellen dat Jezus natte voeten heeft gekregen. Hele natte voeten.'

Natte voeten. Hele natte voeten. Koude voeten. Koude auto. Onze auto was zo ijskoud dat ik nauwelijks de schalen met overgebleven kalfslapjes en rissoles met aubergine kon ruiken, al stonden ze vlak naast me op de achterbank. Dat waren resten van een gouden bruiloft waarvoor mijn vader het diner had verzorgd, en hij had ze afgedekt met witte doeken waarop de naam van zijn zaak, Festa Liguria, gestempeld stond.

'Wat begrijp ik hier *niet* van natte voeten?' vroeg hij.

'Laat maar.'

'Nee, nee. Vertel het me dan. Mij en de jongen. Misschien komen we allebei iets te weten wat we bij de mis niet hebben begrepen.'

Ik staarde langs onze sticker van Palisades Park naar het White Castle, grauw nu in de regen, waar de hamburgers van twaalf cent zo dun waren als de speelkaarten van oom Malcolm; en terwijl ik eraan dacht dat hij weer Ergens Anders was, zag ik hem voor me: *hij liep hard, tegen de wind in gebogen, en zijn ene hand hield zich vast aan de groene accordeon voor zijn borst, en de andere aan zijn rossige hoed.*

'Ik vind het verhelderend, Leonora, dat je alleen de bijbel citeert om mij op mijn tekortkomingen te wijzen. Eigenlijk betwijfel ik of de bijbel daarvoor geschreven is.'

Mijn moeder peuterde twee sigaretten uit haar pakje Pall Mall, stak ze allebei aan en stopte er een tussen mijn vaders lippen. 'Ik bedoelde... telkens wanneer jij Floria helpt, doe je je eigen gezin tekort.'

'En ben jij dan mijn eigendom?' Hoewel hij naar haar grinnikte alsof hij haar met een grapje wilde opvrolijken, was zijn stem scherp. 'En, ben je dat dan, *mia cara*?'

Ze rukte een opgevouwen krantenpagina uit haar handtas. 'Als je zo gaat doen, dan ga ik aan mijn kruiswoordraadsel werken.'

Ze kon niet stilzitten, mijn moeder. Altijd wipte haar ene been, over het andere geslagen, op en neer, of haar handen zochten naar iets om te bewegen. Daarom was ze zo mager, had tante Floria tegen mijn vader gezegd op het feestje voor mijn zevende verjaardag, een paar weken eerder.

'Ik vraag me af of dat de reden is waarom Leonora jouw baby's niet kan dragen. Goddank heeft ze Anthony bijna tot het einde gedragen.'

Ik had mijn moeder heel wat baby's zien dragen, en ze liep er ook mee rond, maar toen ik dat tegen tante Floria zei, verscheen mijn moeder achter haar.

Met tranen in haar ogen riep ze: 'Dat jij een dubbel nest hebt gehad, maakt je heus niet beter dan mij.'

Maar tante Floria had meteen teruggeschreeuwd: 'Mijn tweeling is geen nest. In elk geval honger ik mezelf niet uit om in een maatje achtendertig te kunnen.'

'Ja, dat klopt. Als jij een jaar lang geen macaroni at, zou je nog niet in een maat achtenveertig passen.'

Mijn tante stak haar hand uit naar haar nek en keerde haar zwarte kraagje binnenstebuiten. 'Kijk jij maar eens op dit merkje. Zesenveertig, Leonora. En deze jurk heb ik niet zelf genaaid. Die heb ik bij Alexander's gekocht. Dit is maat...'

Haastig zette mijn vader de radio aan. 'Luister eens... Frank Sina...'

'Maat zesenveertig. Zie je dat?'

'Nou, dan heb je er gewoon een kleiner merkje in genaaid.'

'Alexander's wordt almaar groter,' zei ik, 'net als...'

'Anthony...' Mijn moeder zette een geschrokken gezicht. 'Hou je...'

'Jij zei tegen me dat Alexander's almaar groter wordt, net als tante Floria.'

'Zoiets heb ik nooit gezegd,' jokte mijn moeder. 'Floria...'

Maar mijn tante was al bezig de trap op te rennen naar het huis van mijn grootouders, en mijn moeder ging haar achterna.

'Floria, toe nou...'

Mijn grootvader tastte in zijn zak. 'Wat dacht je van een pepermuntje, Antonio?' Net als de nonnen op school die heiligenprentjes en gummetjes uit hun mouwen te voorschijn toverden, kon mijn grootvader alles wat ik nodig zou kunnen hebben uit zijn zakken halen: elastiekjes, geld voor snoep of Nick-L-Nips, gemarmerde stuiters, een fluitje, pepermuntjes, vliegertouw. Als jongen in Italië had hij een vliegerkampioenschap gewonnen. Mijn Grootmoeder Springtij klaagde dat zijn zakken altijd vervormd raakten, en het enige wat hem kwaad maakte, was dat zij ze leeghaalde.

Ik liet zijn pepermuntje in mijn mond glijden. 'Die mensen van Alexander's breken almaar flatgebouwen af om hun winkel nog groter te maken.'

'Thuis in Italië houden de mensen oude gebouwen juist in stand in plaats van ze af te breken.'

'Wat moeten we doen als die lui van Alexander's de klimrekken in de speeltuin afbreken?'

'In St. James Park? Daar mogen ze niet bouwen.'

'Beloof je dat?' Ik liep hem achterna naar zijn muziekkamertje onder de trap naar de eerste verdieping. Daarbinnen rook het lekker, nog van toen het een kast was. Op de vloer lagen houtvezeltjes die insecten uit de balken hadden geknaagd.

'Dat beloof ik. Dat park is eigendom van de stad. En dat betekent dat het eigendom is van jou.'

'Echt waar?'

'Van jou en van alle kinderen die daar spelen.'

Het raam naar het achterstraatje zat in de ene wand van de muziekkamer, en aan de andere wanden had mijn grootvader kaarsvormige lampen gemonteerd, afkomstig van zijn werk bij de stadsreiniging, en er hing een kleine foto van hemzelf als kleine jongen met een vlieger.

'Ik vind het grappig wanneer Amerikanen praten over hun historische gebouwen.' Hij begon een grammofoonplaat op te poetsen met een opgevouwen hemd. 'Tachtig jaar, Antonio? Honderd? Tweehonderd?'

Hoewel hij een omvangrijk man was, klonk de stem vanuit zijn nek klein, alsof die zich naar buiten moest wringen, en ik was ervan overtuigd dat hij daarom zo van opera's hield – die luide stemmen die door het lapje textiel voor de speaker van zijn goudbruine Victrola kwamen.

'In Ligurië hebben we het over duizenden jaren.' Zijn vingers kromden zich enigszins naar binnen, en met die hand gebaarde hij alsof hij me vroeg dichterbij te komen, heel ver weg, heel ver terug met hem, misschien wel duizend jaar. 'Toen ik een jongen was in Nozarego, wat jonger dan jij, hielp ik mijn vader in zijn wijngaard die eigendom was geweest van zijn vader en van zijn vaders vader enzovoort... eeuwenlang Amedeo's, Antonio, voordat jij er was, en voordat ik er was.'

'Ik ben bijna platgedrukt bij Alexander's.'

Hij ging op de breedste van de twee stoelen zitten. '*O Dio*. Hoe is dat in zijn werk gegaan?'

Boven waren mijn moeder en mijn tante tegen elkaar aan het schreeuwen als operasterren, al had mijn moeder tegen mijn grootvader gezegd dat opera melodramatisch was. 'Ze schreeuwen altijd, en het duurt een halfuur voordat ze zeggen: "Kom in mijn armen", of een verloren gewaande broer herkennen. En dan schreeuwen ze hetzelfde, en je kunt de woorden niet eens verstaan.' Mijn grootvader had goed geluisterd, zoals hij altijd deed, zonder je op te jagen, al ging mijn moeder almaar door, en toen ze uitgeput was en zei dat ze bewondering had voor drama dat op de kracht van woorden berustte, op de kracht van zwijgen, had mijn grootvader geglimlacht en gezegd: 'Ik houd ook van zwijgen.'

Ik klom op zijn knie. 'Daar bij Alexander's was uitverkoop, en Mama en ik wachtten tot de deuren opengingen, maar die werden bewaakt door brandweermannen, en de mensen begonnen me te duwen en plat te drukken.'

'Wat vreselijk.'

'Een paar mensen werden door de etalageruiten geduwd en toen sneden ze zich, en etalagepoppen vielen om en toen hoorde ik sirenes. Ik hou niet van Alexander's.'

Hij knikte. 'Heb je al bedacht of je tijd kunt ruilen met je moeder?'

'Hoe dan?'

'Je zou haar kunnen vragen of ze jou, voor elke tien minuten bij Alexander's, tien minuten op de speelgoedafdeling wil geven.'

'En krijg ik voor elk uur bij Alexander's een uur in de dubbeltjesbazaar?'

'Je kunt het altijd vragen, Antonio.'

'Bij Kress dan, en niet bij Woolworth – daar is het groter, en daarnaast is Gormans hotdogtentje.'

Een tijdlang ging de ruzie boven ons door, maar later diezelfde avond dansten mijn moeder en tante Floria op de muziek van *Make Believe Ballroom* op WNEW, zoals ze vaker deden op familiefeestjes; mijn moeder was – ondanks haar hoge hakken – veel kleiner dan mijn tante, die slanke enkels had hoewel de rest van haar lichaam stevig was, net als bij mijn vader. Mijn moeder en tante dansten verreweg het beste van de hele familie en ze genoten van elkaars elegantie en vaardigheid terwijl ze langs ons heen zwierden. En als ze al een woord hebben gewisseld, moet dat heel zacht zijn geweest.

Omdat de mannen niet van dansen hielden, zaten ze te roken en te kijken hoe de vrouwen – ook oma Springtij en oudtante Camilla – de rumba dansten, en de foxtrot, en de tango. Die avond was oom Malcolm nog niet Ergens Anders. Zwetend en lachend begeleidde hij de radio door lange, flakkerende ademtochten te knijpen uit zijn accordeon, alsof hij deel uitmaakte van het orkest van Count Basie. Oom Malcolm was de enige in mijn familie die geen Italiaan was, en in mijn ogen was hij daarom exotisch. Zijn lichte haren waren klam, en zijn ogen volgden tante Floria, die meisjesachtig en luchtig werd terwijl ze danste met mijn moeder.

Toen mijn grootvader zich naar oudtante Camilla overboog en iets in het Italiaans fluisterde, lachte ze, en duwde ze hem zachtjes weg met haar hand tegen zijn borstkas.

'Echt waar,' zei hij, 'zelfs als ik een vrouw was, zou ik liever vrouwen aanraken dan mannen.'

'Dat is dapper van je, Emilio.'

Hij ging op de bank zitten. 'Toe maar, Antonio. Ga jij maar dansen met de dames.'

Mijn moeder en tante Floria maakten de ene kant van hun dans voor mij open, en ik haastte me de warme massa van hun lichamen binnen en wervelde met hen mee. Ik danste en draaide rond tot lang nadat mijn vader en oom Malcolm bij mijn grootvader op de bank waren gaan zitten, tegen hem aangeleund alsof ze een driehoek wilden vormen, en hun gebruikelijke dutje deden.

Later, in de keuken, deden tante Floria en mijn moeder de afwas, waarbij ze ruziemaakten, maar wij waren eraan gewend dat ze lichtgeraakt op elkaar reageerden en vervolgens weer vertrouwelijk deden en met elkaar dansten alsof ze de beste vriendinnen waren. Toen ze terugkwamen naar de woonkamer met bruine koffie en zwarte koffie en een zilveren schaal met schwugadelli's en cannoli's, werden de mannen wakker. Ze gingen weer rechtop zitten, en toen zaten we bij elkaar en vertelden verhalen, zoals we dat altijd deden, met veel hartstocht, en we luisterden al even hartstochtelijk wanneer een van ons een verhaal oppikte en verder uitwerkte, en dat luisteren wekte weer meer herinneringen zodat we – lachend of met tranen – in een verhaal sprongen en deel gingen uitmaken van het patroon. Het mooist was het wanneer die verhalen al vertrouwd waren, want dan konden we genieten van de manier waarop ze veranderden en toch steeds hetzelfde bleven, elke keer dat ze verteld werden. En terwijl we elkaar aanvuurden, voelde ik de aanwezigheid van niet-vertelde verhalen – al aanwezig, buiten ons aller bereik, in de toekomst –, verhalen die vorm kregen binnen onze familie, wachtend tot wij die verhalen gingen beleven.

En tot we ze zouden vertellen.

Oudtante Camilla vond haar verhalen in vreemde landen. Omdat zij graag alleen reisde, was ze een raadsel voor mijn familie, maar ik hield van raadsels, ik vond het leuk haar op te halen bij de dokken aan West Side, waar het water donkergroen was, donker van olievlekken en afval, waar de lucht naar teer en hotdogs rook, en waar ik stoomschepen zag wanneer ze terugkwam met haar verhalen van heel ver weg, en geschenken van heel ver weg. Eén keer heeft oudtante Camilla me rondgeleid op de *Mauretania*. Vier andere stoomschepen hadden aangelegd in de haven, en een schuit met lange cilinders lag langszij bij de *Île de France*, om de scheepsromp te schilderen. Toen mijn moeder een hotdog voor me kocht, gooide ik het uiteinde van het broodje naar de meeuwen, en terwijl die erom vochten, werden ze overstemd door de toeter van een sleepboot. Op de schoorsteen had die een grote *M* staan. 'Dat betekent "Moran",' had oudtante Camilla me verteld, en ik had graag gewild dat ze mij meenam op een van haar reizen.

Mijn lievelingsverhaal ging over mijn grootmoeder die voorkomen had dat mijn grootvader verdronk. Mijn moeder had haar de bijnaam Springtij gegeven. Als Springtij er niet was geweest, zouden wij geen van allen leven. Niet dat ze ons allemaal had gered, maar ze had mijn grootvader gered toen hij nog niet mijn grootvader was, en ook nog niet haar man, maar gewoon Emilio Amedeo, die tot aan zijn middel in de golven bij Jones Beach had gestaan.

'De eerste keer dat ik hem zag, heb ik hem gered.' Zo begon ze altijd aan het deel van het verhaal dat haar toebehoorde, het gedeelte waar *ze zit te zonnebaden, in haar nieuwe witte badpak, wanneer die jongeman opeens omvalt en door het tij wordt meegesleurd. Een van zijn armen is omhooggestoken, en dan verschijnt zijn gezicht, met wijdopen mond. En zij springt overeind, rent naar het water, duikt erin en zwemt naar de plek waar hij bezig is te verdrinken. 'Hou je aan mij vast,' schreeuwt ze, en ze steekt haar hand naar hem uit. Ze zwemt nu op haar rug, met haar ene arm om hem heen alsof ze elkaar omhelzen, en hij laat zich met haar meedrijven, steunt op haar lichaam. 'Als we ons verzetten tegen de stroming, raken we uitgeput,' zegt ze tegen hem. 'We hoeven alleen maar af te wachten... laat het getij ons meenemen naar waar het zwakker wordt... en dan zwemmen we eruit.' Even laat mijn grootvader zich met haar meedrijven, maar wanneer het getij hen nog verder meesleurt, raakt hij in paniek, want voor zijn gevoel is ze een of ander zeldzaam waterwezen, een lamantijn, of een sirene, die hem dieper naar haar gebied meeneemt. Terwijl hij worstelt om los te komen, glipt ze onder hem weg, komt achter hem weer boven, en grijpt hem vast om zijn middel. 'Ik ga je redden,' roept haar vrouwenstem in zijn oor, 'je hebt geen andere keus. Maar je kan het gemakkelijker voor me maken om je te redden... als je rustig blijft. Als je dat niet kunt... dan sla ik je bewusteloos... en sleur ik je mee naar het strand.' Hij voelt haar adem tegen zijn linkeroor, tegen de linkerzijde van zijn nek, een adem die meekomt met haar geschreeuwde woorden. 'Maar ik zál je redden. De enige keus die je hebt is doen alsof we samen aan het terugzwemmen zijn. En dan hoef je tegenover niemand toe te geven dat je door een vrouw gered bent.'*

Maar het is mijn grootvader die het verhaal van zijn redding heeft geopenbaard. En die het nog steeds graag vertelde, door ons aangevuurd.

'Laat Emilio dat deel vertellen.'

'Dat kan hij zo goed.'

Dan wachtte hij tot Springtij was uitverteld, en dan zette hij het verhaal voort vanaf het moment waarop hij gekalmeerd was. *Ondanks alle paniek. Want daar in het water, in de heftige omhelzing van die vrouw, begrijpt hij dat ze haar belofte hem te redden waar zal maken. In haar heftige omhelzing begrijpt hij dat hij haar ten huwelijk zal vragen – of ze nu een waterwezen is of een vrouw – wanneer ze weer terug op het strand zijn. En omdat hij bang is dat ze voorgoed zal verdwijnen als ze eenmaal op het zand staan – wat hij meer vreest dan verdrinking –, vraagt hij naar haar naam, Natalina, en hij is opgelucht dat zij ook een Italiaanse is, en dan doet hij zijn aanzoek, terwijl het getij hen nog steeds meesleurt.*

Dat is het verhaal van hun huwelijk geworden.

En het duurde niet lang voordat ze hun eerste kind kregen, Victor, genoemd naar Victorien Sardou, die het toneelstuk had geschreven waarop *Tosca*, de lievelingsopera van mijn grootvader, was gebaseerd. En omdat mijn grootvader meer van Puccini's opera's hield dan van alle andere, was het alleen maar logisch dat het meisje, dat twee jaar na Victor was geboren, Floria werd genoemd.

Mijn vader en tante Floria plaagden hun ouders vaak met het verhaal over die eerste zwemtocht, en dat ze die langer hadden laten duren omdat ze elkaar dan konden aanraken op manieren die ongepast zouden zijn geweest als ze elkaar gewoon op het droge hadden ontmoet.

'Dan zou Natalina's reputatie vernietigd zijn,' zei mijn grootvader dan.

Springtij was blijven zwemmen, elke ochtend anderhalve kilometer, in het zwembad in het gebouw waar haar zuster, Camilla, een appartement deelde met mevrouw Feinstein. Ze hadden beiden als onderwijzeres gewerkt, maar mevrouw Feinstein reisde niet en spaarde haar geld op voor een persianer bontmantel en elegant meubilair. Hun appartement had een open haard en lag twee huizenblokken verwijderd van de East River, aan 86th Street.

Soms droeg ik mijn badpak in plaats van een onderbroek naar de zondagse mis, en na afloop nam Springtij me dan mee naar Manhattan. Ik zat graag in de Jerome Avenue El omdat die langs flats reed, en dan kon ik mensen zien die aan het koken waren, of sliepen, of tv keken. Elke keer dat er een wedstrijd in Yankee Stadium was, stonden de mensen in de El op en leunden ze naar de raampjes aan de rechterkant, om een glimp van het spel op te vangen.

Oom Malcolm nam me graag mee naar een honkbalwedstrijd. Meestal begon de tweeling dan te zeuren, en dan zei hij: 'Er mogen geen meisjes naar binnen in Yankee Stadium.'

'Ik heb de beste plaatsen gekocht in het huis dat Babe Ruth heeft gebouwd,' zei hij de eerste keer dat hij me uitnodigde.

Alles die middag was opwindend, de aankomst op het voorplein, waar oom Malcolm een programma voor me kocht; door de draaihekken gaan, waar hij onze kaartjes doorgaf aan de controleurs; ik liep hem achterna over trappen die zo steil waren dat ik echt moest klimmen, trappen naar de bovenste banken, heel hoog in de hemel, en daarna persten we ons in zitplaatsen die groezelig waren en kleefden van verschaald bier.

'Hiervandaan kunnen we alles zien wat er gebeurt, niet alleen maar een deel van het veld...' Hij gebaarde naar de loges vlak bij de derde honklijn, '...zoals die arme kerels daar aan de overkant, die almaar hun hoofd heen en weer moeten bewegen.'

Ik vond het zalig zo hoog te zitten, ik vond het lawaai prachtig, evenals het scorebord met die verlichte cijfers, en de venters die riepen: 'Hotdogs, pinda's, prik, hier!'

Oom Malcolm liet me zien hoe ik het programma moest invullen met potlood, stuk voor stuk, wie een slag kreeg, wie een bal. Een paar keer tikte hij op de schouder van de man die voor ons zat. 'Mag ik misschien even uw kijker lenen voor mijn zoontje hier?'

Hij kocht pinda's voor ons beiden, en coca-cola en bier, en gaf me een por zodat ik kon meeschreeuwen, telkens wanneer hij het op een schreeuwen zette. Wat een lawaai... Ik had nooit eerder dergelijk lawaai gehoord, geschreeuw en gevechten en schreeuwende venters, terwijl ik op onze beste plaatsen zat, en het warm kreeg, en me vol en opgewonden voelde.

Het zwembad van oudtante Camilla was in de kelder, aan de overkant van de ruimte voor de vuilnisbakken, en de kastjes waren roestig en stonken naar chloor en beschimmelde badpakken die door mensen vergeten waren. Springtij en ik doken dan in het troebele groene water, zaten elkaars tenen achterna, en slaakten vreugdekreten wanneer we elkaar aan het schrikken maakten door onverwacht boven water te komen.

Mijn vader moest lachen toen ik op een dag had uitgerekend dat Springtij, door anderhalve kilometer per dag te zwemmen, in negen jaar naar Italië kon zwemmen.

'Zij is precies het type vrouw dat zoiets zou kunnen doen,' zei mijn moeder.

'Ik neem liever een stoomboot,' zei oudtante Camilla.

Af en toe kwamen oudtante Camilla en mevrouw Feinstein ook bij ons in hun zwembad, en dan zwommen ze daar als echte volwassenen, met lange, slanke lijven, zodat ze meer op zusters leken dan op Springtij en oudtante Camilla. Samen trokken ze vlot en snel baantjes aan de andere kant van het zwembad, opdat ons geplons hun krullen niet zou verstoren.

Ik probeerde langer in het zwembad te blijven omdat ik bang was voor de mannenkleedkamer, waar kakkerlakken en zilvervisjes in het rond schoten als je het licht aandeed. Volgens mevrouw Feinstein aten zilvervisjes alles, zelfs de lijm in de band van een boek; en dan wees ze op dode zilvervisjes in het licht van de lift, wanneer we omhooggingen naar hun flat om te lunchen.

De rand van mijn vaders hoed vulde de achteruitkijkspiegel. 'Vertel me dan eens, Leonora, waarom ik mijn eigen gezin tekortdoe en tegelijkertijd natte voeten krijg. Hebben jij en de jongen ooit honger geleden? Het zonder jas moeten doen? En zonder kruiswoordraadsels, Heer in de hemel?'

'Zonder die verdomde autoverwarming.'

Ik trok de rand van mijn muts naar voren, en dan weer naar achteren. Opnieuw naar voren, maar nog steeds was het geritsel langs mijn oren niet voldoende om de ruzie van mijn ouders te smoren. Ze ruzieden vaak over geld. Over het feit dat ze er niet arm uitzagen. Wat betekende dat de dingen schoon en versteld bleven, dat je restjes eten voor de volgende dag bewaarde.

'Ik heb toch gezegd dat ik de verwarming zou laten maken.'

'Wanneer dan?'

'Wanneer, wil ze weten.'

'Praat niet over me in de derde persoon.'

'Sorry.'

Ik wikkelde een slap slablaadje om een knoop van mijn wollen jas. We hadden altijd wel een paar verwelkte slablaadjes of uitgedroogde sperziebonen op de banken liggen, want mijn vader gebruikte de Studebaker om kisten met worteltjes en bieten en sla en bonen te vervoeren van de Bronx Terminal Market naar 'Festa Liguria' aan East Tremont Avenue.

'Je kan in deze auto doodvriezen.' Als mijn moeder haar magere schouders optrok, leek haar rug half zo breed als die van mijn vader.

'Ik zal de verwarming laten maken zodra die chiropractici me betalen voor hun congres.'

'Ik staak mijn pleidooi.'

'Een advocaat in de familie. Nu komt er een eind aan al onze problemen.'

'Ik beloof niet te veel glaswas te gebruiken,' zei ik.

Waarom mochten grote mensen altijd beslissen wat er gekocht werd? Waarom zou de verwarming van een auto belangrijker zijn dan plakplaatjes? Of een koekenpan, als de oude nog niet kapot was? Ik vouwde mijn handen en bad tot de heilige Antonius, mijn naamgenoot, om me te laten wonen bij dat meisje op de televisie en haar ouders. Die maakten nooit ruzie. Ik stelde me het GLASWASMEISJE op de buis voor, die GLASWASMOEDER, *van buitenaf te zien terwijl ze de ruit versieren, terwijl iemand hoog in een boom – misschien is het een engel – een camera op hen richt. In hun woonkamer is een open haard, klaar voor Santa Claus.*

'Wij hebben niet eens een open haard,' zei ik.

'Santa Claus kent de weg via de brandtrap.' Mijn moeder tikte met de punt van haar zilveren kruiswoordpuzzelpotloodje tegen haar voortanden. 'Licht. Zeven letters. Een ander woord voor licht...'

'Ik vind het niet leuk om ruzie met je te maken,' zei mijn vader.

'Wil je soms ruziemaken en er ook nog van genieten?'

Hij liet een geërgerd lachje horen.

Ik trok mijn kriebelige wollen wanten uit en liet ze uit mijn mouwen bengelen aan het koordje, gehaakt door grootmoeder Springtij. De laatste keer dat ik mijn vader zo had horen lachen, was geweest toen mijn moeder me van de katholieke school had willen halen. Ze had gezegd dat het een slechte gewoonte was om godsdienst en onderwijs met elkaar te combineren. Maar mijn vader en grootouders zeiden dat de nonnen beter onderwijs gaven, en ik wilde ook op St. Simon Stock blijven, want daarop zaten Kevin en mijn andere vriendjes.

Hoewel ik zeker wist dat ik de poot van Frogman met zuiveringszout had gevuld, maakte ik het metalen dopje op zijn been los. Soms betekende zeker weten alleen dat je dubbel moest controleren, want als je dat niet deed, zouden alle andere dingen mislopen. En ik wilde mijn nichtjes laten zien hoe Frogman op en neer zwom terwijl het zuiveringszout in het water bubbelde.

'Zeven letters. Glans... dat is te kort.' Mijn moeder stak haar hand op om de gespikkelde veren op haar rode hoed overeind te zetten.

'Ben je weer gekalmeerd?' vroeg mijn vader.

'Luchtig... Nee, de vierde letter is een M...'

'Als mijn zuster niet met Malcolm getrouwd was,' zei mijn vader, 'zouden we die klootzak niet eens kennen.'

Ik hoorde dat verbijsterd aan, en nog jaren daarna geloofde ik dat mannen – als ze niet getrouwd waren – domweg niet bestonden. Dat bewees mijn vader inderdaad, want mijn moeder zorgde ervoor dat hij echt bleef tijdens zijn afwezigheid door zijn lievelingseten te koken, door zijn kleren te wassen en te strijken en te verstellen en bovenal door over hem te praten als ze me na schooltijd bij St. Simon ophaalde, zodat ik, wanneer mijn vader 's avonds thuiskwam, versteld stond dat hij weg was geweest, omdat hij de hele dag zo dichtbij had gevoeld. Vrouwen waren er ook als ze niet getrouwd waren, zelfs oudtante Camilla, die geen man had. Vrouwen zag ik voortdurend. In mijn moeders keuken; in de schoonheidssalon waar de stank van permanent in mijn neus kriebelde; in de Hebrew National Deli; bij Joy Drugs; of in de Ce'Bon, waar een sproeier boven het raam de lucht vervulde van parfum. Mannen kwam ik echter alleen tegen als ze getrouwd waren met vrouwen die ik kende. Wat zou er gebeuren als ik niemand kon vinden om met me te trouwen? Zou ik domweg verdwijnen? En waar zou ik me dan bevinden?

Ik ging rechtop zitten. 'Mag ik trouwen met de tweeling?'

Mijn moeder draaide zich om en glimlachte naar me alsof ik nog in de eerste klas zat. 'Met allebei?'

'Misschien alleen met Bianca. Belinda is wel grappig, maar ik heb een hekel aan die lelijke snottebellen.'

'Ik heb je gevraagd niet meer "snottebellen" te zeggen,' zei mijn vader, al wist hij ook heel goed dat hij zich uit de voeten moest maken als Belinda niesde, want dan verspreidde ze hele brokken snot. 'Zoiets heet een probleem met de voorhoofdsholte.'

'Trouwen met een nicht is niet zo verstandig,' zei mijn moeder.

Maar als ik met Bianca trouwde, zou ze goed moeten vinden dat ik haar Superman-cape droeg. Ze had de gewoonte gehad van meubelstukken af te springen met een beddenlaken om haar hals geknoopt, onder het slaken van de kreet 'Suuu-per-mannnn', totdat tante Floria een cape had genaaid van resten satijn, met bandjes waar Bianca's armen doorheen konden, zodat ze zich niet zou wurgen.

'Waarom is het niet verstandig om met een nichtje te trouwen?'

'Vorige week wilde je nog bisschop worden,' zei mijn vader.

'Ik kan eerst bisschop worden en dan trouwen.'

'Allebei kan niet.'

'Bovendien,' zo voegde mijn moeder eraan toe, 'ben je nog te jong om aan trouwen te denken.'

Mijn vader remde af bij de hoek met Southern Boulevard, waar het oranje dak van 'Howard Johnson' glinsterde in de stortregen, en waar de neonjongen wees naar het dienblad met neontaartjes dat de neontaartman hem aanbood.

'Achtentwintig smaken,' las ik hardop.

'Nooit allemaal tegelijk,' zei mijn moeder.

'Koffie is hun weerzinwekkendste smaak.' Elke keer dat we daar kwamen, hadden ze alleen vanille, chocolade, koffie en aardbeien. Voor elke andere smaak waarom we vroegen, was het niet de juiste tijd.

'Het is inderdaad weerzinwekkend.'

Mijn vader keek even naar haar. 'Waarschijnlijk beschouwde Malcolm die zegels als weer wat franje voor zijn inkomen.'

Franje was dat dunne spul aan de rand van de pianosjaal van mijn grootmoeder Ossining. Dat was de moeder van mijn moeder. Ze was hardhandig en liefdevol, het speet haar zodra ze me een klap had gegeven of tegen me geschreeuwd had, en dan trok ze me naar zich toe; maar het was de pijn van die handpalm die bleef – en niet die zoen op mijn voorhoofd. We zagen haar niet zo vaak, maar als we erheen gingen, vond ik het leuk om langs de Sing Sing te rijden, waar mijn grootvader Ossining als bewaker had gewerkt tot hij doodging aan een doorgebroken blindedarm toen mijn moeder tien was. Mijn grootmoeder Ossining zei vaak gebeden voor haar dode echtgenoot. Elk gebed, zei ze, was een parkeerkaartje voor God. Ze kreeg een extra parkeerkaartje voor elke offerkaars die ze brandde in het lampje van rood glas bij het portret van moeder Cabrini, een nieuwe heilige die heilig was geworden door haar werk onder Italiaanse emigranten.

Maar sinds afgelopen zomer waren mijn ouders niet meer langs de Sing Sing gereden. Vanwege de Rosenbergs, zei mijn moeder. Ze had medelijden met de zoontjes van de Rosenbergs, die nu wezen waren. 'Ik ben er niet zo zeker van dat de Rosenbergs echt gespioneerd hebben voor de Russen,' zei ze. 'Het enige waarvan ik écht zeker ben, dat is dat die McCarthy een leugenaar is, een bullebak. Zelfs president Eisenhower is bang voor hem.'

'Malcolm beschouwt de hele wereld als franje voor zijn inkomen,' zei mijn vader.

Ik kon me geen wereld met franje voorstellen. Mijn onderwijzeres in de tweede klas, zuster Lucille, had een wereldkaart opgehangen boven de kapstokken van de jongens, en mijn haakje was onder Afrika, en daar stonden de meeste kruisjes, van missieposten. Tijdens een van onze oefeningen voor luchtaanvallen had Maria Donez gehuild, en zuster Lucille had ons verteld dat Maria bedroefd was omdat haar familie terugkeerde naar Guatemala. Ik vergat de naam van haar land, en toen ik mijn moeder vertelde dat Maria terugging naar Palmolive, had ze gezegd dat Palmolive zeep was, en geen land. De volgende dag had ik het aan de zuster gevraagd, en zij had me Guatemala aangewezen op haar landkaart.

'Wat is franje voor je inkomen?' vroeg ik aan mijn ouders.

'Goed onthouden, Anthony,' zei mijn vader, 'alle dingen waarover de Amedeo's in de auto praten, blijven in de auto. En alle dingen waarover de Amedeo's thuis praten, blijven in huis.'

Ik praatte hem geruisloos na. Die woorden had ik al heel wat keren gehoord.

'Franje voor je inkomen,' legde mijn moeder uit, 'is wat mensen krijgen naast hun salaris als ze werken. Vakanties bijvoorbeeld. Of betaalde reizen.'

'Of postzegels?'

'Postzegels nooit. Nooit kantoorbehoeften. Nooit autobanden of...'

'En nooit dakpannen?'

Ze begon te kuchen, maar dat klonk naar nep.

'Je doet maar alsof je moet kuchen,' zei ik. 'Eigenlijk zit je te lachen.'

Ze knipoogde naar me.

'Zei ik niet dat die jongen veel te veel opvangt?' vroeg mijn vader.

Mijn moeder boog zich naar hem over om in zijn oor te fluisteren, en haar lippen waren even rood als haar hoed.

De afgelopen zomer was Malcolm in de problemen gekomen – 'in hele erge problemen,' had mijn moeder gezegd – wegens het verkopen van een lading asbest dakpannen die hij gestolen had bij Quality Roofing, waar hij werkte. De twee broers die de eigenaars van Quality waren, hadden hem op een avond in het donker opgewacht in een steegje bij Webster Avenue, in de buurt van Papa John's Diner. Met beide armen en handen in het gips had oom Malcolm zijn genezing grotendeels doorgebracht op de gestreepte bank, waar hij zijn mond opendeed voor de pasta e fagioli die tante Floria hem vork voor vork voerde, waarbij ze zich als een moedervogel met zwarte veren over hem heen boog.

Op een zondag toen wij op bezoek waren, liet hij de tweeling voor de bank staan, waar ze zijn grote accordeon samen moesten vasthouden. Het instrument glinsterde als het parelmoeren crucifix dat Kevins vader aan de achteruitkijkspiegel van zijn taxi had hangen. Kevins vader was buschauffeur geweest voordat hij op de zwarte lijst was gezet.

'Die schurken van Quality hebben jullie papa de muziek ontstolen,' had oom Malcolm gezegd. 'Voorgoed. Nu is de accordeon jullie nalatenschap, meisjes.' Meestal praatte hij net als wij, maar wanneer hij dramatisch werd, werd zijn Britse accent sterker, hoewel hij Engeland had verlaten toen hij zestien was, en als leerjongen bij een dakdekkersbedrijf was ontslagen.

De accordeon was te zwaar voor de tweeling, te stijf zonder de bewegingen van mijn ooms lichaam ertegenaan, zonder zijn vingers die over de toetsen dansten.

'Als je hem op zijn kant zet,' stelde ik voor, 'is het net zoiets als een piano. Dan kan een van jullie op de zwarte en witte toetsen drukken, en de ander op de knoppen.'

'Die accordeon is misschien het enige wat papa jullie ooit zal kunnen geven.' De vingers van oom Malcolm bewogen, probeerden uit het gips te vliegen, rond te cirkelen en weer te dalen, als gewoonlijk wanneer hij praatte.

Het enige wat hij de tweeling had geleerd, bestond uit twee eerste regels, niet eens complete liedjes – 'I'm Chiquita Banana' en 'Flight of the Bumblebee' – en die deuntjes speelden ze telkens en telkens weer, terwijl ze meezongen. Tot op de dag van vandaag kan ik niet tegen accordeonmuziek. Ik loop weg uit restaurants als een loslopende accordeonist mijn tafeltje nadert. En ik haat familiebijeenkomsten waar Belinda – inmiddels muzieklerares – wordt overgehaald haar vaders accordeon te bespelen.

Toen onze auto langs de Bronx Zoo reed, had ik graag het groene hek willen aanraken. Kevin had me verteld dat het hek 's winters warmer aanvoelde. 'Warmer dan de stoeptegels en de stenen. Omdat het van koper is. En koper is warm en blijft rood, onder dat groen.' Tegenover de dierentuin gleden de zwarte pieken van het hek van de Botanical Garden voorbij, duizend krijgers met duizend speren, en toen ik me omdraaide om een laatste blik te werpen op het hek van de dierentuin, besloot ik er een tekening van te maken, niet groen, maar rood, met allemaal rook eromheen.

'Ik moet gek geweest zijn toen ik Malcolm voor die baan heb aanbevolen,' zei mijn vader. 'Gek, dat ik hem geloofde toen hij zei een nieuwe start te willen maken.'

'Niet gek,' zei mijn moeder. 'Gulhartig.'

'Gek gek gek...' Elke keer dat hij 'gek' zei, sloeg hij met zijn rechterhandpalm op het stuur.

'Gulhartig. Je hebt die baan voor hem gevonden omdat je van nature gulhartig bent. En met die twee gebroken armen kon hij een tijdlang niet meer terug in de dakdekkerij. Bovendien maakt hij een beleefde indruk, want met dat accent klinkt hij net als een butler in een film. De mensen beoordelen hem verkeerd.'

'Hij verkoopt uit een lege handkar. Een *scungilli*, dat is-ie. Het laagste van het laagste.'

'En hij is ook heel knap om te zien.'

'Malcolm Edmunds? Knap?'

'Bijzonder knap, zelfs. Hij vindt wel weer een andere baan als dakdekker.'

'Omdat hij zo bijzonder knap is?' Rook krulde uit mijn vaders neusgaten.

'Omdat dakdekkerij het enige is waarin hij goed is. Lenig en niet bang... daarom vindt hij altijd weer iemand die hem aanneemt wanneer hij de laan wordt uitgestuurd.'

'Dat is niet het enige waarin hij goed is,' zei ik. 'Hij kan hele liedjes fluiten zonder dat hij tussendoor adem moet halen.'

'En waar zouden wij allemaal zijn zonder dat talent?' vroeg mijn vader.

'Te gulhartig,' mompelde mijn moeder, en ze streelde het streepje nek boven de bruine kraag van mijn vader.

Ik voelde dat hun onenigheid bezweek onder tederheid. Zo ging het vaak tussen hen; daarom geloofde ik dat er in mijn familie nooit iets heel ergs zou kunnen gebeuren.

Hij drukte zijn nek tegen haar hand. 'Wat een koude hand heb je.'

'O ja... wil je dat ik hem weghaal?'

'Dat lááť je.'

Toen ze haar hoofd naar hem toe keerde, zag ik de plek waar haar linkerwenkbrauw, die zwart was bij de brug van haar neus, opeens wit werd. Sinds haar geboorte was dat kleurverschil er geweest, en mijn vader zei vaak dat mijn moeder te volmaakt zou zijn geweest als ze die linkerwenkbrauw niet had. Bij haar zwarte haren en bleke huid was het contrast verrassend; ze werd er alleen maar mooier van.

'Ik zal iemand zoeken om de verwarming na te kijken,' zei hij toen we langs de ingang van het Globe Theatre reden.

'Kunnen we dat betalen?'

'Binnenkort.' Toen haar vingers zich over zijn nek bleven bewegen, draaide hij zijn hoofd opzij om de binnenkant van haar pols te kussen, waarbij de schaduw van zijn baard blauw leek onder zijn kaak, en opeens voelde ik een heerlijke vreugde.

'Goed dan,' zei ze. 'Wil je met me trouwen, Victor?'

Ik vond het schitterend toen hij antwoordde: 'Maar dat heb ik al gedaan, *mia cara*, weet je dat niet meer?' En opnieuw kuste hij haar pols.

Mijn moeder lachte. 'Ik heb zitten nadenken over de namen van de tweeling. Zolang Floria Malcolm kent, heeft ze de hele dag "banjer" lopen mompelen. En toen ze namen voor hen koos die met een B begonnen, kreeg ze de kans dat te verbergen. BaBelinda. BaBianca.'

'Niet waar de jongen bij is, Leonora.'

Maar ik was al aan het experimenteren met de namen van mijn nichtjes: 'BaBelinda... BaBianca... Ba...'

'Anthony,' zei mijn vader streng. Zijn handen bedekten de hele bovenkant van het stuur – ze waren breder dan de handen van oom Malcolm met die lange polsen, met vingers die een fietsband konden plakken, of een pak kaarten schudden, sneller dan mijn vader. Tot op die avond daar in de buurt van papa John's Diner natuurlijk. Hij was geen echte oom, bedacht ik. Alleen een aangetrouwde oom. Vanwege tante Floria.

Met haar zwarte krullen in een glanzend knotje deed ze de deur open van hun benedenflat aan Boston Road; ze zag eruit of ze in de rouw was, met haar zwarte kousen en haar hoog dichtgeknoopte zwarte japon. 'Voeten vegen, alsjeblieft, lieverds,' zei ze, en ze pakte mijn wangen tussen haar handen. Haar gezicht hing boven me, groot en bleek en beeldschoon. Aan de ene kant van haar mond zat een sproet, en toen ze me op mijn mond zoende, verspreidden de plooien van haar rok een herinnering aan mottenballen en lavendel.

Ik kuste haar terug, blij dat haar gezicht helemaal dezelfde kleur had. Geen plakkerige lippenstift of crème. Geen wasbeerachtige oogschaduw zoals bij mijn grootmoeder Ossining. Ik vond het prachtig zoals tante Floria's parfum met de seizoenen mee veranderde en tegelijkertijd de insecten op afstand hield. Motten durfden nooit bij haar in de buurt te komen, en als het zomer was, verspreidde ze weer de zoetzure geur van de citronellaolie die ze op zakdoeken en lakens deed om muggen te weren.

Onder de goudomlijste portretten van paus Pius XII en kardinaal Spellman stonden mijn nichtjes, met ronde gezichten en stevig gebouwd, net als hun moeder, met hun lakschoentjes en bruine schooluniformen. Toch kon ik ze uit elkaar houden, want Belinda had kleverige neusgaten, terwijl Bianca haar Superman-cape droeg.

Tante Floria verwijderde de handdoek van de auberginerissoles. 'Jij bent zo kunstig met eten, Victor. Ik zal alles meteen opwarmen.'

In de keuken droeg de paspop een half voltooide bruidsjapon, zo stijf dat hij in zijn eentje had kunnen dansen. Dozen – sommige vol, andere leeg – overdekten alle oppervlakken die niet bezet werden door tante Floria's naaiwerk.

'Ga je verhuizen?' Mijn moeders stem klonk geschrokken, en ik dacht dat dat was omdat tante Floria zo vaak verhuisde dat mijn moeder elk nieuw adres met potlood noteerde, omdat ze het toch weer zou moeten uitgummen.

'De meisjes en ik kunnen hier niet blijven. Niet nu Malcolm Ergens Anders is. Belinda, snuit je neus, wil je?' Tante Floria vouwde een lap rood fluweel op en twee rode, fluwelen jurken met geruite kraagjes en manchetten die eraan vastgespeld zaten. Ze naaide alle kleren voor de tweeling zelf, en kleedde hen identiek. 'We lopen vijf weken achter met de huur,' zei ze.

'Waarom heb je me dat niet verteld?' vroeg mijn vader.

'Je weet dat ik je niet graag tot last ben, Victor.'

Mijn moeder sloeg haar ogen ten hemel en liep naar het raam. Met haar rug naar tante Floria staarde ze de luchtschacht in, met haar armen over elkaar, met uitstekende ellebogen. Regen besmeurde de ruit, zodat de woonkamer grauw als afwaswater was.

Ik voelde aan de rollen kant van mijn tante. Ze had klanten uit Manhattan en Brooklyn, en zelfs van Staten Island, die naar de Bronx kwamen voor hun trouwjaponnen en de jurken van de bruidsmeisjes.

'Kom maar niet aan die kant, Anthony,' zei ze. 'Ik heb wat beters voor je.'

'Citroenwafeltjes?'

'Veel te veel suiker.' Mijn moeder draaide zich naar ons om. 'Daar wordt hij alleen maar lastiger van.'

'Mooie ribfluwelen broek, Anthony,' zei mijn tante. 'Waar heb je die vandaan?'

'Van Macy's.'

'Draai je eens om. Wie heeft die zoom erin gelegd?'

'Die oude man met die naaimachine, in de etalage van Koss.'

Mijn vader raakte zijn lippen aan waar ze verdwenen in zijn baard, een teken voor mij om niets meer te zeggen – *alle dingen waarover de Amedeo's praten* – maar daardoor dacht ik alleen maar meer aan die oude man met zijn langgerekte gezicht, gebogen over zijn naaimachine. Mijn moeder bracht haar stoomgoed naar Koss. En ook kleren die ingenomen, uitgelegd of ingekort moesten worden, en de eigenaar, die achter de toonbank stond, gaf ze door aan de oude man die nooit iets zei.

'Ik zou ze gratis voor je gezoomd hebben, Leonora,' zei mijn tante.

'Ik wilde je niet lastigvallen.'

Maar ik had mijn moeder horen zeggen: elke deugd die je, gezien de situatie van mijn tante, zou aanvaarden, veranderde in een tienmaal zo zware verplichting. Daarom mocht ik het haar niet vertellen als we kleren die vermaakt moesten worden, naar Koss brachten, waar de stoom van de strijkmachine rook naar wol en gist en stijfsel.

'Meisjes,' zei tante Floria tegen de tweeling, 'waarom gaan jullie niet spelen met jullie neefje?'

Bianca en Belinda – een jaar en een dag ouder en zwaarder dan ik – namen me mee naar hun slaapkamer, waar we op de vloer het kietelspelletje deden. Je won als je geen spier vertrok terwijl er in je tenen of tepels werd geknepen, of terwijl je gekieteld werd achter je knieën of tussen je benen. In de maanden sinds we dat spelletje hadden uitgevonden, waren we stoutmoedig geworden. Ik kietelde Belinda, die vervolgens Bianca kietelde, die mij dan weer kietelde.

Toen Belinda ons allebei aan het lachen had gemaakt, gilde ze: 'Ik heb gewonnen.'

'Nette meisjes doen geen kietelspelletjes.'

'Welles.' Bianca zette schele ogen en stak haar tong uit.

'Dat zegt zuster Lucille.'

'Zuster Lucille weet er niets van.'

'Wel waar.' Wat ik de tweeling niet vertelde, was dat zuster Lucille zei dat jongenshanden het werk van de duivel deden. Telkens wanneer de zuster een jongen in het oog kreeg met zijn handen in zijn zakken, sloeg ze hem op zijn handen met een houten liniaal – een voor elke wond van Christus. Als de zuster achter het kietelspelletje zou komen... *Zestig klappen. Minstens zestig klappen met haar liniaal.* Zuster Lucille zei ook dat wachten op chocolade een voortreffelijke voorbereiding was op de hemel. Aangezien adventskalender-chocolade de lekkerste chocolade ter wereld was, had zuster Lucille tegen de klas gezegd: 'Als je ervoor zorgt dat je alles wat je wilt, niet meteen ook krijgt, spaar je tienmaal zoveel op in de hemel.'

Belinda wees naar mijn benen. 'Zuster Lucille zegt dat jij magere benen hebt.'

'Hij heeft geen magere benen,' verdedigde Bianca me.

'Magere benen!' riep Belinda. 'En nu is het mijn beurt om met hem te spelen.'

'Nee, de mijne.'

'De mijne. Anthony, zeg tegen Bianca dat je mijn broer bent.'
'Nee, hij is míjn broer.'
Ik keek aandachtig naar hen en probeerde uit te maken wie ik ditmaal haar zin zou geven.
'Mijn broer.'
'Nee, de mijne.'
Vaak klampten ze zich zo aan mij vast, ruziemakend om indruk op me te maken, om mijn favoriet te worden, totdat ik zei dat ik een van hen het aardigst vond. Daarna gingen ze samen ruziën. Om mij. Ik hield niet van die aanbidding, maar het was beter dan dat ze allebei aan me rukten. Om hen af te leiden haalde ik Frogman uit mijn zak. 'Kijk eens, hij kan zwemmen.' Ik liet hun het zuiveringszout in zijn ene poot zien. 'Als we hem in jullie badkuip doen...'
'Maar we hebben een konijn in de badkuip.'
'Een nieuw konijn. Een jongenskonijn.' Belinda greep mijn hand vast. 'Wil je hem zien? Papa heeft hem voor mij gekocht.'
'Papa heeft dat konijn gewonnen,' verbeterde Bianca haar. 'Het is mijn konijn.'
'Luister maar niet naar haar.' Bianca trok me mee naar de badkamer, waar een konijn in de kuip zat, met rode oogjes, doodsbenauwd.
'Niet aankomen.' Bianca was vlak achter ons. 'Het is míjn konijn.'
Maar ik was al het witte bont tussen zijn oren aan het strelen, en ik fluisterde: 'Hé daar, konijntje, hé daar...'
'Hij gaat je vinger nog opeten.'
'Nietes,' zei Belinda toen ik mijn arm met een ruk terugtrok.
Bianca tikte met haar schoen tegen de zijkant van de badkuip.
'Hou op daarmee. Dat vindt Ralph vervelend.'
'Hij heet Malcolm.'
'Je kan papa's naam niet aan een konijn geven. Je moet hem Ralph noemen.'
'Malcolm.'
'Ralph.' Belinda greep in het bont achter in de nek van het konijn en hees hem in haar armen. 'Ralph vindt het fijn om samen met mij stripboeken te lezen. Wil je stripboeken lezen, Ralph?'

Voordat dit konijn er was, hadden er twee geverfde schildpadden in de badkuip van de tweeling gewoond. Mijn moeder zei dat ze niet konden groeien als gewone schildpadden omdat hun schilden met lak waren geverfd. Bianca's schildpad was roze geweest, en werd Vanessa-Marlene genoemd; die van Belinda was groen en heette Bob. Hun woning was een schildpadschaal van plastic, zo groot als een etensbord, met opstaande wanden. Je deed er fijn grind in en plantte daarin een palmboom met zes takken. Er was een loopplank voor de schildpadden, en die leidde naar die boom. De tweeling had schildpadrennen georganiseerd op de stoep, waarbij ze Bob en Vanessa- Marlene met takjes opporden. Als de schildpadden geen poot wilden verzetten, tilden ze hen op bij hun schilden – zo groot als walnotendoppen, alleen platter – en schudden ze hen door elkaar om hun pootjes in beweging te brengen; maar de schildpadjes trokken dan hun klauwen en kop in en verscholen zich in hun glanzende schilden.

Voordat oom Malcolm die schildpadjes had gekocht, hadden er zes kuikentjes in de badkuip gewoond. Zo moest je ze kopen in de dierenwinkel, had mijn oom gezegd – 'zes kiekens in een doosje' – en hij had mijn moeder gevraagd of ze de kosten konden delen. Maar zij had onze badkuip niet willen delen met vieze kippen. 'Ik snap niet hoe je zuster op zo'n manier kan leven,' had ze tegen mijn vader gezegd. Ik was dol op die kuikens geweest en probeerde ze in mijn handen te nemen, elke keer dat we daar op bezoek waren. Hoewel ik heel voorzichtig met hen was, krompen ze ineen in mijn handen, en pikten ze naar mijn vingers. Tante Floria gaf ze babymaaltijden, en de kuikens liepen door het kindermeel en verspreidden het over de hele badkuip. Voordat iemand een bad kon nemen, moest tante Floria de kuikens vangen, in een doos zetten en hun kindermeelsporen van het gebarsten porselein wegpoetsen. Omdat ze zoveel rommel maakten, waren ze niet zo lang gebleven dat ze namen kregen. Oom Malcolm had ze aan de melkboer gegeven – die had een boerderij in New Jersey. 'Ze zullen buiten zoveel gelukkiger zijn,' had hij gezegd. New Jersey was 'buiten', groen en mysterieus, met heel veel bomen en kippen en koeien.

Van alle huisdieren die tot dusver in de badkuip van de tweeling hadden gewoond, was Ralph mijn lieveling, en terwijl ik de fluweelzachte kussentjes onder zijn poten aanraakte, zwoer ik dat ik nooit goed zou vinden dat oom Malcolm Ralph naar New Jersey bracht. 'Ik wil Ralph vasthouden,' zei ik.

'Nee,' zei Belinda.

'Waarom niet?'

'Omdat je magere benen hebt.'

'En jij bent BaBelinda,' schreeuwde ik. 'BaBelinda met lelijke snottebellen in haar hoofd.'

Ze graaide in de badkuip, gooide een handvol bruine korreltjes naar me toe en joeg me weg uit de badkamer, waarbij het konijn op en neer schommelde in haar armen; we renden op en neer door de schemerige gang, waarbij we vier koffers, met touwen om de uitpuilende zijkanten, moesten ontwijken.

'BaBelinda... BaBelinda...'

'Suuu-per-mannnn...'

Terwijl Bianca langs me galoppeerde, met de cape die tante Floria had genaaid van verschillend gekleurde lappen van bruidsmeisjesjurken, was ik blij dat Springtij mijn nichtjes niet mocht meenemen naar het zwembad. Tante Floria was bang dat ze polio zouden oplopen, al waren we daartegen ingeënt. In mijn school had de dokter met de spuit aan het ene uiteinde van de schoolkantine gestaan, en de verpleegster met de lolly aan het andere. Het enige wat erger was dan de inenting tegen polio was het gekrijs van sirenes tijdens de luchtalarmoefeningen, wanneer we ons onder onze banken moesten verbergen, of naar een hal zonder ramen moesten gaan. 'Het is maar een oefening,' zei de zuster dan.

'Magere benen...'

'Lelijke snottebel BaBelinda...'

'Tijd voor de aubergines,' riep tante Floria. 'Etenstijd.'

'Suuu-per-mannnn... Suuu...'

'Meisjes. Anthony...' Tante Floria versperde ons de weg. 'Toe nou, moeten jullie zoveel lawaai maken? Zet dat konijn terug in de badkuip. Nu!'

In de keuken verspreidde de warmte van de oven de geuren van mijn vaders eten: knoflook en parmezaanse kaas en tomatensaus. Hij was bezig ingepakte borden op te stapelen in een doos die ik herkende van eerdere verhuizingen.

'Ik wil wittebroodswekensla,' zei Belinda.

'Een huis vol kinderen met Kerstmis, Anthony...' Mijn vader keek me waarschuwend aan. 'Leuk hè?'

Ik kreeg een zure smaak in mijn mond. 'Maar waar moeten ze dan slapen?'

Mijn moeders wangen leken ingevallen terwijl ze kleine pannen in grotere paste.

Voorzichtig vroeg mijn tante: 'Heb je al honger, Leonora?'

'Niet echt.'

'Ik moet alleen nog de slasaus maken.'

'Ik wil wittebroodswekensla,' zei Belinda opnieuw

'Wat is dat?' vroeg mijn vader.

'Alleen maar sla met niets aan. Snap je?'

Hij schudde van nee.

'Sla-(pen). Met. Niets. Aan. Snap je het nou? Wittebroodsweken.'

'Ik snap het.'

'Dat meisje...' Tante Floria wendde zich naar mijn vader die touw om haar metalen broodtrommel zat te winden. 'Ze maakt me aan het lachen.'

'Geestig is ze inderdaad. Dat heeft ze van jou.'

'Ik herinner me die kant van mezelf niet altijd.' Tante Floria legde een paar blaadjes sla apart voor Belinda voordat ze de rest van olie en azijn en parmezaanse kaas voorzag.

'Vroeger naaide je de broekspijpen van mijn pyjama dicht,' zei mijn vader. 'Je maakte de deurknop los zodat hij in mijn hand bleef hangen. Je deed Pa's scheercrème op mijn aardbeienpudding.'

'Ja, dat heb ik allemaal gedaan.' Tante Floria's stem klonk tevreden.

'Grappig en ondeugend... Dat vond je zo leuk aan Malcolm toen je hem ontmoette. De grappenmaker die in hem stak.'

'Kinderachtig en verwend... De zoon van rijke ouders die nog steeds verwacht dat ze hem achternalopen en hem hun geld opdringen. Ik neem aan dat zijn ouders hem overgehaald hebben weg te lopen, zodat zij van hem af waren. Zij gingen erop vooruit, ik was de klos. Hij trekt zich er niet eens wat van aan dat ik met Belinda naar de dokter moet om te praten over haar operatie.'

'Ik wil niet dat ze snijden in mijn voorhoofdsholten,' riep Belinda.

'We laten alleen maar een röntgenfoto van je voorhoofdsholten maken.'

'Ik kan daar wel bij helpen,' zei mijn vader.

'Jij hebt al meer gedaan dan alle anderen, Victor.'

'Luister naar je zus, Victor,' zei mijn moeder. 'Zij kan het weten.'

'Ik weet wat je bedoelt.' De lippen van tante Floria beefden, en toen tuimelden de woorden naar buiten alsof ze samen één woord waren. 'En-ik-hoop-voor-jou-dat-je-nooit-afhankelijk-hoeft-te-zijn-van-familie-om...'

'Het spijt me,' zei mijn moeder.

'En je laat me niets terugdoen... ik mag niet eens zomen leggen in één rottige broek.'

'Het spijt me heus.' Mijn moeder zette het malted-milkapparaat, dat ze in krantenpapier aan het wikkelen was, opzij om tante Floria's gezicht in haar handen te nemen. 'Wij helpen je er wel doorheen.' Zachtjes streelde ze het gezicht van mijn tante. Omhoog tot aan haar slapen, en dan weer naar beneden naar haar kaak.

Tante Floria sloot haar ogen.

'En dan krijgen we het leven...' Mijn moeder wachtte tot mijn tante het zinnetje afmaakte.

En dat deed mijn tante: '...waaraan we gewend zouden willen raken.'

Ik wist wat dat betekende: een proefrit in een dure auto. Mijn moeder en mijn tante vonden het heerlijk om zich mooi te maken en te doen alsof ze een auto wilden kopen. Bianca en ik genoten ervan wanneer ze ons meenamen, maar Belinda kreeg buikpijn, omdat die auto's nieuw roken – dezelfde lucht van nieuwheid die haar misselijk maakte in textielzaken.

'Hier.' Mijn moeder stak sigaretten op voor zichzelf en voor tante Floria.

Tante Floria inhaleerde diep en probeerde te glimlachen, maar haar stem klonk verstikt. 'We zullen die auto maar hierheen meenemen, hem voor een paar dagen lenen, voor het geval Malcolm weer uit zijn volgende baantje wordt geschopt.'

Ik had haar al eerder zulke grapjes horen maken, dat ze zin had om oom Malcolm te overrijden en dan tweemaal in de achteruit te schakelen. 'Tot hij zo plat is als een speculaaspop en van de straat moet worden gepeld. En dan vouw ik hem op, en ik plak een postzegel op zijn achterste en stuur hem terug naar Engeland.' Alleen had ze dat nog niet gedaan. Wat zouden zijn ouders doen als ze hem helemaal opgevouwen in hun brievenbus vonden? Waarschijnlijk hadden ze een grote brievenbus, want ze hadden een groot huis. Ik vroeg me af waarom ze niet oom Malcolms auto had gebruikt om hem te overrijden. Misschien omdat hij zijn auto's nooit lang genoeg bezat. De ene dag kleedde hij zich als de burgemeester van Engeland, en de volgende dag vroeg hij geld voor sigaretten te leen.

Toen we begonnen te eten, zei mijn vader: 'Ik betaal wel voor Belinda's röntgenfoto's.'

'Bij de schoenwinkel zijn röntgenfoto's gratis,' zei ik.

'Dat is een ander soort röntgenfoto,' zei tante Floria.

Toch stelde ik me Belinda's gezicht voor onder het groene licht dat het skelet van mijn voeten liet zien, elke keer dat mijn moeder schoenen voor me kocht die eerst heel stijf aanvoelden, alsof ze gemaakt waren van de botten van kinderen die in het röntgenapparaat waren gevallen.

'Anthony...' Mijn vader legde zijn vork neer. 'Het is veel moeilijker voor je nichtjes om hun thuis achter te laten dan voor jou om je kamer met hen te delen.'

Tante Floria legde nog een stukje kalfsvlees op zijn bord. 'Ik zou bij mama kunnen gaan logeren.'

'Je bent al bij mama geweest, de laatste keer dat Malcolm...'

'De oude mevrouw Hudak heeft ladingen ruimte,' zei ik haastig. 'Ze heeft graag gezelschap. Dan kun je ervoor zorgen dat niemand haar steelt.'

Als tante Floria haar wenkbrauwen fronste, ontmoetten die elkaar, net als bij mijn vader, in één zwarte lijn. 'Waar gaat dit over?'

'O, dat is een van die verhalen bij ons in de buurt.' Mijn vader haalde zijn schouders op. 'Onze conciërge is zogenaamd gekidnapt toen haar kleinzoon, die ene die altijd bij haar logeert, telkens wanneer zijn ouders problemen hebben, en...'

'Is dat degene die verliefd is op Leonora?'

Mijn moeder lachte. 'Het is nog maar een jongen.'

'Negentien,' zei mijn vader. 'James is negentien en oud genoeg om verliefd te worden. En hij staat almaar naar je te gluren in de hal.'

'Het is maar een jongen, Floria. Je moet geen woord geloven van wat Victor zegt.'

Maar mijn tante boog zich over naar mijn vader alsof ze geen woord van zijn verhaal wilde missen.

'Zogenaamd had James zijn grootmoeder geholpen om haar tuinstoel op ons trottoir te zetten voordat hij naar de ijswinkel ging, en toen hij terugkwam, was ze verdwenen. Met stoel en al. Zij beweert dat er twee nonnen waren komen aanrijden in een vrachtwagen en...'

'Nonnen? In een vrachtwagen? Is dat alles wat je eet, Leonora?'

'Ik ben klaar met eten.'

'Neem nog wat aubergine of...'

'Ik weet wanneer ik genoeg heb gehad, Floria.'

Mijn vader stak zijn handen op om hen beiden af te leiden. 'Zogenaamd hadden die nonnen de armleuningen van de tuinstoel van mevrouw Hudak gepakt, en haar achter in die vrachtwagen gezet, en haar naar het Van Cortlandt Park gereden. Niemand gelooft wat ze zegt.'

'Ik wel,' zei ik. 'Het was een blauwe vrachtwagen.'

'Heb jij hem gezien?'

'Mevrouw Hudak heeft het me verteld.'

'Mevrouw Hudak vergeet weleens dingen,' zei mijn moeder. 'De vuilnisbak buitenzetten. En de hal en de trappen dweilen. We moeten een jonger iemand zien te krijgen voor de flat.'

'Zo oud is ze niet,' zei ik geschrokken, en ik nam me voor haar voortaan meer te helpen, zodat ze in ons flatgebouw kon blijven.

'Je zou haar kleren moeten zien, Floria. John's Koopjeswinkel, wil ik wedden. Want alles valt uit elkaar nadat ze het één keer heeft gedragen. Ze heeft ook gelogen over de boodschappenlift; ze zegt dat hij het niet doet, zodat zij hem niet hoeft leeg te halen. Toen haar man nog conciërge was, werd het gebouw goed onderhouden.'

Maar ik vond mevrouw Hudak veel aardiger dan meneer Hudak, die een jaar eerder aan de hik was overleden.

'Hoe is ze weer thuisgekomen?' vroeg Tante Floria.

'Op dat punt begint dat verhaal echt verzonnen te klinken.' Mijn vader stak zijn hand uit naar de asbak en schoof een paar peuken opzij met de punt van zijn verse Pall Mall. 'Waarom zou iemand ooit een oude dame in een tuinstoel willen kidnappen?'

Ik kon allerlei redenen bedenken. Mevrouw Hudak zag kangoeroes en adelaars in wolkenformaties; ze liet me limonade maken in haar keuken; ze leerde me hoe ik schaduwfiguren kon maken met mijn handen voor een verlichte wand; ze liet me de leuning in het trappenhuis afstoffen; ze hield grote, pesterige jongens weg van ons trottoir door te schreeuwen: 'Verdomde rotjongens, ga terug naar waar je thuishoort.'

Gezeten bij haar open raam, of buiten op de tuinstoel met die rafelige bekleding, hield mevrouw Hudak in de gaten wat er bij ons in de straat gebeurde. Ze verklikte kinderen die overstaken zonder naar zowel rechts als links te kijken. Volgens haar eigen woorden was ik het enige kind in de buurt dat ze aardig vond, en ze begon te schreeuwen wanneer Kevin en ik beneden haar raam speelden op onze binnenplaats. Dan voelde ik me verscheurd, voor gek gezet; maar ik wist ook dat ze niet meer dan één jongen tegelijk aankon. Dat was de reden waarom ze mij niet in de buurt wilde hebben wanneer James op bezoek kwam.

'Mevrouw Hudak heeft twee lege kamers,' zei ik tegen mijn tante, 'en ze heeft graag gezelschap.'

En toch – de tweeling verhuisde naar mijn kamer.

Met hun namaaklippenstiften en hun poppen.

Met hun vaders accordeon en dominospel.

Met de Superman-cape die ik van Bianca niet mocht dragen.

Met de dieren van onyx die oudtante Camilla voor hen had meegebracht uit Afrika.

Met hun levende konijn, dat verbannen werd naar onze badkuip.

Met dozen vol jurken, telkens twee dezelfde, zodat ze er eender uit konden zien.

Nadat ze mijn Tinkertoys hadden verpest, maakten ze de deurtjes van mijn adventskalender open en aten alle chocolade op, terwijl ik zo streng met mezelf was geweest en geen enkel deurtje had opengemaakt vóór de dag die erop stond.

Mijn ouders bepaalden dat ik tegenover mijn nichtjes zou slapen, op het kampeerbed dat oudtante Camilla op sommige van haar reizen meenam. 'Camilla kan zich veroorloven al die reizen te maken omdat ze geen kinderen heeft,' zeiden sommige van mijn familieleden. Geen kinderen hebben, dat klonk egoïstisch. Net zo egoïstisch als alleen op reis gaan.

Daar op dat kampeerbed hoorde ik die avond de tweeling ademhalen in mijn bed; ze vulden mijn kamer met hun adem, en ik bedacht: als oudtante Camilla de tweeling meenam – ver weg en heel spoedig –, dan zou er een eind komen aan die opmerkingen over alleen reizen, en op de terugweg zou ze nog steeds alleen reizen, wat ze zo graag wilde, omdat ze de tweeling ergens ver weg vergeten zou hebben, in Egypte bijvoorbeeld, *in een kano op de Nijl, totdat de dochter van Farao de tweeling vindt en hen grootbrengt als haar eigen kinderen, precies zoals ze met Mozes had gedaan.*

Omdat ik als de dood was dat Kevin erachter zou komen dat er meisjes in mijn bed sliepen, liet ik hem niet boven komen, zelfs niet wanneer hij op straat stond, vijf verdiepingen beneden ons keukenraam, en riep: 'Mag Anthony buiten komen spelen?'

Tante Floria moest het doen met de bank in onze woonkamer. Zo drukte ze het zelf uit: 'Ik zal het met de bank moeten doen.' Omdat ze altijd in gemeubileerde flats had gewoond, had ze geen eigen bed. 'Maak je geen zorgen over mij,' zei ze, 'ik neem niet zoveel ruimte in beslag.' Er was helemaal geen ruimte meer over toen ze eenmaal haar koffers en meubelovertrekken en die bruidenpaspop had opgestapeld tegen de wanden van onze woonkamer, zodat ons schilderij van een boot, gemaakt van spijkers en draden die zeilen vormden, totaal verborgen was. Zelfs de overloop van onze brandtrap stond vol met dozen en dekzeilen, zodat Santa's toegang tot onze flat versperd was.

'Maar hopen dat de brandweer niet langskomt voor een inspectie,' zei mijn moeder.

Om te helpen stond mijn tante eerder op dan mijn moeder om het ontbijt en de broodtrommeltjes klaar te maken, ze streek lakens die mijn moeder al gestreken had, ze schrobde de vloer achter onze ijskast, poetste het zwarte deksel van ons witte fornuis, stofte de kookboeken boven op de kasten af. Ze haalde een splinter uit mijn wijsvinger voordat ik mijn moeder kon lastigvallen, en ze damde met me, vooral als ik haar dat vroeg terwijl ze bezig was met een brief aan oom Malcolm, die Ergens Anders was.

Ik zat vaak op het aanrecht tussen ons gasfornuis en de snijplank terwijl mijn tante basilicum hakte voor haar pestosaus. Of terwijl ze het pizzadeeg kneedde en optilde en uitrekte, het ronddraaide op haar vingertoppen. Niet dat haar maaltijden beter smaakten dan die van mijn moeder, maar ik kon de vreugde van tante Floria binnen in me voelen terwijl ze met gulle hand ingrediënten toevoegde in plaats van ze zorgvuldig af te wegen. Dat ze zo kon koken! Ze liet de kasten openstaan om te kunnen pakken wat ze nodig had. Aan de binnenkant van die kastdeuren zaten besprekingen van toneelstukken en theateragenda's geplakt. Hoewel mijn moeder de meeste van die stukken niet te zien kreeg, wilde ze er wel graag van weten.

Omdat ik dol was op de smaak van rauw spaghettideeg liet mijn tante me een handjevol pakken voordat ze alles in repen sneed die ze op vetvrij papier te drogen legde over het kampeerbed en het andere bed in mijn kamer. 's Nachts, lang nadat we de spaghetti hadden gegeten, kon ik nog deeg ruiken op mijn kussen.

's Ochtends ging ze meestal naar de mis en hielp ze mijn moeder met de boodschappen. Ze hoefden niet veel in te kopen, want mijn vader bestelde van alles bij de groothandel – meer dan hij nodig had voor Festa Liguria – zodat hij elke avond een of twee dozen met kruidenierswaren mee naar huis sleepte. Ik vond dat altijd een leuke verrassing, want wat er ook in mocht zitten – het was nooit wat op de buitenkant van de dozen stond: Bernice Peaches; Ajax Cleanser; Dole Pineapple; Hoffman Soda. Hij genoot er zo van aan te kondigen: 'Kijk eens wat ik vandaag voor jullie heb meegebracht.' Hoewel hij alleen vers brood at, kocht hij soms een Silvercup-brood, het lievelingseten van mijn moeder, en elke keer dat hij aan mij vroeg: 'Waarnaar moet je uitkijken volgens Buffalo Bob?' wist ik dat hij dat lekkere brood in zijn doos had, Wonder Bread, want in *Howdy Doody* zei Buffalo Bob altijd dat je moest uitkijken naar de rode, gele en blauwe ballonnetjes op de verpakking. Nog fijner vond ik het wanneer hij Dugan's cupcakes meebracht, of Drake's Devil Dogs.

Tante Floria wilde niet mee toen we naar de Bronx Terminal Produce Market gingen om onze kerstboom uit te zoeken. 'Ik ga wat bakken terwijl jullie weg zijn.'

'Ik bak wel wanneer we terug zijn,' zei mijn moeder.

'Ga jij nou maar plezier maken, Leonora. Hoor je me?'

'En laat jij dan nog wat werk voor mij over.'

'Ik wil alleen maar een handje helpen.'

'Ik had liever dat je dat niet deed.'

'Ik zorg dat het avondeten klaarstaat. Gefrituurde bloemkool en kip met venkel.'

'Ik had liever dat je dat niet deed.' Mijn moeder sloeg haar armen over elkaar.

'Dat is het minste wat ik kan doen om jullie te bedanken dat we hier mogen wonen. Wat dacht je ervan als ik wat cannoli's voor jou bak, Anthony?'

Ik knikte. Cannoli's waren net reuzensigaren. Je kon ze tussen je lippen steken. En dan zoog je de vulling van mascarpone naar binnen.

'Ben je die eekhoorn in je provisiekamer al kwijt?' vroeg ze aan mijn vader.

'Zelfs als ik hem zou vangen, mag ik hem niet doodmaken. Eekhoorns worden beschermd door de Plantsoenendienst.'

'Wat moet je dan doen? Hem de hele winter te eten geven?'

'Hij knaagt zich een weg door mijn voorraden, maakt er een rommeltje van.'

'Eekhoorns zijn zo leuk als ze tegen boomstammen opklimmen,' zei Bianca.

'Dat is prima,' zei mijn vader, 'maar wanneer ze binnenshuis komen, zijn ze geen haar beter dan ratten.'

'Ik kan hem doodschieten.' Ik pakte een houten lepel van ons aanrecht en richtte die op de vloer. 'Beng-beng.'

'We gebruiken geen wapens, Anthony,' zei mijn moeder, 'en ook geen denkbeeldige pistolen.'

'Geef mij die lepel eens aan, schat,' zei tante Floria, 'en pak je laarzen. Meisjes, vergeten jullie je oorwarmers niet.'

Het sneeuwde toen we langs rijen laadplatforms reden, met de deuren bovenin gesloten, de landbouwproducten binnenshuis, waar het warm was. In de zomer, wanneer kisten met groenten buiten en binnen werden opgestapeld, kon je de aarde aan de groenten nog ruiken. Nu echter stonden daar mannen die kerstbomen verkochten rondom vaten vol roodgloeiende kolen; en nadat mijn vader de Studebaker achteruit geparkeerd had bij het platform van Jack's, waar hij 's ochtends langsging om zijn bestelling te plaatsen, stapten we de geur van dennen en kastanjes en vuur binnen.

De mannen bij Jack's hadden handschoenen waarvan de vingers waren afgeknipt, en ze sloegen mijn vader op zijn schouders en gaven ons een zakje van krantenpapier, gevuld met gepofte kastanjes. Soms schoten vonken van de kolen omhoog, en die gingen dan op in het geschreeuw dat boven de rij platforms hing terwijl klanten pingelden, en wanneer ze hun kransen of bomen wegdroegen, werden ze voortgetrokken door de linten van hun bevroren adem.

Bij Jack's sneden de mannen de touwen door van bundels kerstbomen, en toen lieten ze ons de beste zien, onderaan breed, en spits toelopend.

Ze schaterden van de lach toen mijn moeder vroeg: 'Zijn ze voor al dat geld compleet met ballen te krijgen?'

'Bellen.' Mijn vader verborg zijn grijns achter zijn handschoen. 'Mijn vrouw bedoelt bellen.'

'Dat is hetzelfde,' zei een van hen.

'Dat heb ik je toch verteld, Victor.' Mijn moeder kwam dicht bij de gloeiende kolen staan, en hun hitte rees op en flonkerde in haar ijzige adem. Dat flonkeren was het enige wat bewoog terwijl ze daar roerloos stond, betoverd door dat vuur.

Geen van de mannen zei iets, maar ze bekeken haar zoals je kijkt naar het skelet van een dinosaurus in het Museum of Natural History, iets wat je graag zou willen aanraken, al weet je dat dat niet mag, dat je dan gestraft zou worden, weggestuurd, als je dat zou proberen. Ten slotte verzuchtte een van de mannen: 'Wat een bofferd.'

En toen herinnerden de anderen zich dat ze konden praten. 'Bofferd,' zeiden ze plagerig tegen mijn vader toen ze de boom op het dak van onze auto vastbonden.

Tijdens de terugrit begonnen mijn nichtjes ruzie met elkaar te maken, en ik voelde hun aanwezigheid als jeuk in mijn huid. Ik wilde hen niet samen met mij op de achterbank van de auto. Bianca beschuldigde Belinda dat ze haar onyx-giraf had gestolen, en Belinda zei dat ik het beest had.

'Je liegt,' zei ik.

'Ik vind hem niet eens mooi,' zei ze, hoewel ze Bianca aan haar hoofd had zitten zeuren om de giraf te ruilen voor de stier, die niet méér was dan een brok onyx met korte pootjes.

'Je liegt,' zei ik opnieuw tegen Belinda. Zelf vond ik de giraf ook mooier, omdat het dier door de groene strepen in de onyx een heel snelle indruk maakte.

'Anthony is gemee-heen,' zong Belinda op haar ik-zeg-het-lekker-toch-toontje.

Om me hen beiden van het lijf te houden stak ik mijn ellebogen uit. Rook van de sigaretten van mijn ouders krinkelde omhoog en verspreidde zich vlak tegen het plafond van onze auto.

'Je moet die kerels niet op ideeën brengen,' zei mijn vader.

'Die ideeën hadden ze al eerder.'

'Ja, dat is waar, maar...'

'Je vindt mijn vulgaire kant maar al te leuk.'

'Niet waar andere mensen bij zijn.'

'Aha, alleen voor jou dus?'

Belinda rukte aan mijn elleboog.

'Hou op.'

'Ik wil mijn giraf terug,' dreinde Bianca.

Mijn moeder kreunde. 'Je zuster heeft haar *Toastmaster* uitgepakt. En haar *Mixmaster*. En haar...'

'De meisjes kunnen je horen.'

Ik leunde naar voren. 'En haar broodtrommel.'

'Precies. Die lelijke broodtrommel met die lelijke bloemen over de voorkant.'

'De meisjes...'

'Je zuster heeft de paus opgehangen, plus de kardinaal. Onze hele flat stinkt naar mottenballen.'

'Ik heb jouw stomme giraf niet gepikt,' schreeuwde Belinda voor me langs tegen haar zus.

'Geef hem terug.'

'Je mag met mijn stier spelen.'

'Floria moet zich bij ons thuis voelen,' zei mijn vader.

'O, dat doet ze. Reken maar, dat doet ze.'

'Ik wil die stomme stier van jou niet.'

'Hij is niet stom.'

'Stom en lelijk.'

Ik hield mijn ellebogen uitgestoken en deed alsof ik de tweeling niet zag, hoewel ze op en neer sprongen, tegen mijn armen aan. Hoe ging het als iemand anders inpikte wat jij juist had opgespaard? Zou je in de hemel tienmaal zoveel adventschocolade krijgen? Of helemaal niks? En hoe zat het met het vagevuur? Hoeveel adventschocolade zou je in het vagevuur krijgen als je niet klikte over de kinderen die die chocolade van je hadden gestolen?

'Ik voel me niet meer thuis,' zei mijn moeder. 'Ik kan geen bad nemen zonder eerst dat verdomde konijn te verwijderen. Het beest is bezig te leren hoe het uit de kuip kan springen, en dus moet ik almaar de deur dichthouden om ervoor te zorgen dat het in de badkamer blijft. Vanochtend vond ik hem achter de wc-pot. Je zuster heeft geen enkel meubelstuk dat ze haar eigendom kan noemen, maar ze kan zich wél altijd van die vieze huisdieren veroorloven.'

'Wat wil je dat ik daaraan doe?'

'Ze blijft voorgoed, Victor.'

'Het is maar voor een tijdje.'

'Bedoel je zes maanden? Of tien jaar? Afhankelijk van het volgende vonnis dat Malcolm krijgt? En zal ik je nog eens wat vertellen? Jij klaagt over hem en al zijn plannetjes. Maar jij bent zelf ook niet zo eerlijk.'

'Wil je mij alsjeblieft niet met hem vergelijken,' siste mijn vader.

'Al die spullen die je mee naar huis brengt – niet alleen eten, maar ook die borden en dat bestek, die servetten en glazen en God weet wat nog meer, allemaal bedrukt met "Festa Liguria" – iemand betaalt voor dat alles, en dat ben jij vast en zeker niet.'

'Ik weet niet wat ik tegen je moet zeggen als je zo doet.'

'Als ik hoe doe?'

'Jij weet geen ene zak van het zakenleven, van afschrijving van onkosten.'

Hun nijdige gefluister hield aan terwijl we de boom onze vijf trappen op sjouwden, maar toen mijn moeder zag dat tante Floria het eten klaar had, werd ze heel stil – zo stil dat ze, aan tafel, niet eens 'amen' zei toen tante Floria het gebed had gezegd. Ik had gewild dat die twee opstonden, gingen dansen en lachen; maar er was geen sprake van ontspanning – niet voor hen, voor geen van ons – en hoewel mijn vader de gefrituurde bloemkool en de kip met venkel prees, zei hij dat met het gezicht dat hij trok wanneer hij bang was mijn moeder overstuur te maken. Terwijl ik nauwelijks kon slikken. Zelfs de zoete mascarpone niet.

Voordat we naar bed gingen, hakte mijn vader aan de zijkanten van onze kerstboom tot hij paste in onze woonkamer met al die spullen van tante Floria. Ik vond dat de boom er toen vreselijk mager uitzag, en nog erger was dat we haar stoffen en naaigerei rond de voet van de boom moesten verbergen, terwijl we daar anders altijd de rails voor mijn Lionel-treintjes hadden gelegd.

De volgende ochtend had mijn moeder hoofdpijn, en ze moest overgeven. Mijn vader moest haar een arm geven toen ze terugliep naar de slaapkamer, en daar ging ze liggen, met de deur en de gordijnen gesloten. Ze kreeg gewoonlijk elk jaar een paar migraineaanvallen, maar nu klaagde ze er dagelijks over.

'Misschien ben je zwanger,' zei tante Floria.

'Nee.' Mijn moeder drukte haar ene hand tegen haar buik, met angstige ogen. 'Nee,' zei ze. 'Het komt van die kamferlucht, die maakt me misselijk.'

'Ik zal onze kleren luchten in de badkamer.'

'Dan komt die lucht ook in de badkamer.'

'Dan zal ik ze op de brandtrap hangen.'

Maar mijn moeder bleef in bed, en ze stond de keuken af aan tante Floria. Licht of geluiden of eten maakten haar migraine erger, en ik was blij voor haar wanneer ze kon slapen. En ook blij dat ze niet kon zien hoe ik genoot van al dat bakken voor Kerstmis, samen met tante Floria: pignolata en taralli en mostaccioli. Op die achtereenvolgende avonden zette mijn vader zijn hoed op en nam hij me mee naar Hung Min, waar we een paar van de mannen van zijn triktrakclub aantroffen. Terwijl zij speelden, mocht ik mijn lievelingsgerechten voor ons allemaal bestellen: moo goo gai pan met nasi en loempia's en bami. Meestal speelde mijn vader alleen op maandag triktrak, maar nu leek hij maar al te graag weg te willen uit de flat. De andere mannen waren veel ouder dan hij, en ze lieten mij thee voor hen inschenken, en heel veel suiker in de kleine kopjes doen.

In de omgang met mijn moeder was hij heel voorzichtig. Heel rustig. Een keer, toen ik hun kamer binnenkwam, zat hij op de rand van haar bed. 'Wil je dat ik je van die migraine afhelp?' vroeg hij.

Ze aarzelde. Toen zag ze mij staan. 'Anthony,' zei ze.

Mijn vader kuste haar hals. 'We kunnen de jongen naar de keuken sturen terwijl wij... je weet wel...?'

'Nee, dat gaat niet. Niet met je zuster zo vlak in de buurt.'

Op sommige middagen was de tweeling bezig met het instuderen van het bananenliedje op de accordeon, wanhopig, maar ook heel standvastig, omdat ze ervan overtuigd waren dat die langgerekte pieptonen hun papa zouden terugbrengen.

'Papa zal ons horen,' zeiden ze tegen me.

'En dan kan hij ons vinden.'

Omdat de draagbanden van de accordeon te lang waren, hielpen ze elkaar door het instrument op te tillen en te zingen: *'I'm Chiquita Banana and I'm here to say: I ta-ke the bananas and I run-a away...'*, terwijl ze lucht in- en uitpompten, wat vreselijke geluiden produceerde.

'Papa zal ons vinden.'

Maar in die tussentijd wist de tweeling aldoor míj te vinden.

Omdat Kevins zusje kroep had, mocht ik hun flat niet binnen, en mevrouw Hudak had net een televisie gekocht en vond niet goed dat ik praatte terwijl die aanstond. James had haar geholpen de meubels zo te verplaatsen dat ze de tv van alle kanten van haar woonkamer kon zien. Vroeger had ze tegenover me aan haar tafel gezeten, of ze had door het raam naar onze straat gekeken, waar ze meer interessante dingen zag dan op de televisie, terwijl ze tegelijkertijd onze buurt veiliger maakte; maar nu kon ik alleen haar rug en die televisie zien. Zowel mevrouw Hudak als ik hield van vrouwelijke modderworstelaars omdat ze gemeen vochten, maar dat had ik niet aan mijn moeder verteld, want zij vond op onze eigen televisie geweld nooit goed.

Ik ging niet op bezoek bij mevrouw Hudak wanneer James in de buurt was, en hij was daar vaak geweest sinds zijn eindexamen. Hij had een tijdje gewerkt bij Sutter's, waar hij Franse bonbons verkocht, en later bij Mario's aan Arthur Avenue. Tot dusver had James nog geen nieuwe baan gevonden. Mij mocht hij niet – namelijk sinds ik hem gevraagd had waarom hij zo rood als een tomaat werd als hij mijn moeder zag.

Op de laatste schooldag voor de kerstvakantie rende ik naar huis aan Creston Avenue, en daar sloot ik me op in de badkamer voordat mijn nichtjes thuis konden komen. Ralph zat ineengedoken onder de kranen, en ik tilde hem op. Met mijn vrije hand maakte ik schaduwbeelden van bijtgrage honden op de wand tegenover de lamp, *honden die happen naar de benen van mijn nichtjes, hun hoofden afbijten,* maar toen ik me herinnerde hoe honden konijnen aanvallen, hield ik ermee op, omdat ik medelijden kreeg met Ralph. Toen kreeg ik medelijden met mezelf, omdat ik alleen maar schaduwdieren had. Ik verlangde naar echte dieren. Met een vacht en met ogen. Levende dieren. 'Jij bent niet vies,' zei ik tegen Ralph, en ik kuste het gladde bont op zijn gezicht.

'Haast je een beetje en trek door, Anthony.' Tante Floria stond op de deur te kloppen.

Niemand zei tegen haar dat ze zich moest haasten wanneer ze zo lang onder de douche stond en in het Italiaans zong alsof – zei mijn moeder – iemand haar heel langzaam met een mes bewerkte.

Ik schoot langs tante Floria heen, onze flat uit. Op de stoep van onze binnenplaats zat Kevin te spelen met zijn autootjes. 'Hier,' zei hij, en hij gaf me zijn gele opwindautootje. Zelf hield hij het rode, en we pakten onze auto's, streken met hun wielen over de betonnen stoeptreden, steeds sneller, en nog eens, tot dat racegeluid een luid gezoem werd en we ze van ons vandaan lieten rijden.

Mevrouw Hudak timmerde tegen haar raam. 'Jullie maken veel te veel lawaai. Ga naar je eigen flat.'

We pakten onze autootjes en renden naar de overkant.

'Jullie moeten naar twee kanten uitkijken!' riep ze ons na.

'Laten we bij haar gaan spioneren,' zei Kevin.

Het trappenhuis in zijn flatgebouw was ijskoud, en de teerblazen op het dak waren hard geworden en vertoonden barsten.

'Dat kan mijn oom Malcolm weer maken.'

Kevin liet zich op zijn buik vallen, steunend op zijn ellebogen. 'Duiken, kijk uit!'

'Duiken, kijk uit.' Ik was Burt de Schildpad die achter Kevin aan kroop over het platte dak, langs metalen palen waartussen waslijnen waren gespannen, langs luchtgaten. Zijn ribfluwelen broek zat strak over zijn achterste, hoewel zijn moeder grote maten voor hem kocht in Fordham Boys Shop. We kropen naar de televisieantennes aan de rand, waar kinderen niet mochten komen, en namen onze posities in voor ons spionnenspel.

'Oehoe... oehoe... mevrouw Hudak...' joelden we. 'We nemen u te pakken, mevrouw Hudak.'

Maar mevrouw Hudak verstopte zich voor ons.

'Oehoe... mevrouw Hudak... oehoe...'

Kevin had Nik-L-Nips, en we beten de wasachtige doppen af en dronken van de stroop terwijl we keken naar de hemel en naar onze straat, en vooral naar het Stinksteegje, waar ik weet niet wie zich zou kunnen verbergen. Het Stinksteegje was een zijstraat verderop, een leeg stuk grond met hondenpoep en glasscherven en looiersbomen en – vooral – giftige sumak. 'Drie blaadjes glad en bont, erger dan doodzonde,' had mijn moeder me geleerd. 'Raak nooit die trosjes van drie glanzende blaadjes aan.' 'Bont' en 'zonde' rijmden niet helemaal, maar het kon ermee door. Alleen was giftige sumak erger dan doodzonde, want een doodzonde kon je biechten bij de priester, en dan kreeg je absolutie, maar als je eenmaal giftige sumak aanraakte, had je het je leven lang – je kreeg het om de zeven jaar. Maar op een zondag in de vorige zomer, na de mis, had Kevin – toen we elkaar hadden uitgedaagd – een handvol van die glimmende blaadjes langs zijn nek gewreven, en toen was er niets gebeurd. Het enige wat hij zei was: 'Ik ben immuun.' Dat was een schok voor me, een openbaring. Daar had iemand die vloek voor de mensheid durven aanraken, en er was niets met hem gebeurd, en dat betekende: als je ergens immuun voor was, kon je het niet krijgen. Ik werd er duizelig van. Ik voelde me vrij. Want dan moest het net zo zijn met doodzonde. En als je immuun was voor doodzonde, dan hoefde je je nooit zorgen te maken over de hel. En zelfs niet over het vagevuur. Toen ik echter de giftige sumak had aangeraakt, ontstonden er al gauw heel kleine bultjes op mijn handen, en op mijn gezicht waar ik het zweet had weggeveegd. Die bultjes jeukten, werden rood en vormden gloeiende blaren waar een vieze vloeistof uit kwam. Tweemaal per dag had mijn moeder een halve doos maïzena in de badkuip gedaan, en dan lag ik in het lauwe water, waar ik voelde hoe mijn huid koeler werd, terwijl ik hevig jaloers was op Kevin, die alles had: die was immuun voor doodzonde en voor giftige sumak.

'Mevrouw Hudak is gemeen,' zei Kevin.

'Misschien is ze een Russische spion.'

'Oehoe... oehoe...'

'Laten we misje spelen.'

'Ik wil spioneren bij communisten. Oehoe... mevrouw Hudak...' Kevins gezicht was rood, hoewel het buiten koud was. Vooral zijn dikke wangen. Mijn moeder noemde hem 'lollykoppie', omdat hij leek op zo'n rode lolly waarin een rood gezicht te zien was.

'Laten we oefenen voor de communie.'

'Voor de communie moeten we crackers hebben.'

'Die hebben we niet.' Ik wees naar de overkant van de straat, naar onze keuken. 'We kunnen bij mijn tante spioneren.'

Tante Floria en de tweeling zaten minestrone te eten aan mijn tafel, alsof ze daar thuishoorden. Een verdieping lager zagen we de bovenkant van het kale hoofd van meneer Casparini, het puntje van zijn sigaar, de bovenkant van zijn buik, terwijl hij met zijn postzegelverzameling bezig was. Tweehoog was mevrouw Rattner – Ananas-Sheila – aan het zingen terwijl ze kommen en bakvormen afwaste, met haar zoon Nathan die aan het studeren was om tandarts te worden. Vorige week, toen Kevin en ik voor spionnen hadden gespeeld, hadden we met elastiekjes op Nathans raam geschoten, en waren we weggedoken voordat hij ons kon zien; maar desondanks wuifde hij naar ons, en hij was opgestaan, had zich uitgerekt, alsof wij hem eraan herinnerd hadden dat hij even moest stoppen. De volgende dag had Nathan Rattner een dikke envelop in onze brievenbus gestopt. Op de buitenkant had hij geschreven 'Veel plezier, Anthony', en in de envelop zaten allemaal elastiekjes van verschillende lengte en kleur.

'Daar heb je haar.' Kevin dook weg. 'Oehoe... oehoe... mevrouw Hudak...'

Ik brulde mee. 'We gaan u te pakken nemen, mevrouw Hudak... oehoe... oehoe...'

Maar mevrouw Hudak keek niet op. Ze liep van ons vandaan, met haar boodschappenkarretje achter zich aan.

'Die gaat naar John's Bargain Store,' voorspelde ik.

Kevin knikte opgewonden. 'Voor een ontmoeting met andere communisten.'

Twee dagen voor Kerstmis nam grootmoeder Springtij me mee naar Arthur Avenue – alleen mij, niet de tweeling – een ideetje van mijn vader dat ik even van hen af zou zijn. Op de Italiaanse markt plukte Springtij een rimpelige zwarte olijf uit een van de houten kuipen, en ze lachte toen ik die niet wilde proeven. 'Ooit zul je ja zeggen, Antonio,' zei ze, en ze kauwde op de olijf, en rolde met haar ogen opzij, zoals ze altijd deed als ze zich concentreerde op een smaak. Toen knikte ze, en ze kocht een half pond van die olijven, broccoli, pruimtomaten en een hoog blik olijfolie.

In de vuilevoetenwinkel – zo rook het daar – kneep ik mijn neus dicht terwijl Springtij verse mozzarella kocht, en een van de ronde provolones uitkoos die aan de balken boven ons bengelden.

Vervolgens gingen we naar de gevogeltemarkt, waar kippen en kalkoenen me aankeken vanuit hun kooien. Springtij vertelde de poelier dat ze een kalkoen zocht die groot genoeg was voor haar hele familie. 'Ze komen allemaal over op eerste kerstdag.'

Hij haalde een kalkoen uit zijn kooi en hing hem aan zijn poten aan de weegschaal.

'Nee. Ik wil een grotere.'

Maar toen de poelier een grotere kalkoen liet zien, zei Springtij dat die niet in haar oven zou passen.

Terwijl hij de vijfde kooi openmaakte, fluisterde hij me toe: 'De vorige keer heb ik je grootmoeder zeven stuks laten zien.'

De vijfde kalkoen bengelde ondersteboven aan de weegschaal, en hij draaide zijn kop om en keek naar de mensen op de markt. Zijn gezicht was vlak bij het mijne, en opeens zag hij me. Zijn ogen waren eigenaardig en verlegen, en ik vond het een vriendelijke kalkoen.

'Kijk eens hoe die kalkoen naar dat jongetje kijkt,' zei iemand.

De poelier lachte. 'Die kalkoen kijkt naar jou, Antonio.'

'Gobbobbobbob...'

'Brave kalkoen,' zei ik tegen de kalkoen. 'Brave...'

'Antonio heeft gekozen. *Questo.*' Mijn grootmoeder knikte.

'Nee,' zei ik. 'Niet die kalkoen.'

Maar mijn grootmoeder had besloten dat dit de kalkoen was die ik wilde hebben, en toen de poelier hem van de weegschaal losmaakte en meenam achter de toonbank, hoorde ik hem 'Gobbobbobbob' roepen. De toonbank was zo hoog dat ik er niet overheen kon kijken om te zien wat er met mijn kalkoen gebeurde, maar ik wist het al, want ik kon iets horen draaien – het klonk als een soort wiel – en mijn kalkoen krijste zo luid dat ik de hik kreeg en zeker wist dat ze hem aan het plukken waren, en toen hij ophield met krijsen, en helemaal geen geluid meer maakte, wist ik dat mijn kalkoen kaalgeplukt was, en dat ze zijn kop hadden afgehakt.

'Dit is veel moeilijker voor haar dan voor jou, Leonora,' zei mijn vader.

'Mijn hart bloedt voor haar.'

'Het is voor haar een vernedering dat ze onze hulp nodig heeft.'

'Maar ze boft zo geweldig dat jij haar begrijpt. Ze krijgt van jou meer begrip dan ik.' Mijn moeder ging overeind zitten en leunde tegen het esdoornhouten hoofdeinde. 'En ook meer dan Anthony van jou krijgt. Laat ik je één ding vertellen: die meisjes daar in zijn kamertje vindt hij vreselijk.'

'Laat ik je dan vertellen dat in bed blijven geen eerlijk gevecht van jouw kant is.'

'O..., maar ik voer geen gevecht, Victor.' Haar gebarsten lippen rekten zich tot een zwakke glimlach.

'Ik zou willen dat je dat wél deed.'

Ze gaf geen antwoord.

Hij raakte haar schouder aan. 'Voel je je op je gemak?'

'Misschien zal ik me nooit meer op mijn gemak voelen.'

Hij keek even naar de stapel tijdschriften op de toilettafel. *Life* en *Look* en *Good Housekeeping*. 'Wil je nog wat te lezen hebben?'

Toen ze geen antwoord gaf, zei ik: '*Life*. Daar houdt ze meer van dan van *Look*, want daar staan meer foto's in.'

'Ik wil geen tijdschrift. Oké?'

'Hola,' zei mijn vader. 'Ik moet aan het werk.'

En hij verdween, en liet zijn bedsokken op de vloer achter waar hij ze had neergegooid. Mijn moeder dwong hem die aan te trekken in bed omdat hij zijn voetzolen insmeerde met een kleverige zalf.

Ik zat op de vloer naast mijn moeders kant van het bed en begon aan een tekening van de dierentuin, voor haar. Ik kleurde het hek rood, voor haar, met geel en bruin, zodat het op koper leek. Boven op dat hek tekende ik de leeuw, de koning der dieren. En toen beren op de ene boog, en herten op de andere. Op de pilaar aan de ene kant zat een aap, en op de andere een luipaard. Schildpadden droegen het gewicht van mijn hek en al die dieren, inclusief de uilen en kraanvogels. Rondom het hek tekende ik een stralenkrans van rook. Een pad leidde door het hek, en aan het eind van het pad tekende ik de Afrikaanse vlakten waar struisvogels en leeuwen vrij rondliepen.

Mijn moeder hield haar ogen gesloten, en het enige wat ik kon zien tussen de witte kussens en de witte deken was haar witte gezicht, magerder dan eerst, en ik bedacht dat zij en ik – die zo op elkaar leken met die smalle lichaamsbouw – ons verborgen hielden voor de mensen met stevige lichamen: tante Floria, de tweeling en zelfs mijn vader, die een smoking droeg op de trouwfoto boven de toilettafel, en verrukt staarde naar mijn moeder die naast hem stond in een lange trouwjapon, met haar ene arm door de zijne. 'Victors loterijlach,' zei mijn grootvader altijd.

Rondom die foto hingen andere familiefoto's, waarvan vijf van mij als baby: in mijn moeders armen op de dag dat ze met mij thuis was gekomen uit het ziekenhuis; met mijn vader terwijl hij me optilde naar de plafondventilator; en dan een foto met elke grootouder, behalve de vader van mijn moeder, want die was gestorven toen ze tien was. Terwijl ik naar haar slapende gezicht keek, voelde ik medelijden met haar dat ze zonder haar vader was opgegroeid, en daarom vroeg ik me af waarom de televisie nooit de glaswasvader liet zien. Misschien zat die gewoon in een andere kamer bij de televisie – en was hij niet dood, zoals mijn moeders vader – , of misschien was hij Ergens Anders. Opeens was ik er heel zeker van: als ik onze ramen kon versieren met glaswasklokken en -sneeuwvlokken, dan zou ik mijn thuis weer net als vroeger krijgen – één moeder, één vader, één jongen.

Terwijl ik de achtergrond van mijn tekening van de dierentuin aan het invullen was met een oerwoud dat leek op de varens op het behang van mijn ouders, hoorde ik een luide bons in mijn kamertje. En toen nog een. Toen ik binnenkwam, was Bianca op mijn bed aan het klimmen, met haar armen door de lussen van haar cape.

'Niet springen. Je maakt mijn moeder wakker.'

Ze sprong. Viel me aan. Terwijl ik trapte en worstelde om onder haar vandaan te komen, gooide Belinda zich over mijn benen, terwijl Bianca op mijn buik ging zitten.

'Laat me los.'

'Als je je beweegt, verlies je het kietelspelletje.'

'Ik wil jullie stomme spelletje niet spelen.'

Ze rukten mijn broek naar beneden, en mijn onderbroek.

'Laat me los!' riep ik, en ik voelde me warm en misselijk. Gevonden worden door Farao's dochter was veel te goed voor de tweeling. Nee, ik wilde dat oudtante Camilla hen kwijtraakte in de woestijn waar *twee slangen zich om hen heen kronkelen en hen smoren, waar twee buizerds opvreten wat er overblijft.*

'Laat me los! Laat...'

'Stil zijn, jullie daar, Anthony, meisjes,' zei de stem van tante Floria.

'Ik ga het zeggen.'

'Klikspaan.'

'Meanie.'

Het deuntje van *'Don't be a meanie, bring me Barracini'* klonk in mijn hoofd. Mijn moeder was dol op Barracini-chocolaatjes, en soms kleedde ze zich mooi aan en nam ze me mee voor een wandeling over de met bomen afgezette Concourse, waar de rijke joodse families woonden. Dan gingen we naar binnen bij Barracini, nergens anders, om chocoladeamandelen te kopen. Binnen in mijn hoofd kon ik het deuntje van Barracini horen, *'Don't be a meanie, bring me Barracini'*, en dat deuntje dreunde door me heen, en nu was ik degene die *'Don't be a meanie, bring me Barracini'* schreeuwde, steeds sneller, steeds sneller, terwijl de tweeling van me af sprong.

'Don't be a meanie, bring me Barracini!'

De tweeling sprong op mijn bed, ze keken somber met hun vaders groenige ogen naar me terwijl ik mijn onderbroek en broek ophees, en toen ze zich naar voren waagden, schreeuwde ik: *'Don't-be-a-meanie-bring-me-Barracini, don't be a meanie bring me...'*

'Meisjes. Anthony...' Dat was tante Floria weer. 'Wat is er aan de hand?'

'Barracini,' fluisterde ik fel terwijl ik me achterwaarts van mijn nichtjes verwijderde.

In de gang was tante Floria bezig de voordeur te openen voor twee nonnen. *Nonnen weten het. Nonnen weten alles. Die zijn hier vanwege het kietelspelletje.* Ik voelde een drang tot bekennen, al was ik bang dat ik alleen maar straf zou krijgen, en geen absolutie.

'Zusters, komt u binnen. Vrolijk kerstfeest. Komt u binnen.' Tante Floria zag eruit alsof ze op het punt stond de communie te ontvangen. 'Ik zal wat eierpunch voor u halen. Gisteren vers gemaakt. Mijn broer maakt het voor Festa Liguria. Of hebt u liever wat van mijn vruchtencake met vijgen...'

'Nee, dank u.'

'We blijven maar heel even.'

'Anthony, lieverd, haal jij je moeder eens uit bed. Zeg maar dat de zusters van Genade hier zijn, met een collecte voor heidenkindertjes, en dat ze haast hebben.'

Stel dat dit de nonnen zijn die mevrouw Hudak hadden meegenomen in hun vrachtwagen? Dan zullen ze de tweeling meenemen. En ook tante Floria. Dan brengen ze hen Ergens Anders naartoe. Maar niet weer terug hierheen.

Ik trok aan mijn moeders arm. De ene kant van haar gezicht was rimpelig, en haar haren waren platgedrukt. Meestal legde ze, voordat ze ging slapen, haar haar met speldjes in krullen en wikkelde ze daar toiletpapier omheen. Langzaam – alsof ze moest leren lopen – naderde ze onze woonkamer.

'De tweeling is begonnen met het kietelspelletje,' zei ik tegen de nonnen. 'Ik heb niet...'

Ik werd in de rede gevallen door plotseling genies.

'Jezus Christus, Belinda.' Mijn moeder veegde de rug van haar hand af aan haar kamerjas. 'Gezondheid, bedoel ik. Neemt u me niet kwalijk, zusters.'

Tante Floria deed twee stuivers en een dubbeltje in de gleuf van de kartonnen collectebus, waarop afbeeldingen stonden van naakte bruine kinderen, neergehurkt op een grasveldje, met treurige gezichten. Een van hen hield zijn hoofd gebogen terwijl de anderen in zijn haar zochten naar luizen, of erger. Op de achterkant van de doos stond een moeder, gekleed, met een kind, gekleed, en beiden glimlachten in de richting van een kruis. Kleding betekende verlossing, en wat die naakte heidenkindertjes nodig hadden voor hun verlossing, dat waren de kleren die de nonnen in Afrika voor hen zouden kopen zodra mijn tante klaar was met haar munten in die gleuf. Om een of andere reden had ik verwacht dat die munten meer geluid zouden maken, luider dan een kerkklok.

Ik voelde me nobel terwijl ik me de heidenkindertjes voorstelde met kleren, en zonder luizen, en ik wachtte tot ook mijn moeder die kinderen zou helpen.

Maar dat deed ze niet. 'Godsdienst,' zei ze tegen de zusters, 'is alleen oprecht wanneer het gepaard gaat met medeleven, en niet met het opdringen van je eigen geloof aan...'

'Nu niet, Leonora.' Mijn tante begon zich te verontschuldigen bij de zusters. 'Het spijt me, maar mijn schoonzuster is ziek geweest.'

'Het is arrogant die Afrikaanse kinderen te leren dat uw God beter is dan die van hen.' De ogen van mijn moeder schoten vonken. Zo ging het altijd wanneer ze de godsdienst afkraakte.

'Mijn schoonzuster krijgt last van migraine, en dan...'

'Voor ons,' zei mijn moeder nog, 'begint de liefdadigheid dit jaar dicht bij huis.'

'Als dat alles is wat wij voor jou zijn, Leonora, liefdadigheid...' Tante Floria begon te huilen.

'Dat heb ik niet gezegd.' Mijn moeder drukte haar vingertoppen tegen haar slapen. Haar nagellak was hier en daar afgebladderd.

'We doen allemaal zoveel mogelijk ons best om liefdadig te zijn in deze aardse wereld,' mompelde de oudere non haastig.

De andere knikte. 'In de ogen van de Heer is elke daad van barmhartigheid een gebed.'

Mijn moeder huiverde.

'Ik had dat kietelspelletje niet willen doen,' biechtte ik bij de nonnen. 'De tweeling sprong boven op me en...'

Maar de nonnen hadden geen oog voor mij. Ze maakten zich zorgen over de miskelken in hun kerk. 'Die kelken houden het niet lang meer vol.'

'Doordat ze zo dun zijn geworden.'

'Net de nageltjes van een kind.'

Toen mijn vader thuiskwam met een doos vol kruidenierswaren, waren de nonnen allang verdwenen, en tante Floria had haar bezittingen opgestapeld in de hal. Hij moest zich eromheen worstelen om haar in de keuken te vinden. Daar ijsbeerde ze tussen fornuis en ijskast, achtervolgd door de geuren van mottenballen en vis.

'Ik vertrek, Victor, meteen nadat ik jou en je gezin de maaltijd van de zeven vissen heb opgediend. Mama zegt dat ze mij en de meisjes in huis wil nemen.'

Ik zag het al voor me: *terug in mijn eigen bed. In mijn eigen kamer. Kevin en ik bouwen bruggen van Lincoln Logs. Een hijs-*

kraan met een echte motor uit mijn Erector Set.

'Laten we het alsjeblieft uitpraten.' Mijn vader zette de doos op tafel. Uit de aarzelende manier waarop hij de knopen van zijn jas losmaakte kon ik afleiden dat hij niet wilde dat Springtij achter de problemen tussen tante Floria en mijn moeder kwam.

'Je vrouw...' begon tante Floria.

'Groot nieuws,' zei hij haastig. 'Die eekhoorn waarvan ik vertelde... die heeft vandaag de voorraadkamer verlaten, en is verdwenen via de keuken.'

'Je vrouw wenst ons hier niet.'

'In de eerste plaats: dat is niet waar.' Mijn moeder stond in de deuropening van de keuken, met de ceintuur van haar kamerjas om haar middel geknoopt. 'En ten tweede: ik heb een naam.' Ze sprak op de ijzige, trage toon waaraan ik zo'n hekel had.

'Liefdadigheid, Victor. Meer ben ik niet voor je vrouw. Ze was bereid een taxi voor me te bellen, voordat jij thuiskwam.'

'Je zuster heeft me bevolen een taxi voor haar te bellen.'

'Dus heeft je vrouw nu geld aan taxi's te verspillen?'

'Aan een hele stoet taxi's.'

Mijn vader stak beide handen op, als om een hele stoet taxi's tegen te houden.

De tweeling stond tegen de muur tussen de twee ramen geleund: Bianca met haar duim in haar mond, met haar ogen enigszins ten hemel geslagen; Belinda had beide armen om het konijn heen.

'Waarom wachten we niet tot morgen,' zei mijn vader, 'en laten we dan beslissen wat we zullen doen.'

Ik staarde hem aan. Hoe kon hij dat zeggen, nu ze eindelijk op het punt stonden te vertrekken?

Tante Floria schudde van nee.

Laat haar gaan, bad ik in stilte. *Laat haar gaan.*

Mijn vader drukte zijn sigaret uit. 'Wacht dan ten minste tot morgen, Floria. Autorijden begint gevaarlijk te worden met al die sneeuw.'

'Ik heb je zuster aangemoedigd te blijven, Victor. Ik heb mijn uiterste best gedaan met deze... deze situatie.'

'Ik heb nog meer mijn best gedaan dan je vrouw.'

'Ik neem aan dat je zuster het pleit wint. Voor de zoveelste keer.'
'Ik heb óók een naam.'
Mijn moeder kreunde. 'Ik kan dit niet aan.'
Bianca's mond maakte zuigende geluidjes rond haar duim, terwijl haar andere hand over de zijkant van haar cape wreef waar het satijn was gaan rafelen.
Mijn vader zette een totaal hulpeloos gezicht.
Laat haar gaan. Laat haar gaan. Laat haar gaan. Mijn gebed veranderde in mijn hoofd in muziek, en vibreerde tegen mijn slapen met de melodie van *Let it snow. Let it snow. Let it snow.*
'Wat neurie je daar, Anthony?' vroeg mijn vader.
Iedereen staarde naar me.
Ik klemde mijn lippen tussen mijn tanden. *Laat haar gaan. Laat haar gaan. Laat haar gaan.*
Mijn vader haalde een doos met plakplaatjes tevoorschijn, opzij uit zijn doos, en hield die in zijn handen alsof hij niet kon besluiten wat hij ermee zou doen. 'Als jullie blijven... dan kunnen de kinderen samen glaswasversieringen aanbrengen.'
'Maar het is van mij!'
'Anthony...'
'Van mij alleen.'
Belinda zette Ralph op de vloer en bereikte mijn vader op hetzelfde moment als ik.
Maar hij gaf de doos met de plakplaatjes aan haar. 'Niet zo hebberig, Anthony.'
Van mij alleen.
De tweeling was al bezig mijn plakplaatjesdoos open te rukken: kometen en klokken en sneeuwvlokken van dik doorschijnend papier, hulsttakken en kerstbomen.
'Nou ja, voor de kinderen wil ik wel blijven.'
Boven ons waren de witte wieken van de plafondventilator roerloos.
'Ga jij maar weer liggen, Leonora.'
'Ja.' Mijn moeder liep in de richting van haar slaapkamer. 'Natuurlijk.'
'Ik zal je een kommetje erwtensoep brengen zodra ik alles weer

heb uitgepakt,' riep tante Floria haar na.

'Toastmaster Mixmaster broodtrommel,' reciteerde mijn moeder. 'Paus kardinaal malted milk-apparaat...'

'Paus kardinaal Toastmaster Mixmaster...,' fluisterde ik. '*Malted milk...*'

Toen ze de slaapkamerdeur achter zich dicht deed zonder tegen tante Floria te vloeken, wist ik dat het mijn taak was mijn gezin in ere te herstellen. Anders zou mijn vader de tweeling en tante Floria voorgoed bij ons laten wonen, en mijn moeder zou magerder worden, en bleker, tot ze helemaal verdween in het witte beddengoed.

'Meisjes, jullie delen met Anthony.' Tante Floria stak een sigaret op.

'Jij ook, Anthony. Samen delen.' Mijn vader liep in de richting van de slaapkamer.

Maar toen ik het plaatje van een klok pakte, duwde de tweeling mij opzij, en ik had zin om hen bij hun schouders te pakken, hen uit mijn flat te duwen, en ze hun poppen en oorwarmers achterna te gooien.

Mijn tante goot roze glaswas in een schoteltje, en daarover maakte de tweeling ruzie tot Belinda erin slaagde een punt van het droge sponsje erin te dopen. Terwijl Bianca het plaatje van een komeet tegen een van de keukenruiten plakte, drukte Belinda de spons in de staart van de komeet. Eerst was het papperig, met de roze buikpijnkleur van PEPTO-BISMOL, maar naarmate het opdroogde kreeg het de kleur van dikke sneeuw waar bloed doorheen gesijpeld was. Er gebeurt iets merkwaardigs met het oppervlak van sneeuw nadat er bloed op is gevallen. Als de sneeuw nog rul is, drupt het bloed erdoorheen, zodat een bijna wit oppervlak achterblijft, met daaronder laagjes roze die donkerder worden, hoe verder ze van je vandaan zijn, tot het is of er een rood lampje brandt, binnen in de sneeuw. De enige andere keer dat ik iets dergelijks zou zien, zou zich de volgende winter voordoen, op Castle Hill Avenue, toen de mensen in het huis naast dat van mijn grootouders buiten een elektrisch kerststalletje hadden neergezet. Na een sneeuwstorm waren Maria en Jozef tot hun middel ingesneeuwd, en tussen hen in, waar het kindje Jezus had gelegen in een kribbe met echt stro, rees een zekere gloed op door de sneeuw. Eigenlijk was dat natuurlijk heel anders, en toch begon ik te huilen, want ik moest weer denken aan Bianca – *ik wou dat ik nooit meer sneeuw hoefde te zien* – hoe ze haar plakplaatje had weggetrokken en een teleurgesteld gezicht had gezet omdat er onderaan een beetje glaswas was weggedropen, zodat haar ster er vegerig uitzag. *Helemaal fout.*

'Helemaal fout,' zei ik tegen haar.

'Minder was gebruiken,' adviseerde tante Floria. 'En denk er nu aan – om de beurt, terwijl ik onze spullen uitpak.'

Belinda graaide het plaatje van een klok naar zich toe en hield het vlak tegen de ruit, terwijl Belinda het sponsje in was doopte en ermee over de ruit veegde. Uit de woonkamer klonk gedreun – tante Floria en mijn vader sleepten haar spullen terug naar de donkere brandtrap. Ik merkte al dat de tweeling niet van plan was mij de plakplaatjes aan te bieden, maar ik wilde al niet eens meer aan de beurt komen, want ik wist hoe we eruit zouden zien, van buitenaf, als de kerstman ons in het oog hield. *Wij drieën. Hier. Samen. Voorgoed.*

Om me los te maken van mijn nichtjes trok ik een stoel naar het andere raam, en daarop knielde ik neer. In die sneeuw veranderde het waterreservoir op de 'Paradise' in een enorme hagedis, en op Kevins dak werden de antennes mensen met hoeden die wachtten of ze de straat konden oversteken. Ik drukte mijn voorhoofd tegen het ijskoude glas, en terwijl ik staarde naar de lampen van auto's en vrachtwagens, heel in de diepte op die witte straat, hoopte ik dat de tweeling verdwenen zou zijn vóór oudejaarsavond, mijn dierbaarste feestdag, omdat we dan om middernacht onze jassen aantrokken, de ramen openzetten, in de koude lucht met lepels sloegen op de bodem van pannen en 'Gelukkig Nieuwjaar. Gelukkig Nieuwjaar. Gelukkig Nieuwjaar' schreeuwden. Overal in onze buurt leunden mensen uit hun ramen – de O'Dea's en de Casparini's en de Weissmans en de McGibneys en de Rattners en de Corrigans – allemaal tegelijkertijd, kinderen en ouders, allemaal op pannen timmerend, allemaal met de kreet 'Gelukkig Nieuwjaar...'

Belinda en Bianca waren, lang niet zo voorzichtig als het meisje op de televisie, bezig roze was op hun raam te smeren, en ze maakten van hulsttakjes en kometen en klokken guirlandes die leken op vlekken die iemand per ongeluk had achtergelaten, en ik voelde me bedrogen dat ik ooit die plakplaatjes had willen hebben.

'Meisjes,' riep tante Floria, 'hebben jullie dat konijn weer in de badkuip gedaan?'

'Ga jij maar,' zei Bianca.

'Nee,' zei Belinda, 'jij.'

'Meisjes...'

'Laat Anthony het maar doen.'

'Nee. Degene die daarnet schreeuwde gaat het doen. Jij, Belinda. Nu!'

Belinda keek nijdig haar zus aan. En mij. 'Jullie blijven overal van af tot ik terugkom,' zei ze op waarschuwende toon, en toen pakte ze het konijn en ging op weg naar de badkamer.

Sneeuw wervelde in mijn gezicht toen ik mijn raam opendeed.

'Dat mag niet,' zei Bianca, die zich naast mijn stoel wrong.

IJzige wind drong tussen mijn mouwen en polsen naar binnen. 'Luister... Hoor je dat?'

'Wat dan?'

'Jouw papa.'

'Waar dan?' Haar voorhoofd was warm, haar stem gretig. 'Waar is hij?'

'Hij speelt op zijn accordeon.'

'Waar dan? Papa...'

'Op Kevins dak. Ssst.' Ik legde een vinger op mijn lippen en hield mijn hoofd schuin, alsof ik kon horen hoe oom Malcolm op zijn accordeon speelde. Elke keer dat ik terugdenk aan dat moment, het moment dat ik Bianca niet tegenhield toen ze bij mij op de stoel klom, het moment dat ik voor het eerst begreep dat ook ik in staat was Ergens Anders te verblijven, te verhuizen naar de schaduwkant van alles wat goed was, kon ik inderdaad het accordeon van mijn oom horen, heel zacht, en vervolgens toenemend in mijn ziel. *Maar dat is nu.* En die avond was het stil, afgezien van het gesmoorde piepen van autobanden op sneeuw.

Ik stak mijn hand op en wees. 'Daar.'

Toen Bianca – met haar armen door de lussen van haar satijnen cape, met haar ellebogen uitgestoken om te vliegen – zich naar mij toe wendde, raakte de warme aardbeiengeur van haar snoeplippenstift mijn gezicht. 'Echt waar, Anthony?'

Ik weifelde.

'Kan ik echt naar mijn papa vliegen?'

Ik zou nog steeds willen dat ik kon zeggen dat ik geloofde dat oom Malcolm daar op Kevins dak stond en op zijn accordeon speelde, ik zou willen dat ik geloofde dat mijn nichtje inderdaad naar hem toe kon vliegen – misschien niet elke dag, maar dan toch op deze avond van wonderen. Maar ik geloofde niets van dat alles toen ik tegen Bianca zei: 'Ja.'

Leonora 1955: *Nietigverklaringen*

Leonora brengt de middag van het verlovingsfeestje van haar echtgenoot door in haar bed met James, de kleinzoon van mevrouw Hudak van beneden. James heeft donker krullend haar en werkt als kelner in een restaurant in het centrum, waar hij een smoking moet dragen. Deze middag echter draagt James helemaal niets, en terwijl hij zich beweegt onder Leonora, met een blos op zijn wangen, wordt zij afgeleid door beelden van haar echtgenoot: Victor die de vloer van de keuken betegelt, op zijn knieën, zodat zijn spijkerbroek spant over zijn stevige zitvlak; Victor die zijn administratie van Festa Liguria ordent en vloekt wanneer hij een fout ontdekt; Victor voor de spiegel, met een vinger tikkend op zijn baardeloze kin; Victor die de hals kust van een vrouw wier stem Leonora zou herkennen.

Haar vriendin Sheila Snor heeft haar gevraagd of ze nieuwsgierig is hoe die Elaine eruitziet, en Leonora heeft geantwoord dat dat niet het geval is. En toch... ze stelt zich Elaine voor als een blondine met kleine oorlelletjes. Sinds drie maanden weet Leonora van die Elaine af; niet echter van het verlovingsfeestje – niet voordat Anthony iets mompelde over nieuwe schoenen die hij moest hebben.

'Maar ik heb net gymschoenen voor je gekocht.'

Hij trok aan zijn vingers alsof hij onzichtbare handschoenen uittrok.

Leonora werd er woedend van als hij zo deed, woedend en bezorgd. Ze dwong zichzelf echter rustig te spreken. 'Wat is er dan?'

De botten van het gezicht van haar zoon lagen zo dicht onder de huid dat ze erdoorheen leken te schijnen, blauwachtig wit. Hij trok zich van haar terug. Van de hele familie. Vaak zei hij urenlang niets, tenzij ze hem dwong woorden uit te spreken.

Het kostte hem twee dagen voordat hij tegen haar kon zeggen:

'Pap zegt dat ik niet met gymschoenen op zijn verlovingsfeestje kan komen.'

De handen van James grijpen Leonora's heupen vast. 'Bijna,' hijgt hij, en hij draait zich samen met haar om tot ze elk op hun zij liggen, nog steeds samen. 'Ik ben er bijna.'

Ongeveer om deze tijd zal Anthony aan een lange tafel zitten met Victor en Elaine en diverse leden van beide families. Een raar idee – je verloven terwijl je nog getrouwd bent. Hoewel Leonora Victor heeft aangeboden van hem te scheiden, wil hij dat niet. Victor wenst een nietigverklaring, zodat hij en Elaine een echt huwelijk kunnen sluiten ten overstaan van een priester, en eeuwige geloften kunnen uitwisselen, dezelfde geloften die Victor twaalf jaar geleden met Leonora heeft uitgewisseld. Misschien zal één woord veranderd worden – 'liefhebben' in plaats van 'leven': 'Zolang wij beiden zullen *liefhebben*' – zodat Victor kan overstappen op een nieuwe liefde wanneer ook deze liefde sleets raakt. Als je eenmaal het ene huwelijk hebt verlaten, zo neemt Leonora aan, wordt het gemakkelijker een tweede huwelijk te verlaten. En nog gemakkelijker zal het gaan met een derde en de huwelijken daarna. Ze ziet al *een hele rij toekomstige echtgenotes van haar man voor zich, achter een doorkijkspiegel, zoals bij Jack Webb als hij een rij verdachten opstelt in* Dragnet *en aan een getuige vraagt: 'Goed kijken. Herkent u iets in deze personen?'*

Voor zichzelf wenst Leonora zich geen volgende echtgenoot voor te stellen.

Een minnaar daarentegen is iets anders.

James is er trots op dat hij een fantastische minnaar is. Dat heeft hij ook tegen Leonora gezegd. 'Ik ben een fantastische minnaar,' had hij gezegd. Maar vervolgens had hij het bedorven door te vragen: 'Waar of niet?' Toch is het waar: seks is iets waarin James heel goed is. Fantastisch. Victor kan weleens een beetje katholiek doen over genot, maar James is onuitputtelijk als het gaat om het experimenteren met nieuwe dingen.

James houdt van verandering: hij heeft voor een radiozender gewerkt, in een kruidenierswinkel, in een garage, in een bakkerij en in diverse restaurants. Hij zou weer hondenfokker willen worden; maar als je hem vraagt wat voor honden hij heeft gefokt, moet hij toegeven dat hij één cockerspaniël heeft bezeten. Een tijdlang. 'Met voortreffelijke papieren. Ik stond op het punt mijn kennel uit te breiden toen ik dat aanbod kreeg om voor een radiozender in New Jersey te werken, en toen heb ik die hond achtergelaten bij vrienden in Queens...'

De constante in James' leven is dat hij altijd weer terugkeert naar zijn grootmoeder, die hem niet dwingt huur te betalen. Hij is aardig voor zijn grootmoeder. Leonora herinnert zich dat ze dat al had gedacht toen James nog maar twaalf was en de buitenkant van zijn grootmoeders ramen zeemde. Toen hij van de ladder sprong om Leonora te helpen om Anthony's kinderwagen van het trapje voor het flatgebouw te dragen, had hij haar aangestaard met de ogen van een man, niet van een jongen, en ze had gelachen, want ze voelde zich heerlijk in de weelderigheid van haar lichaam na die bevalling, en vond het grappig dat ze misschien een plaats zou krijgen in de fantasieën van die jongen – *voor hem is zij de allereerste vrouw* –, en toen zijn gretige ogen zich op haar volle borsten vestigden, had ze hem geplaagd: 'Wat ben jij een mooie jongen', zonder ooit verwacht te hebben dat hij negen jaar later haar minnaar zou worden.

Leonora houdt het aantal bij van hun verschillende posities in bed, verrukt over haar lichaam, het lichaam van een vrouw met een minnaar die veel jonger is dan zij, een minnaar die haar sinds zijn jongenstijd heeft aangestaard. Wat had ze ervan genoten als ze hem aan het blozen maakte door naar hem te glimlachen. Totdat hij groter werd en niet meer bloosde, maar nog steeds naar haar staarde. Zoals op de ochtend dat Victor was vertrokken met zijn dozen en koffers terwijl zij in de slaapkamer stond, niet in staat tot lopen. Omdat ze bang was te verstarren in die ene houding, had ze zich gedwongen haar ene voet naar voren te zetten, en toen haar andere, de kamer uit en de flat uit en de trap af, vastbesloten door te lopen tot ze zich niet meer op elke stap hoefde te concentreren. In de hal stond James tegen de muur bij de brievenbussen geleund, alsof hij op haar wachtte, en ze had hem recht aangestaard.

Ze hadden niets gezegd toen hij haar volgde, de trap op, klimmend door lagen van frisse en verschaalde geuren uit de verschillende flats, alsof ze door verschillende landen reisden: vis op tweehoog, hoewel het geen vrijdag was; kaneel op driehoog, waar het meestal zoet geurde naar gebak; op vierhoog kippensoep, verschaald riekend door te lang koken.

Ze hoefden niet te praten toen ze hem meenam naar haar slaapkamer, want hun fantasieën overlapten elkaar alsof ze zichzelf al talloze malen hadden gezien in een film waarin ze zelf hadden gespeeld.

De eerste keer dat Victor terugkwam naar de flat, had Anthony zich in zijn kamertje opgesloten.

'Wil je niet naar de dierentuin?' had Victor door de gesloten deur geroepen.

Geen antwoord.

'En daarna neem ik je mee naar het White Castle... voor hamburgers met heel veel gehakte uitjes.'

Terwijl hij Anthony probeerde te verleiden naar buiten te komen, fluisterde hij tegen Leonora: 'Ik heb gepraat met pater Bonneducci. De pater zegt dat de kerk milder is geworden waar het om nietigverklaring gaat.'

Ze gebaarde dat hij bij de deur van hun zoon weg moest gaan. 'Hoe kan een huwelijk nietig verklaard worden als er een kind is?'

'Dat heb ik hem ook gevraagd. Maar volgens pater Bonneducci gebeurt het heel vaak.'

'Dus dan verklaar je een kind gewoon nietig.'

'Hou daar nou over op.'

'Hoe kun je erover denken ook maar enig kind nietig te verklaren, als je bedenkt dat het kind van je eigen zuster is doodgegaan?'

'Begin nou niet over Bianca.' Hij volgde haar naar de keuken. 'De pater zegt...'

'Verschuil je niet achter *de pater zegt.*' Leonora is groot geworden in deze godsdienst die beweert de weg naar God te zijn. Ze staat sceptisch tegenover elke groep die zichzelf als beter beschouwt, en zeker tegenover het katholicisme dat je priesters aanbiedt als gereedschap om de onzuivere gedeelten van je ziel weg te snijden door de biecht – het doden van je zonden – en opofferingen van je eist. Voor Leonora echter is opoffering een zonde: die komt op je af in de vorm van geven en stolt door wrok.

'Tja, wat de pater zegt...' Victor wrong twee vingers tussen zijn boord, rukte aan de stof. 'De pater zegt dat hij me niet in de kerk kan trouwen als...'

'Wat zeg je nou – gaan jij en *de pater zegt* samen trouwen?'

'Hou nou op, alsjeblieft.'

'Wat zal je moeder blij zijn. Een zoon bij de geestelijkheid. Of liever... bijna bij de geestelijkheid.'

'Je weet best wat ik bedoel.'

'*Noem* dan de naam van die vrouw met wie je wil trouwen. Tenzij je je schaamt voor die vrouw.'

'In elk geval, hij kan niet... Elaine en mij trouwen in de kerk als ik gescheiden ben. Omdat hij zijn bisschop trouw wil blijven.'

'Niet trouw aan God, maar wel aan de bisschop?'

'Hou nou op, alsjeblieft.'

'En waar is jouw trouw gebleven, Victor?'

'Hou nou op.'

'Waarom zeg je niet tegen *de pater zegt* dat echtscheiding tenminste eerlijk is. Want zoiets erkent tenminste dat er ooit een huwelijk is geweest.'

'Maar als we het nietig verklaren...'

'Het maakt ook deel uit van mijn geschiedenis, Victor, dit huwelijk met jou. En ik wil het graag afsluiten met een scheiding – eerlijk waar –, maar ik weiger te doen alsof het nooit bestaan heeft.'

'Daarop komt een nietigverklaring niet neer.'

'Wat betekent een nietigverklaring dan wél?'

'Dat... ik geloof: dat het nooit goed is geweest...'

Ze voelde hoe haar armen verstijfden, en toen ze probeerde iets te zeggen, deed hij een stap terug, alsof hij haar woede kon voelen.

'Nooit goed in de ogen van de kerk,' zei hij haastig.

'En hoe zit het met jóúw ogen?'

'Vraag me dat niet.'

'Was het goed in jouw ogen, Victor?'

'Was het goed, vraagt ze.'

'Ja, omdat *zij* – als je dan over mij moet praten in de derde persoon – het verdient te weten of het goed was in de ogen van *haar* man.'

'Ja.'

'Wat ja?'

'Het was goed.'

Ze reageerde niet.

'Een hele tijd. Nou goed?'

'Goed, nou goed?'

'En nu is het niet goed meer.'

'Maar hoe kun je het dan nietig verklaren? Let eens op dat woord. Nietig. Ongeldig. Verlopen...'

'Het gaat hier niet om een van die verdomde kruiswoordpuzzels van jou.'

'Jammer. Want die kan ik meestal wél oplossen. Nullificeren. Tenietdoen. Verwerpen...'

'Het is maar een woord.'

'Een woord, ja. Dat dacht Judas ook, en dat heeft natuurlijk geleid tot een zak vol geld, een pijnlijke keel en verraad.'

'Daar ga je weer met je vertekende bijbelverhalen. Luister, ik vind het ook niet zo mooi zoals ze hun regels handhaven door zich in bochten te wringen. Maar ze hebben geen andere keus.'

'En waarom dan wel, Victor?'

'Waarom?' Hij zag er ellendig uit.

'Ja, waarom?'

'Omdat... die regels al eeuwenlang bestaan.'

'En dus vragen ze ons te liegen door te ontkennen dat wij ooit een huwelijk hebben gehad? Wat wil dat dan zeggen voor onze zoon? Is die buitenechtelijk?'

'Dat mag je nooit zeggen.'

'Ze nemen een loopje met mensenlevens. En met de waarheid. Begrijp je dat dan niet?'

'Waarheen moet ik me dan wenden?'

'Naar Elaine. *De pater zegt* heeft je zijn zegen gegeven om met haar te neuken.'

'Wijn of warme chocolademelk?' vraagt ze aan James.

'Chocolademelk.'

'Dat dacht ik al. Nog steeds de voorkeur van een jongen.'

'O ja?' Hij zet een knorrig gezicht.

'In bed heb je de voorkeur van een man.'

'Ga door.'

Wanneer ze uit de keuken terugkomt met zijn kop warme chocolademelk en haar glas wijn – een goede fles witte bordeaux die ze voor vandaag had gekocht, niet die groothandels-Chianti die Victor van zijn werk meebrengt – heeft James haar kussens tegen het esdoornhouten hoofdeinde gezet, zodat ze naast hem in bed kan zitten.

Het asbakje – geknutseld door Anthony in de eerste klas, schelpen uit Bermuda, op een schoteltje geplakt – heeft hij verplaatst, en hij heeft haar leeslampje zo gedraaid dat zijn vlakke hand een schaduw werpt op de wand. Zijn duim wijst omhoog, zijn wijsvinger is gebogen, en wanneer hij zijn pink naar beneden en dan weer omhoog laat bewegen, verandert de schaduw in een blaffende hond.

'Hou daarmee op,' zegt Leonora op scherpe toon.

'Het is alleen maar iets wat ik van mijn grootmoeder heb geleerd.'

'Ze heeft het niet alleen aan jou geleerd, maar ook aan Anthony.'

'Nou en?'

'Daardoor lijk jij...' Ze steekt een sigaret op, houdt de rook zo lang mogelijk binnen om niet te zeggen wat ze, dat weet ze, toch zal zeggen. 'Daardoor lijk jij in leeftijd dichter bij mijn zoon te staan dan bij mij.'

'Zal ik dan een schaduwkat voor je maken?'

'Je snapt me niet.'

'Juist omdát ik het snap.' Hij neemt een slokje uit haar glas. 'Voorkeur van een jongen, ja da-ag.'

'Wil dat zeggen dat ik met jouw chocolademelk blijf zitten?'

'Het wil zeggen dat ik allebei krijg.' Hij lacht. Leunt tegen de kussens, vertelt haar van het restaurant dat hij wil openen in Southampton: 'Franse keuken. Een van mijn vrienden op mijn werk, een chef-kok uit Parijs, wil eraan meedoen.'

Grootse plannen. Als steeds. Het valt onmogelijk bij te houden waar James gewoond heeft en wat hij toen deed, en Leonora probeert geen onderscheid meer te maken tussen de dingen die James gedaan heeft en de dingen die James graag zou willen doen. De meeste vriendjes van Anthony hebben dat onderscheid tussen fantasie en werkelijkheid al gemaakt, maar voor James lopen die twee nog steeds in elkaar over. En toch is het juist die gewoonte die James veilig maakt. Omdat ze nooit zichzelf zal vergeten door hem lief te hebben. Een van de mooiste dingen van hun relatie is dat deze van tijdelijke aard is.

James begint zijn voeten langs haar eeltige voetzolen te wrijven.

'Wat doe je nou?'

'Je hebt eeltknobbels.'

'Reken maar.' Ze buigt zich naar hem over. Likt met haar tong in het kuiltje tussen zijn sleutelbeenderen. Smaakt zout, naar vers zweet.

Hij snakt even naar adem. Mompelt: 'Eeltknobbels...', zonder de overtuiging van daarnet.

'En bovendien, ik ben duizend jaar ouder dan jij.'

'Mooi zo.'

Ze volgt zijn geur naar beneden, over zijn buik, maar slaat zijn kruis over, plaagt hem, hoewel hij zich in haar richting duwt. Wanneer ze zijn voeten inspecteert, blijken ze zacht en smal, met lange tenen. Onbehaard. Victor heeft stompe tenen met dikke haren, ruwe voetzolen die hij met vaseline masseert en afdekt met de wijde sokken die hij in bed draagt, om de lakens niet vuil te maken.

'Je hebt de voeten van een zuigeling,' deelt ze James mee. 'Je bént een zuigeling.'

'Mijn grootmoeder heeft altijd dure schoenen voor me gekocht... nooit te klein.'

Nadat Victor was vertrokken, had ze een van zijn sokken onder het bed gevonden, nog met de vorm van zijn voet erin, en toen was het verlies van hem opeens tot haar doorgedrongen, alsof het op dat moment plaatsvond. Ook al had ze afscheid van hem genomen sinds die middag in februari, toen Anthony zijn huiswerk zat te maken aan zijn bureautje, en zij zijn kamer uit was gegaan om in de keuken de telefoon aan te nemen.

Een vrouwenstem, laag, bijna als van een man. 'Ik zou u niet bellen als ik niet zo bezorgd was om mijn zuster.'

'Uw zuster? Wie...'

'Elaine. U kent haar niet. Maar uw man wel. En ik verdraag het niet te zien hoe ze reageert. Door al dat wachten tot u hem laat gaan.'

Leonora's gezicht voelde koud aan. De telefoon voelde koud aan. En haar handen, daaromheen, voelden koud aan. Het was de bekende kou die haar overviel in noodgevallen, die alles vertraagde en deed bevriezen, zodat paniek werd afgeweerd. Leonora was gek op die koude. Genoot van het isolement. De helderheid. Vond het heerlijk dat ze altijd op die waardigheid kon rekenen. En binnen in die kou wist ze dat die vrouw de waarheid sprak. Niet omdat Leonora Victor niet vertrouwde – het lag ingewikkelder, het had te maken met straf. Zoveel had als straf aangevoeld sinds de dood van Bianca. De straf voor een ouder die niet een kind was kwijtgeraakt. *Tenminste niet een kind dat al geboren was. Nadat zoiets je bespaard is, ben je bereid vrijwel alles op te geven, zelfs je geloof in je zoon. En in plaats daarvan te leven met een zeker wantrouwen.*

Niet dat ook maar iemand Anthony de schuld had gegeven.

'Die arme jongen...,' fluisterde men.

'Dat meisje wilde Superman spelen.'

'Praat met me, Anthony.'

'Er is niets wat je had kunnen doen om Bianca tegen te houden.'

'Getuige te zijn geweest van haar val...'

'Ze probeerde altijd al te vliegen.'

'Je moet echt wat eten.'

'... zo angstaanjagend voor hem.'

Zelfs Floria, totaal overstuur in haar verdriet, had gezegd: 'Laat hem met rust. Dwing hem niet het nog eens te beleven.'

Nadat je het verlies van je al geboren kind bespaard is, ben je zelfs bereid je man prijs te geven. Een manier om je te verzekeren tegen nog meer verlies.

'Mevrouw Amedeo?' Lage stem. Aarzelende stem. 'Het spijt me dat ik degene ben die...'

'Vertelt u me over uw zuster,' zei Leonora's koude, trage stem.

'Ze houden van elkaar. Ze willen graag samen zijn. Alleen zegt Vic dat u weigert te scheiden.'

'Hoe lang zijn... Vic en uw zuster al samen?'

'Iets meer dan een jaar.'

'Sinds welke maand?' Leonora moest weten of het voor of na de dood van Bianca was begonnen.

'Waarom wilt u...'

'In welke maand is het begonnen?'

'In januari.'

Een jaar en een maand geleden... vlak nadat we Bianca begraven hebben. Victor gaat in zijn eentje naar de begrafenis, namens ons drieën, omdat we niet willen dat Anthony de kist ziet. Ik hou hem die dag bij me, ga met hem naar het Museum of Natural History. De weken daarna, waarin ik probeer andere dingen met hem te doen, normale dingen. Naar een film in de 'Paradise': Abbott and Costello Go to Mars. *Samen lezen in de bibliotheek aan Bainbridge Avenue. Samen met Kevin en Sheila Snor naar Jahn's, waar we onder een glas-in-loodlamp zitten en bananasplits eten. En dan – laat op een avond – lachen, plotseling lachen, omdat Victor thuiskomt en zijn baard afgeschoren blijkt te hebben. Je schamen om dat lachen, vanwege Bianca, en toch ermee doorgaan, omdat ik dan het gevoel heb dat ik leef. Ik zei tegen Victor dat ik hem niet herkend zou hebben als ik hem op straat was tegengekomen. Eerst had hij een hoekige kin, door de rand van zijn baard, maar nu heeft hij een ronde kin, bleek. Maar tenminste geen wijkende kin, al had ik hem een keer geplaagd: 'Is dat de reden waarom je een baard hebt?' Een gleufje tussen zijn neus en bovenlip, heel duidelijk. Ik wrijf mijn wang langs de zijne, plaag hem: 'Bijna of ik een andere man heb. Wat veilig... een verhouding binnen ons huwelijk.' Zijn gladde gezicht tegen het mijne herinnert me aan mijn eerste zoen – Stevie Klein op de middelbare school – en ik voel me lichtelijk ontrouw. Maar dat is een vorm van ontrouw waar ik wel tegen kan. Waarvan ik zelfs kan genieten. Maar Victor ontwijkt mijn omhelzing, doet schichtig wan-*

neer ik probeer hem te verleiden. Ik blijf op afstand, denk dat ik zal wachten tot hij een nieuwe baard heeft gekweekt, want zo is immers de man die ik ken. Dat is niet deze vreemde, wiens gladde gezicht hem ongrijpbaar maakt, ontwijkend. Hem tot Vic maakt.

En zijn afwerende reactie had niets te maken met Leonora's gretigheid, maar eerder met die Elaine, die óf een zuster had, óf over de telefoon deed of ze haar eigen zuster was. In dat geval was Leonora onder de indruk van Elaines bereidheid te vechten voor Victor, terwijl Leonora totaal niet bereid was voor hem te vechten. 'U houdt niet van baarden, zeker?' vroeg Leonora.

'...Nee. Maar wat heeft dat te maken met...'

'Wanneer ontmoeten ze elkaar, uw... zuster en Vic?'

'Op de donderdagen. Donderdagsavonds.'

De donderdagen. De avonden die Victors weken in stukken delen. Avonden waarop hij lijsten opstelt voor zijn drukste dagen – zaterdag en zondag.

'En gewoonlijk op maandag. Voor de lunch.'

'Natuurlijk.' *De maandagen. Zijn enige vrije dag. Een dag om boodschappen te doen.* 'En wat verlangt u nu van mij?'

'Ik wilde het gewoon vertellen.'

'Ja.'

'Zodat u ervan weet.'

'Ja.'

'En om erachter te komen of u bereid bent Vic te laten gaan. Of dat hij liegt.'

'Vic liegt nooit. Dat mag u van mij aannemen.'

'Hij wil bij haar zijn.'

'Bij uw... zuster, ja. Daarom vertelt u het mij. En u? Wat wenst u voor uzelf?'

'Ik ben haar zuster.' De stem klinkt nu hoger. 'En ik wil het beste voor haar, maar ik maak me zorgen...'

'Ik heb innig medelijden met u.'

'Ik maak me zorgen over...'

'Zorgen over Elaine. Uitzinnig over Elaine. Radeloos. Bekommerd. Geschokt...'

'Hij vindt het vreselijk als u zo doet met woorden.'

'Heeft hij dat tegen u gezegd? Of tegen uw zuster?'

'Ik moet ophangen.'

'U hebt uw vragen gesteld. Weest u nu zo beleefd de mijne te beantwoorden. Hoe hebben u en Victor elkaar ontmoet?'

Stilte. Meer dan een minuut. Maar ze was er nog steeds. 'Bij een diner dat hij verzorgd had in... in de zaak waar Elaine werkt.'

'En hoe is het aangeraakt tussen u?'

'Dat kan ik niet zeggen.'

'Hoe is het begonnen?'

'Vraagt u dat maar aan hem.' En toen was ze weg, Elaine, of de zuster van Elaine.

Leonora legde de koude hoorn neer. Stopte haar handen onder haar oksels om ze te warmen. Pakte opnieuw de telefoon en belde naar Sheila Snor. 'Zou Anthony vannacht bij Kevin kunnen logeren?'

'Natuurlijk. Wat is er aan de hand?'

'Gewoon iets wat Victor en ik moeten afhandelen.'

'Je klinkt nogal overstuur. Ben je...'

'Ik kan er niet over praten, Sheila.'

'Stuur Anthony maar hierheen. Het geeft niet hoe laat. Versta je me?'

Anthony zat op zijn bed, met zijn magere nek boven zijn gemarmerde schrift, naast zijn dierbaarste speelgoed, Robert de Robot, zilvergrijs, met wieltjes en armen die konden bewegen.

'Jij hoort aan je bureautje te zitten,' zei Leonora vermanend. 'Anders bederf je je ruggengraat en je ogen.'

Zonder haar aan te kijken liet hij zich van zijn bed af glijden.

'Zo belangrijk is het ook weer niet,' zei ze, omdat ze zijn gehoorzaamheid hinderlijk vond. 'Je mag best op je bed blijven zitten.'

Hij bleef roerloos staan. Zijn ogen schoten van het bed naar Leonora, toen weer terug naar het bed, en toen ze zijn wang aanraakte – dat driehoekje magere wang – dook hij ineen, maar hij zei niets. Hij had geprobeerd alles af te handelen met schouderophalen en knikken. Op school deed hij het heel behoorlijk als het om schriftelijk werk ging. Dat was de reden waarom de nonnen niet te veel aandrongen om hem aan de praat te krijgen. 'We hebben wel meer kinderen die zo verlegen zijn als uw Anthony,' hadden ze geruststellend tegen Leonora gezegd.

'Maar vroeger was hij niet zo,' antwoordde zij dan. Wat ze de nonnen niet kon uitleggen, was de manier waarop hij zich had opgesloten in de herinnering aan de vallende Bianca, en die herinnering had opgeborgen in een ruimte die zo strak en klein was dat de rest van hem week was geworden, kwetsbaar.

Leonora wist hoe dat was, want ook zij had die strakke, koude ruimte in zich. Al sinds haar kindertijd. Alleen was die plek bij haar geleidelijk strakker geworden, terwijl het voor Anthony allemaal opeens was gebeurd, op het moment dat Bianca was gevallen; bovendien had hij nog niet geleerd die ruimte te gebruiken om zichzelf te beschermen, zoals zij dat altijd had gedaan wanneer haar vader zijn vuisten had opgeheven. *Vierenvijftig dagen van mijn leven. Ver uiteen. Gedurende vier jaar. En toen niet meer zo ver uiteen. Je telt ze. Tekent ze aan achter in je fotoalbum. Een horizontaal streepje voor elke keer. Vierenvijftig dagen, zonder enige waarschuwing. En de angst die je opwacht, elke ochtend weer – 'Als je het vertelt, krijg je er pas goed van langs' – totdat je vader doodgaat.*

Niet nu. Ze drukte een zoen op haar zoons haren. *Denk er nu niet aan.* 'Zal ik je eens wat zeggen?' zei ze. 'Kevins moeder zegt dat je een nachtje mag blijven slapen.'

Anthony sloeg zijn magere armen over elkaar.

'Toe nou... Kevin vind je toch aardig? Je bent zijn beste vriend.'

Hij knikte.

Als Leonora een manier had geweten om die koude, strakke plek in hem op te blazen zonder de rest van hem te raken, had ze dat gedaan. In plaats daarvan probeerde ze het met zachte overreding. 'Neem je schoolspullen maar mee.'

Hij deed zijn pen in zijn Davy-Crockett-pennendoos, schoof het houten deksel dicht.

'Een pyjama. Kleren voor morgen. Wil je nog wat eten voordat je weggaat?'

Hij knipperde met zijn ogen, alsof hij geen besluit kon nemen.

De laatste tijd had ze gewacht tot hij zelf een keuze maakte, maar vandaag joeg ze hem op. 'Ik zal een sandwich met salami voor je maken terwijl je je spullen inpakt.'

Hij trok een gezicht alsof eten iets weerzinwekkends was, een verplichting die hem gevangenhield bij gezinsmaaltijden. En dan te bedenken hoe hij altijd van eten had genoten; nu echter interesseerde zelfs snoep hem niet meer. Snoep noch woorden.

'Je eet niet genoeg. Hé, nou klink ik net als je tante Floria.'

Maar hij at niets, en toen hij weg was – zoals hij aarzelde om weg te gaan, zo weerstrevend – liet Leonora het bad vollopen. Ze waste haar haar en droogde het, liet het over haar schouders vallen. Terwijl al die tijd haar hart – traag en koud – binnen in haar borstkas klopte. Ze tekende een smalle zwarte lijn langs haar oogleden, alsof ze zich klaarmaakte naar het centrum te vertrekken voor een voorstelling. Ze maakte haar wimpers donkerder, stiftte haar lippen donkerrood, knoopte de zijden japon dicht die Floria voor haar had genaaid, en toen ze in de woonkamer ging zitten, met haar gezicht naar de hal, zag ze zichzelf als op een toneel – de vrouw die op haar ontrouwe echtgenoot wachtte – en ze kon het drama waarderen, evenals het potentieel van zelfs nog meer drama. Daarnaar was ze op zoek geweest sinds het doek was opgegaan: drama in achtergrond en kostumering; drama in de allereerste woorden. Ze verlangde naar drama dat haar op het toneel zou brengen, totdat ze er zozeer deel van uitmaakte dat ze vergat dat ze in een donkere rij stoelen zat.

Zo echt wilde ze dat het zou zijn.

Even echt als Victors verraste gelaatsuitdrukking toen hij binnenkwam en zag hoe ze daar mooi aangekleed en zwijgend zat.

'Hallo,' zei hij joviaal, alsof het doodgewoon was dat ze zo op hem zat te wachten.

Ze keek naar zijn naakte gezicht – ze staarde hem aan, plechtig – en voelde zich welsprekend zonder woorden.

'Hoe heb je het vandaag gehad, *mia cara*?' vroeg Victor.

'Waar is Anthony?' vroeg Victor.

'Zeker bij Kevin. Klopt dat?' vroeg Victor, nog steeds in zijn rol.

Ze vroeg zich af of ook voor Anthony niet-praten zoiets was. Zodat iedereen om hem heen danste met woorden? Niet eens zo gek. Het schonk je een zekere macht, een genoegen zelfs, als je anderen namens jezelf liet praten.

'Ik snap het al. Je had vanavond zeker geen zin om te koken?' vroeg Victor.

'Gaan we buitenshuis eten?' vroeg Victor.

'Vertel me over Elaine,' zei ze zacht.

Zijn gezicht schoot omhoog. Grauwbleek. Geschrokken. 'Hoe bedoel je?'

Op dat moment leerde Leonora hoe ze moest wachten. Leerde alles wat zo'n onrustige vrouw als zij haar leven lang zou moeten weten over wachten. Terwijl haar man de knoop van zijn linkermanchet losmaakte. Terwijl hij zijn mouw tweemaal oprolde. Terwijl hij aan de andere mouw begon. Terwijl zij een pluisje op het vloerkleed zag liggen.

Langzaam liet Victor zich zakken in de stoel die het verst van haar vandaan stond.

Ze telde de lijsten die aan de wand achter hem hingen.

Telde de gezichten van familieleden op de foto van Anthony's eerste communie: tien.

Telde de spijkers in het vreemde schilderij van de zeilboot: vierenzeventig.

Ze zei: 'Ik weet ervan, Vic.' En ze voelde hoe hij worstelde. Zich verzette. Maar ze haalde hem binnen. Voelde zich sterk en mooi en koud terwijl ze hem binnenhaalde. 'Ik weet van jou en Elaine.' Ze was – zowel op het toneel als in het publiek – de vrouw naar wie ze keek, de vrouw die uitzonderlijk kalm leek, de vrouw met dat zwarte haar dat haar tengere hals omlijstte; de vrouw die hem niet recht aankeek, die haar ogen alleen de windingen en bladeren op het vloerkleed liet volgen, de vertakkingen naar de brandtrap, naar de waslijnen en weer naar binnen, langs de wanden en naar de lijsten boven hem. Vijf stuks. 'Maar ik wil van jou over haar horen, Victor.'

Ze haalde hem nog verder binnen, tot zijn woorden morsten op de vloer tussen hen en bevroren tot ijs, dat dik genoeg was om hem te verhinderen zijn handen naar haar uit te steken, ijs dat dun genoeg was om elke oversteek verraderlijk te maken. Ze liet hem praten. De gewoonte van de biecht. Van het inruilen van zonden voor absolutie. Terwijl ze zo stil zat als een priester in de biechtstoel, hield ze alle geschoktheid, alle treurnis, alle woede verborgen, en telkens wanneer Victor aarzelde, zei ze: 'Ik weet het,' en ze trof hem met haar wrede zwijgen totdat hij zei dat Elaine hem verleid had.

'O, toe nou toch,' zei Leonora.

'Ik zweer je dat ik niet van plan was het tot seks te laten komen.'

'Waartoe dacht je dan dat het zou komen? Een radslag? Een reuzenrad? Een...'

'Eerlijk waar. Zij heeft me verleid.'

'En jij verroerde je niet terwijl zij je verleidde. Natuurlijk niet. Wat had je anders kunnen doen? Je hebt het nu over de eerste keer, nietwaar? En vertel eens, hoe vaak is ze erin geslaagd je te verleiden in de loop der maanden?'

'Ik maak het uit met haar.'

'Doe dat vooral niet voor mij.'

'Hoe bedoel je?'

'Dat je het in je eentje mag uitzoeken. Dat je mij al verlaten hebt,' zei ze, en ze voelde zich verdoofd door een volstrekte eenzaamheid. 'Wees maar liever zo fatsoenlijk dat je jouw rol in die relatie toegeeft. Niet dat fatsoen er ook maar iets mee te maken heeft.'

'Het spijt me. Echt waar. Ik verlang naar ons drieën. Naar jou en mij en Anthony.'

'En Elaine. En de zuster van Elaine.'

'Ze heeft geen zuster.'

'Precies.' Leonora moest denken aan een documentaire die ze een keer gezien had over één middag in een huwelijk. De gesprekken van de vrouw en de man waren bizar – dat aanhoudend peilen van elkaars gedachten, hun overdreven wedijver om de liefde van hun vijf honden, hun klungelige samenwerking bij het opruimen van hun groezelige keuken – maar toen Leonora eenmaal was opgehouden zich af te vragen waarom ze een filmer hadden toegelaten tot hun particuliere rommelige levens, was het tot haar doorgedrongen dat dit alles voor hen normaal was, en dat een filmer, als hij twee mensen zou volgen die een intieme band hadden – als hij Victor en haar zou volgen –, al was het maar een paar uur, op hem precies zo'n zelfde bizarre indruk zouden maken: de privédingen die ze deden; de manier waarop ze hun privé-taaltje spraken; de woorden en de gebaren en de gewoonten. Alleen wisten de meeste mensen dat ze dat alles niet moesten laten zien aan een filmer. Toch was het effect van die film op Leonora dat ze versteld stond van wat mensen als gewoon beschouwden, want wat die twee mensen, die vrouw en die man, over zichzelf geopenbaard hadden, was helemaal niet zo bizar. Althans niet half zo bizar als dit gesprek met Victor.

Nog niet eens tien procent zo bizar als Victor horen vragen: 'Wil je dat ik Elaine nu opbel? Tegen haar zeg dat ik haar niet meer zal ontmoeten? Dan doe ik dat. Als dat het is wat je van me wilt. Ik zal haar opbellen waar jij bij bent. Om je te bewijzen dat ik het uitmaak met haar.'

'Verwacht je dat ik één telefoontje als bewijs beschouw? Nadat je me een jaar en een maand lang hebt voorgelogen?'

Zijn lippen bewogen alsof hij het narekende.

'Aan hoeveel verleidingen ben je blootgesteld gedurende het laatste jaar plus een maand?'

Hij stak zijn hand uit naar de telefoon. 'Je mag luisteren naar wat ik tegen haar zeg.'

'Zou je haar dat aandoen? Je vrouw laten meeluisteren terwijl jij het uitmaakt met je minnares? Vind je niet dat ze beter heeft verdiend?'

Victor staarde haar aan.

'Wees tenminste zo moedig om haar dat persoonlijk te gaan vertellen. Je kan niet zomaar iemand neuken...'

'Ik vind het vreselijk als je dat woord gebruikt.'

'En ik vind het vreselijk als jij dat woord *doet* met iemand anders.'

'Het spijt me. Ik zeg toch dat het me spijt.'

'Je kan niet zomaar iemand gedurende een jaar en een maand neuken en het dan over de telefoon uitmaken.'

'Stuur je me soms terug naar haar?'

'Ben je bang dat ze je opnieuw zal verleiden?'

Leonora laat haar hand door James' haar glijden – haar dat zo krullerig en weelderig is dat haar vingers erin blijven haken –, en dan naar beneden, over zijn ruggengraat, over zijn billen, die vlakker zijn dan die van Victor. Wanneer ze harder met haar vingers drukt, voelt ze hem ineenkrimpen van genot. Als ze niet samen met James is, denkt ze nauwelijks aan hem.

'Wat is er gebeurd tussen jou en meneer Amedeo?'

Heel even denkt ze dat hij het over Victors vader heeft, maar dan dringt het tot haar door dat hij Victor bedoelt. 'Hoe noem je mij wanneer je aan mij denkt?' vraagt ze plagerig. 'Mevrouw Amedeo?'

'Leonora. Ik heb aan jou gedacht als Leonora, elke keer als ik dacht aan wat ik hier met jou doe.'

'Goed geantwoord... Ik zal je vertellen wat er gebeurd is tussen mij en meneer Amedeo. Een andere vrouw is bij mijn huwelijk betrokken geraakt.'

James lachte.

'Dat bedoel ik niet als grap.'

'Het komt door de manier waarop je het zegt. Alsof je haar had uitgenodigd in je huwelijk.'

'Zeer bepaald niet.'

'Weet je wat zo fijn is?'

'Zeg het eens.'

'Dat we elkaar gebruiken zonder te doen alsof het iets anders is.'

'Ik gebruik jou niet. Ik geloof niet in het gebruiken van wie dan ook. En ik ben...'

'"Gebruiken" is het verkeerde woord. Wat ik bedoel is...'

'Neuken?'

'Ja... neuken.'

'Met elkaar neuken zonder te doen of het liefde is... Dat vind ik fijn.'

Ze hadden het wel geprobeerd, zij en Victor. Ze hadden geprobeerd hun huwelijk voort te zetten nadat hij Elaine had laten vallen. Ze hadden geprobeerd meer samen te zijn. Geprobeerd te praten en geprobeerd te luisteren. Maar Leonora had de fout gemaakt dat ze het wilde begrijpen – niet alleen waarom Victor ontrouw was geweest, maar ook wat haar eigen beslissing zou zijn. Daarom had ze hem aangemoedigd haar op te nemen in zijn dromen, zijn fantasieën. 'Geen geheimen tussen ons, Victor. Geen leugens.'

En hij had de fout gemaakt dat hij haar als zijn vertrouwelinge had behandeld. Allemaal ter wille van de oprechtheid. En ook omdat zij de enige was tegen wie hij over Elaine kon praten.

Zij had haar jaloezie vanbinnen gebarricadeerd, in haar koude, kalme hart; ze kromp niet ineen wanneer hij haar toevertrouwde hoe vaak hij aan Elaine dacht; was getuige van zijn heerlijke pijn wanneer hij de naam van zijn beminde hardop uitsprak: *Elaine*; begreep dat hij behoefte had aan de opwinding wanneer hij zichzelf *Elaine* hoorde zeggen. Omdat het ook voor haar zo was geweest toen ze van Victor was gaan houden: ze had de klank van zijn naam geproefd, *Victor*; ze had iemand nodig gehad om getuige te zijn van die klank: *Victor*.

Hij had haar meer aangeboden dan ze wenste: hoe hij voor zich zag hoe Elaine aan hem dacht, precies op het moment dat hij aan haar dacht...

'Waaraan denk je dan?'

...dat hij gedroomd had dat Elaine vlak voor hem in de metro was gestapt bij White Plains Road, terwijl het regende...

'Keek ze achterom, om te zien of je er was?'

...en dat hij haar gevolgd was, zonder dat ze het merkte, naar station Crotona Park, en vandaar naar haar flat...

'Hoe ziet dat eruit, die flat?'

...met die groene keukenkastjes en die paarse vloerbedekking, paarse blaadjes op paars, en dat ze nauwelijks binnen waren of ze hadden de liefde bedreven...

'Geneukt,' zei Leonora. 'Dat is geen liefde.'

...in hun natte kleren, tegen de deur geleund...

'Hadden jullie niets uitgetrokken?'

...en hoe hij zich had voorgesteld zijn overhemd uit te trekken en dat Elaine het kuiltje op zijn schouder kuste en...

'Je hebt geen kuiltje op je schouder,' fluisterde ze, terwijl woede haar stem schor maakte.

'Wel waar.'

'Nee, niet waar.'

'Welles.' Stijfjes wees hij naar zijn rechterschouder. 'Daar,' zei hij.

'Ik zou het weten als jij een verdomd kuiltje op je verdomde schouder had.'

'Wil je het zien?'

'Spaar me.'

Omdat hij de huwelijksbelofte, die haar heilig was, had verbroken, trok ze zijn geloof in twijfel, zijn relatie met God, en probeerde ze te breken wat voor hem heilig was. Elke keer dat hij zich losrukte uit die pijnlijke, vreemde gesprekken, herinnerde zij hem eraan dat ze het liever wist dan dat ze moest gissen. Wat ze samen hadden gecreëerd was een gulzige en nachtmerrieachtige oprechtheid. Dagen en uren hadden ze besteed aan het voeden van hun oprechtheid met hun pijn, met hun tevredenheid dat ze hun huwelijk in leven hielden, totdat de oprechtheid zo ver ging dat er méér werd verwacht.

'Ik ben stapelgek op je lijf,' zegt James tegen haar.

Hij is inderdaad stapelgek op haar lichaam. Dat heeft hij haar verteld. Talloze malen. Eerst had Leonora gedacht dat hij dat alleen maar zei zoals sommige mannen denken dat ze moeten zeggen dat ze van je houden zodra ze hun handen onder je kleren weten te krijgen. Niet dat ze zoveel ervaring heeft, maar ze leest voldoende om te weten dat James écht stapelgek is op haar lichaam.

'Je bent fantastisch in bed,' vertelt hij haar wanneer hij op haar komt zitten. 'Ik heb nog nooit geslapen met een vrouw die zoveel van seks houdt als jij.'

Even voelt ze zich beschaamd. *Onverzadigbaar.* Ze voelt zich niet graag onverzadigbaar als het om eten of seks gaat.

Maar James dringt al in haar door. 'Ben ik de beste minnaar die je ooit hebt gehad?'

'De allerbeste,' zegt ze, en ze besluit dat zelfs schaamte haar niet zal afleiden wanneer ze bezwijkt voor de dringende gevoelens tussen hen tweeën.

Toen Victor die ochtend kwam om Anthony op te halen, droeg hij een smoking en had hij een doos bij zich waar Hoffman Soda in had gezeten. 'Kijk eens wat ik vandaag voor je heb meegebracht?'

'Niet te geloven, dat je me zelfs op je verlovingsdag boodschappen komt brengen.'

'Ik heb Dugan's chocoladedonuts meegebracht, en een botervlootje, en...'

Als ze hem niet tegenhield, zou hij elke dag op zijn werk twee dozen inpakken, een om bij haar af te leveren, en de andere om mee naar huis te nemen, naar Elaine. 'Waarom doe je dat, Victor?'

'Omdat we een botervlootje nodig hebben.'

'Wij?'

Hij keek de kamer rond als om te controleren of ze de meubels niet verplaatst had zonder hem te raadplegen. Dat maakte dat ze zin kreeg de divan naar de badkamer te slepen, en haar bed naar het midden van de woonkamer. Gewoon om hem van zijn stuk te brengen.

'Anthony...,' riep ze.

Hij deed zijn kamerdeur open alsof hij daarachter had staan wachten, en hij droeg een nieuw pak, met de zwarte schoenen die Victor voor hem had gekocht.

'Je vader wil nu vertrekken.'

'Ik breng hem vroeg in de avond terug, als je dat goed vindt,' zei Victor, maar hij wachtte even, alsof hij hoopte dat zij hem zou tegenhouden die malligheid te begaan. De boord van zijn nieuwe overhemd was te nauw en drukte een rode streep in zijn hals.

Ze kreeg een vreemd gevoel dat dit definitief was, veel meer dan op de dag dat hij het huis uit was gegaan. Haar slapen begonnen te bonzen, en ze drukte haar vingertoppen ertegen.

'Weer last van migraine?' vroeg Victor.

'Daar kun jij niets tegen doen.'

'Tja...' Hij vertoonde dat zenuwachtige lachje op zijn gezicht, de grijns die ze zo charmant had gevonden toen ze hem pas kende.

'Vergeet het maar.'

'Goed dan...' Hij streek door de haren van hun zoon.

Maar Anthony trok zijn hoofd weg. Hij was meestal prikkelbaar voordat Victor hem kwam ophalen, en wanneer hij weer thuiskwam, was hij kwaad.

'Wat heb je de jongen over mij verteld?' had Victor haar gevraagd. 'Hij is tevreden als hij bij mij is, en ik begrijp niet waarom hij zo afstandelijk is tussen de bezoekjes door, waarom hij weigert over de telefoon met me te praten.'

'Dat moet je míj niet verwijten,' had Leonora geantwoord. 'Hij ziet de dingen die hij zelf ziet.'

De vorige maand, op een middag toen ze de bus had genomen om Anthony op te halen bij Victors hele kleine flat in de buurt van Westchester Square, had ze hen zittend aangetroffen op de zonnige buitentrap, Victor met zijn arm losjes om Anthony, die met zijn rug naar hem toe zat. Victors linkerhand rustte op Anthony's borstkas, en ze wenste dat ze beiden die aanraking zouden blijven onthouden, Victors handpalm op Anthony's borstkas, en dat ze zich dat zouden herinneren, telkens wanneer ze elkaar zouden missen.

'Tja...,' zei Victor opnieuw, terwijl hij met zijn ene hand over zijn kaak streek, alsof hij zocht naar zijn verdwenen baard. 'Anthony, wij moeten maar eens gaan, met ons tweeën.'

Toen Leonora zich bukte om een kus op de wang van haar zoon te drukken, voelde ze een zekere tevredenheid dat hij háár aanraking tenminste niet ontweek, en dat Victor dat zag. 'Een hele fijne dag met pap,' zei ze, alsof het een regelmatig bezoekje was, alsof ze zich geen zorgen over hem maakte. Gelukkig had haar schoonvader beloofd bij Anthony te gaan zitten. En er zouden ook andere familieleden zijn, onder anderen Belinda.

Ze luisterde naar hun voetstappen in de gang, op de trap, tot ze niets meer hoorde. Met gesloten ogen wreef ze over haar slapen. Orgasmen waren de beste remedie voor migraine, maar James was nog op zijn werk, en ze had geen zin in masturberen. Ze was rusteloos. Ze zocht naar iets om haar bezig te houden tot hij kwam, zodat ze niet hoefde te denken aan Victor met Elaine. Ze zette de radio aan, vijlde haar nagels, bladerde *Look* en *Good Housekeeping* door, en toen ze een artikel vond over het maken van decoratieve pièces de milieu, besloot ze het malste voorbeeld daarvan na te maken: een eetbaar bloemenmandje.

Bij Russ op 183rd Street kocht ze de nodige groenten, en vervolgens kocht ze Pall Malls bij de snoepwinkel. Toen ze de straat overstak, keek de bejaarde kleermaker in de etalage van Koss op van zijn naaimachine. Bij de Hebrew National Deli stond ze in de rij voor roggebrood met pastrami en een flesje Dr. Brown's cream soda, dat ze opdronk terwijl ze werkte aan haar keukentafel, repen deeg tot een mandje vlocht. Ze had echter geen zin om de sandwich op te eten, want ze stopte zich vol met deeg. Net als Anthony vond ze rauw deeg lekkerder dan alles wat gebakken was, ze vond het heerlijk zoals het binnen in haar opzwol als licht, zich aanpaste aan haar gestalte zonder haar een zwaar gevoel te geven.

Toen het mandje in de oven stond, haalde ze haar deegroller tevoorschijn om rode en gele pepers plat uit te rollen, en vervolgens maakte ze daar met koekvormpjes bloemetjes van. Radijsjes sneed ze tot rozen, met stengels die uit asperges bestonden, en met blaadjes van peultjes. Haar varens bestonden uit bosuitjes en selderie, in lange repen gesneden, en ze was bezig die te rangschikken rond de bloemen in het warme mandje toen James aanbelde. Ze wierp nog één blik op haar creatie, en een verbijsterd ongeloof overviel haar. Niets was wat het leek: haar gevlochten mandje was niet van rotan, maar van brood, en haar bloemen waren geen bloemen, maar groenten. Het complete pièce de milieu zag er net zo uit als in het tijdschrift: onecht.

Terwijl ze de binnenzijde van James' dijen streelt, buigt hij zich naar haar toe. Ze is versteld dat ze in staat is tot seks zonder liefde. Versteld en een beetje zelfgenoegzaam. Een aangenaam bijverschijnsel is dat ze, door al die orgasmen, nauwelijks migraine heeft gehad.

Hij raakt haar linkerwenkbrauw aan met zijn ringvinger. 'Hoe ben je hieraan gekomen?'

'Daar ben ik mee geboren.'

'Het is haast of je daar door de bliksem bent getroffen.'

'De bliksem...' Ze glimlacht. Ziet zichzelf *staande onder een boom terwijl die wordt gespleten door blikseminslag. Zijzelf blijft ongedeerd – de enige verandering is die wenkbrauw. Als de handtekening van een bliksemschicht. Dochter van de bliksem. De bliksem in eigen persoon. Snel en heet en krachtig.* Als meisje had ze de gewoonte gehad de linkerzijde van haar gezicht af te wenden van haar moeders camera om die wenkbrauw, die bijna helemaal wit was, afgezien van een paar donkere haartjes waar hij begon, te verbergen. Maar Victor had gehouden van wat hij de lichte kant van haar gezicht noemde, en zij was er ten slotte ook van gaan houden. De foto van haar trouwerij die ze heeft ingelijst, is de foto waarop haar gezicht geheel naar de camera is gewend, met die wenkbrauw die even wit is als haar japon.

Terwijl James met zijn duim over haar wenkbrauw glijdt, ontroert het haar dat ook hij waardering heeft voor dat unieke van haar. Hoewel hij nog zo jong is. Misschien is hij aldoor al meer volwassen geweest dan ze dacht.

Maar die illusie torpedeert hij. 'Heb je er ooit over gedacht om hem zwart te verven, net als je andere wenkbrauw?'

'Ik wil hem niet zwart verven.'

'Doe niet zo nijdig. Ik bedoel maar, je lakt toch ook je nagels. En je gebruikt lippenstift. En...'

'Die wenkbrauw is mijn identificatie.'

'Ja, natuurlijk. Ik bedoel alleen maar...'

'Wat dan?' Ze gaat overeind zitten. Steekt haar hand uit naar het wijnglas.

'Laat maar.'

'Je bedoelt alleen – wat?'

'Dat je echt een spetter zou zijn als je die wenkbrauw verfde.'

'Misschien wil ik niet echt een spetter zijn.' Ze hoort hoe scherp haar stem klinkt en bedenkt hoeveel sneller deze man zich van haar grenzen terugtrekt dan Victor. Op dat punt is James niet tegen haar opgewassen. Hij kan zijn grenzen niet langs de hare schuren en vonken slaan. Niet zoals Victor. Dat wekt bij haar medelijden voor James. Maakt dat ze zich afvraagt hoeveel mannen ze littekens zal bezorgen met haar grenzen. *Ik hoop dat het er veel zijn.*

Ze zet haar glas neer, steekt haar handen uit naar James, volgt de donkere krulletjes op zijn borstkas met haar tong, trekt hem dicht tegen haar huid aan, opgewonden van zijn snel verlangen dat de beelden verdrijft van Victor, op weg naar een ver en bedrieglijk altaar.

Een paar minuten nadat James is vertrokken, wordt er op de deur geklopt, en ze doet open in haar ochtendjas, want ze denkt dat hij iets vergeten heeft. Het is echter Victors zuster in de zwarte feestjapon die haar vroeger als gegoten zat, maar nu slap om haar heen hangt, met figuurnaden op de verkeerde plekken, en een scheef neerhangende geschulpte zoom.

'Wat is er?' Leonora duwt haar ene heup in de deuropening om Floria buiten te houden.

'Ik wilde weten hoe je het maakt.'

'Ik maak het buitengewoon goed.'

'Mag ik binnenkomen?' Nooit een vleugje make-up. Alleen vlakken bleke, beweeglijke huid. En die brede, beweeglijke mond met die ene sproet links.

'Ik sta op het punt in bad te gaan.'

'Ik blijf maar even. Je hoeft niet eens met me te praten.'

'Ben je erheen geweest?'

'Het is mijn broer.'

'En... hoe was het, zijn verlovingsfeestje?'

'Weerzinwekkend. Ik moest heel gauw weg.'

'O.' Leonora doet een stap opzij. Laat haar binnen. 'En Anthony? Hoe was hij?'

'Stilletjes. Zoals hij zo vaak is, weet je wel? Maar niet ongelukkig.'

'Te bedenken dat ik ooit blij zou zijn als hij "niet ongelukkig" was.'

'Hij en Belinda waren domino aan het spelen. Mijn ouders zitten bij hen. En Malcolm.'

'Ik wil in het bad. Ik ben zo... moe. En...'

'Ik dacht dat we wel iets bijzonders konden gebruiken.' Floria woelt in haar grote handtas: de geur van mottenballen...

Leonora houdt haar hand met gespreide vingers voor haar neus. Ze haat die lucht.

... een pakje Lucky Strikes... twee halflege flessen, de een zwart, de ander doorschijnend. Ze overhandigt ze aan Leonora. 'Sambuca. Ik heb ze gestolen.'

Leonora grinnikt. 'Op Victors feestje?'

'Vind je het erg?'

'Laten we daarop drinken.' Uit het mahoniehouten dressoir haalt Leonora twee van de goudgerande borrelglaasjes met de woorden 'Festa Liguria' die Victor had meegebracht nadat hij de catering voor een bar-mitsva had verzorgd.

'Koffiebonen. Heb je koffiebonen? Die brengen geluk.'

'Alleen gemalen koffie. Ik pak het wel. Blijf zitten.'

Maar Floria volgt haar naar de keuken waar ze niet meer geweest is sinds de val van Bianca. Ze heeft nooit met Leonora gepraat over de dood van Bianca. Een tijdlang kon ze niet eens langs dit flatgebouw aan Creston lopen, hoewel ze vijf minuten verderop woont, aan Ryer Avenue, in een benedenflat waarvoor Springtij de waarborgsom heeft betaald, en Victor de eerste maandhuur.

'Ik pak de koffie even.' Leonora probeert haar buiten de keuken te houden. 'Toe nou.'

Floria loopt langs haar heen. 'Ik geloof – ik geloof dat ik klaar ben om hier binnen te komen.' Maar in de deuropening wankelt ze, haar rug kromt zich voordat ze zich naar binnen sleept, met haar ene hand uitgestoken naar de wand alsof ze zich op een stoomschip bevindt. Leonora is nooit op een stoomschip geweest, tenminste niet op zee – alleen op de *Queen Mary* en de *Mauretania* wanneer ze tante Camilla ophaalde – maar ze heeft gelezen dat je, zelfs als je weer op het droge bent, nog dagenlang naar de wanden grijpt omdat je de vloer onder je voelt deinen. En zo loopt Floria nu.

Leonora pakt haar bij de arm. 'Kom maar.' Ze brengt haar naar een stoel die met zijn rug naar de ramen staat. 'Ga hier zitten.' Zachtjes drukt ze Floria naar beneden, en voelt hoe haar schouders onder de japon als planken zijn. 'Weet je wat ik binnenkort samen met jou zou willen doen?'

'Nee.'

'De stad in, en dan de duurste kleren passen die we kunnen vinden.' Leonora weet dat Floria het allermeest opknapt van het gevoel van dure stoffen tegen haar huid, stoffen van het soort dat je nooit bij Alexander's zou vinden.

'Goed,' zegt Floria, zonder enthousiasme. Boven haar snijdt de plafondventilator door het licht, zodat het knippert alsof de hele keuken ademt. Maar eigenlijk is het de ademhaling van Floria, het soort ademhaling waarvoor je je moet inspannen.

Leonora helpt haar herinneren. 'Je was vroeger dol op zulke uitstapjes, wij tweeën, geen kinderen bij ons, helemaal gekleed voor de stad.' Ze herinnert Floria aan het betreden van de allerduurste winkels aan Madison of Fifth Avenue, waar ze kleren pasten die meer dan een vol jaar huur kostten. Floria praatte dan over de kwaliteit van die kleding, vergeleek die met haar eigen zomen en naden. In de kleedkamer bestudeerde ze het ontwerp, haalde haar schrift met tekeningen en kleurige lapjes en plaatjes uit tijdschriften tevoorschijn, en maakte snel een schets: de manier waarop een figuurnaad een hoek maakte, hoe een middel geplooid kon worden, hoe een kraagje kon afhangen.

'Ik weet nog hoe je die zoom schetste bij Bergdorf Goodman's.'

'Ik kopieer niet alles wat ik zie.'

'Natuurlijk niet. Alleen de details die je aantrekkelijk vindt.'

'Een compleet idee stelen zou onfatsoenlijk zijn.'

'Maar geïnspireerd worden door iemands idee is wat anders.'

'We moeten koffiebonen hebben.'

'Laten we het zó doen.' Leonora likt aan haar rechterwijsvinger, steekt hem in een blikje 'Chock-full-o' – Nuts-is-the-heavenly-coffee' en likt de bruine korreltjes op. 'Niet veel soeps. Zie je wel?'

Flora proeft. Trekt een gezicht.

'Het zal beter worden als we er sambuca achteraan drinken.'

'Welke wil je?'

'De zwarte. Die is dikker. Bijna een soort olie.'

'Olie zou je niet drinken.'

'Oké, geen olie. Wat dacht je van koffielikeur?'

'Die zwarte is niet dikker.'

'Ben jij soms een sambuca-specialiste?'

'De zwarte lijkt alleen maar dikker omdat de doorschijnende sambuca op water lijkt.'

'Die giet ook als water. Sneller dan de zwarte.'

'Dan moeten we maar eens wat experimenteren.' Eindelijk slaagt Floria in een glimlachje.

Als het op die manier moet, wil Leonora wel meedoen. 'Echt, dat moeten we controleren.' Ze knoopt de ceintuur van haar gele ochtendjas dicht. 'Ik haal een paar extra glazen.' Maar ze kan zich niet verroeren, ze kan haar ogen niet afwenden van die glimlach, een naar binnen gerichte glimlach die iets van het licht in Floria terugbrengt en Leonora herinnert aan de liefde die hen vroeger had verbonden, de liefde voor elkaars kinderen toen ze zich over de wandelwagen van de tweeling bogen, over de kinderwagen van Anthony; toen ze hun kinderen hadden meegenomen naar de draaimolen in Palisades Park en hen vastgespten tussen de vleugels van de zwaan, veilig voor kinderen die te klein waren voor de paarden die langs stangen op en neer bewogen. 'Glazen,' zegt ze hardop, en ze schiet de woonkamer binnen. Komt terug met de twee flessen en vier borrelglaasjes. Ze is er druk mee bezig, zet ze op een rijtje op de keukentafel, recht voor Floria.

Die er zo stijfjes bij zit.

Die zegt: 'Ik heb je gemist.'

'Ik heb jou ook gemist.'

Die zegt: 'Ik ben bang om te gaan slapen.'

'Bang voor nachtmerries?'

'Bang dat ik niet zal kunnen slapen.'

'Heb je het geprobeerd met achteruit tellen?'

'Vroeger verheugde ik me altijd op slapen. Nu ben ik de hele dag en de hele nacht moe, en nog kan ik niet slapen.'

'Op den duur zal het lukken,' zegt Leonora.

Via Malcolm – die verbijsterend toegewijd is aan Floria, die erin geslaagd is buiten de gevangenis te blijven sinds zijn vrijlating, vier maanden na Bianca's dood, die nog steeds dezelfde baan heeft bij Solid Roofing – weet Leonora dat Floria soms dagenlang in bed blijft, een keer zelfs elf dagen achtereen, waarbij ze zelden in bad ging of iets at. Elke keer dat Leonora haar bezoekt in zo'n periode, maakt Floria een trage indruk, roerloos, ze vergeet onmiddellijk wat Leonora zojuist heeft gezegd, vergeet wat ze op het punt stond te doen. Ze laat niet toe dat Leonora haar helpt om op te staan, wil niet praten, wil niet eens rechtop in bed gaan zitten, ligt daar maar zonder een kussen onder haar hoofd. Hoewel ze nooit te laat was geweest met haar naaiwerk, verwaarloost ze nu haar afspraken. Haar treurigheid kan op gang komen door een scheve naad. Door een gebarsten eierdop. Door een kwijtgeraakte handschoen...

In oktober vorig jaar had Malcolm Floria uit haar bed getrokken en meegenomen naar Montauk voor een reisje in het naseizoen, drie nachten voor de prijs van twee, in de hoop dat wandelen langs het strand haar goed zou doen. En dat gebeurde ook. Een tijdlang. Totdat de treurigheid haar weer overweldigde. Het werd altijd erger dan de oorspronkelijke oorzaak. Het legde haar lam.

Familieleden bleven om beurten bij haar wanneer Malcolm op zijn werk was, en Belinda op school. Een keer, toen Leonora was gekomen, had de deur van de flat opengestaan. Ze was door de korte gang gelopen, naar de keuken, waar Floria een bruine, hobbelige bank tussen het fornuis en haar naaimachine had geklemd. Er was geen woonkamer. Huilgeluiden kwamen uit de slaapkamer achter de keuken.

Toen de stem van Belinda. 'Doe dat nou niet. Hou nou alsjeblieft op.'

Floria zat op de vloer, schommelde heen en weer, jammerend.

Haastig was Leonora voor haar neergeknield, ze sloeg beide armen om haar heen en begon met haar mee te schommelen. 'Moet je niet naar school?' vroeg ze aan Belinda.

'Ik ben thuisgebleven.' Belinda's ogen stonden angstig. 'Mama heeft Cuddles gevonden, op de bodem van de kooi.' Uit de manier waarop ze dat zei, kon Leonora afleiden dat de parkiet dood was.

'Wat heb je ermee gedaan?'

'Ik heb hem in een theedoek gewikkeld.'

'Ik zal hem meenemen.'

Belinda zette een geschrokken gezicht. 'Maar niet door de wc spoelen.'

'Natuurlijk niet,' loog Leonora. 'Ik zal hem begraven.'

Warmte klom van Floria's hoofd naar het gezicht van Leonora. De geur van tranen, gras-plus-azijn.

Heen en weer schommelend, maar geleidelijk de beweging vertragend, fluisterde Leonora: 'Het komt allemaal wel goed,' al wist ze dat het nooit meer allemaal goed zou komen – voor Floria niet, voor Belinda niet, voor geen van hen allen.

'Wat die Elaine aangaat...' Floria steekt een nieuwe sigaret aan met de peuk van de vorige. 'Ze kwijlt wanneer ze praat.'

Leonora lacht hardop.

'Wil je een beschrijving?'

'Nee.' Leonora schudt haar hoofd. Haalt haar schouders op. Zegt: 'Ja.'

'Dan krijg je zin om haar mond af te vegen.'

'Ga door,' zegt Leonora bevelend.

'Ze heeft slungelige benen en een vrijpostig gezicht.'

'Een vrijpostig gezicht?'

'Nou ja... die lippen. En verder heeft ze een vooruitstekend voorhoofd, en een vooruitstekende kin.'

'Als een Neanderthaler?'

'Niet helemaal. Maar wel zo ongeveer.'

'Ik ben zo blij voor Victor.' Wanneer Leonora de zwarte sambuca openmaakt, wordt ze getroffen door de zoethoutgeur, nog voordat ze iets kan inschenken. 'Dit is inderdaad dikker,' houdt ze vol, terwijl ze kijkt hoe de drank uitwaaiert in twee van de glaasjes.

Floria maakt de heldere sambuca open. Schenkt wat in de andere borrelglaasjes. 'Voelt net zo aan.'

'Ze is blond, hè?'

'Muizenblond... dun haar.' Leonora leunt voorover, laat haar weelderige haardos over haar gezicht vallen. Schudt het weer terug. Zucht. 'Mijn haar is te zwaar.'

'Zielenpoot.' Floria rukt haarspelden uit haar knotje. Tilt haar handen onder haar woeste manen. 'Te zwaar. Het mijne ook.'

Ze grijnzen naar elkaar, heffen de glaasjes, nemen een slokje.

Leonora huivert. 'De heldere smaakt naar medicijn. De zwarte is net een zoethoutdrankje.'

'Ze ruiken hetzelfde.'

'Oké.' Leonora steekt een van haar Pall Malls op. 'Omdat jij gelooft dat ze hetzelfde smaken, kun je evengoed de heldere sambuca drinken.'

'Ik drink ze allebei.' Floria doopt haar ene vinger in het geel-enzwarte koffieblik. Ze heeft een gezicht dat Leonora zou vertrouwen als ze haar nu voor het eerst zou ontmoeten, een gezicht dat hoekig is, zonder smal te zijn, gewoon, zonder lelijk te zijn. En dat alles levert een merkwaardige aantrekkelijkheid op.

'Wat zie je er aantrekkelijk uit,' zegt ze tegen haar.

Floria zet schele ogen, richt het puntje van haar tong op haar linkeroor.

'Hoeveel heb je geproefd voordat je hierheen kwam?'

Floria neemt een slokje heldere sambuca, sabbelt op haar vinger, zucht en nipt nog een keer. Haar gezicht is heel plotseling weer somber geworden.

'Hela...' Leonora probeert haar naar zich toe te trekken, weg van haarzelf, weg van het verdriet, weg van dat raam. Ze is heel goed waar het gaat om mensen naar zich toetrekken als ze daar zin in heeft. *Koud vuur. Stralend vuur.* En even goed waar het gaat om anderen buitensluiten. *De kou zonder het vuur.* Ze buigt zich naar Floria over. 'Laat me uitleggen wat er mankeert aan de heldere sambuca. Die bijt nadat je geslikt hebt. Net als de slang in Eva's paradijs.'

'Nu begrijp ik waar Anthony zijn creativiteit vandaan heeft.'

Maar Leonora wil niet dat Floria over Anthony begint. Niet hier in de keuken. Want als zijn naam genoemd wordt, wordt er nog sterker aan Bianca gedacht. Nu al voelt ze de dood van haar nichtje oprijzen, hier, tussen Floria en haarzelf, en ze probeert dat tegen te houden omdat ze als de dood is dat Floria Anthony de schuld zal geven. *Dat zou ik doen. Als Anthony degene was die was omgekomen, zou ik Bianca eeuwig de schuld geven.* Ze voelt hoe moeilijk het is dat gevoel te onderdrukken. Omdat er daarnaast nog zoveel méér is wat ze moet onderdrukken – niet alleen het verlies van Bianca, maar alles wat met haar te maken heeft. *Bianca en Belinda als zuigelingen, donker en heel klein en beeldschoon,* naar elkaar toegewend in dat ene wiegje, *een tweeling met een geboortegewicht dat tot op een paar gram na gelijk is aan wat Anthony zal wegen, een jaar later. Acht pond en honderdnegentig gram.*

Eén kind dat gelijk staat aan twee.

En ten slotte aan een.

De laatste keer had Leonora zich niet eens gerealiseerd dat ze zwanger was totdat Floria en de tweeling dat jaar met Kerstmis bij hen waren ingetrokken. Ze dacht dat ze last had van migraine, en toen Floria had gezegd: 'Misschien ben je zwanger,' had Leonora nee gezegd, maar het wél gevoeld – onmiddellijk – die zwaarte, bekend en angstwekkend, *neerdrukkend, al weet je dat je nog maar één week over tijd bent en dat het groeiende kind nog vrijwel niets weegt. En hoewel je je voorstelt dat je het in je armen hebt, het voedt, kun je jezelf niet voeden. Alles wat je probeert door te slikken, geeft je lichaam weer terug. Je braakt, warm en plotseling. Voelt hoe voeding door je heen schiet in een hete, donkere stank. Terwijl je zelf uitgehold blijft. En toch geloof je dat er ruimte moet zijn voor wat daar binnen in je aan het ontstaan is, kind of tumor of afgrond, en dus blijf je stil liggen, heel stil, als een wieg voor je kind. Je durft tegenover je man of zijn zuster niet toe te geven dat je zwanger bent omdat je niet wilt dat ze je ondersteunen, dat ze zich zorgen maken dat je dit kind ook kwijt zult raken, dat ze al gaan rouwen, al is het mogelijk dat je dit kind wél zult behouden en zult zien hoe het tussen je dijen uit wordt getild. Je wuift hun bezorgdheid weg, zegt tegen hen dat het migraine is. Je houdt je rustig en veilig. Omdat je het wenst, je wenst dit kind. En je maakt jezelf wijs dat je het ook kunt. Je beveelt je lichaam dit kind te behouden. Per slot van rekening duurt het niet lang, het leven van je kind in jou, vergeleken met het leven dat het buiten jou zal doorbrengen. Toch heb je al het gevoel dat je lichaam het afwijst, zijn zelfzuchtige hitte opspaart voor niemand anders dan jou, hoewel jij dit kind wilt beschutten. Er is al iets in je aan het verschuiven, aan het afsluiten voor iedereen behalve jou. Je voelt hoe je kind van je wegglijdt, verbannen wordt uit je lichaam, uit het leven. Omdat jij te zelfzuchtig bent. Hoewel de dokter zegt dat dat niet zo is, dat je hierover geen controle hebt, weet je in de diepte van die donkere ellende dat het altijd met jezelf te maken heeft. Met je zelfzucht, waaraan je geen eind kunt maken, al wil je dat nog zo graag. De zelfzucht die voor je vader aanleiding was je te straffen. De zelfzucht die leidt tot weer een kind dat uit je wegvalt. Wegvalt, maar een paar weken nadat Bianca uit jullie levens is gevallen. Een kind dat Bianca volgt op haar bloedige pad. Daarom wil je tegenover niemand toegeven dat je alweer een kind hebt verloren. Zelfs niet tegenover Victor. Want hoe is jouw verdriet ooit te vergelijken met dat van zijn zuster?*

Leonora kan zich niet voorstellen hoe het is als je reeds geboren kind eerder doodgaat dan jij. Dat valt buiten de natuurlijke orde.

Nu hebben zij en Floria elk maar een kind: Anthony die verlegen en zwijgzaam is geworden; en Belinda die een overbezorgde indruk maakt terwijl ze waakt over haar moeder, een moeder die haar bruidsjaponnen niet meer af heeft op de toegezegde datum, die almaar bezig is poppen te maken. Dat is begonnen toen Floria een grote pop voor Belinda maakte om haar te bevrijden van haar nachtelijke angsten in een kamer die voor twee was ingericht. Hoewel de pop van linnen was gemaakt, leek ze opvallend veel op Bianca. De haren waren van bruin garen, en Floria had de mond en de wangen en ogen zo geborduurd dat de pop op Bianca leek.

Gruwelijk griezelig, had Leonora gedacht toen ze de pop voor het eerst zag. Maar Belinda aanbad haar. Noemde haar Belindapop. Nam haar mee naar bed. Naar school. Naar de dokter. Telkens wanneer Floria kleren voor Belinda naaide, maakte ze bijpassende kleren voor de pop. *Gruwelijk griezelig.* Dan vraagt Belinda's onderwijzeres, zuster Marguerite, of Floria misschien bereid is een pop voor haar nichtje te maken. Floria had gewerkt aan de hand van foto's, had de pop magerder en kleiner gemaakt dan Belinda's pop. Geel garen voor de haren, met vlechtjes over de rug van de pop. Bijpassende groene jurkjes voor de pop en voor het nichtje van zuster Marguerite.

Haar beloning: vijf weken van gebeden. De eerste klant die met geld betaalde, was Belinda's dokter, die de pop bewonderde die Belinda in haar armen klemde terwijl haar voorhoofdsholten werden onderzocht, de dokter die gevraagd had of Floria geïnteresseerd zou zijn in het maken van poppen voor zijn beide dochtertjes. Geleidelijk kreeg ze nog meer verzoeken van mensen die een van Floria's poppen hadden gezien. Ze gaven haar foto's. Plukjes haar om de kleur aan te passen. De tante van de dokter, in Connecticut, schreef haar. Vroeg of Floria ooit poppen buiten haar eigen staat verkocht. Iemand anders had familie in Texas. In Wyoming.

Tot dusver heeft Floria poppen verzonden naar negen staten, allemaal anders van uiterlijk en leeftijd, afhankelijk van de ontvangende partij: kleuters, kinderen van vijf, zelfs een meisje van twaalf met ouders die haar terug wilden lokken naar haar kindertijd.

Leonora denkt dat het maken van die poppen niet gezond kan zijn voor Floria; maar toen ze tegen Floria zei wat niemand anders in de familie durfde te zeggen, wilde Floria daar niets van weten. 'Het heeft niets met Bianca te maken,' zei ze.

Malcolm is de enige die sterker is geworden, en hij is heel goed voor Floria geweest, al heeft hij haar wél aangemoedigd met die enge poppen. Hij doet de verzending, bepaalt de prijzen. 'Je moet je talent nooit voor niets weggeven,' had hij tegen Floria gezegd. 'Behalve als het om de Kerk gaat.'

Floria proeft heel geconcentreerd van de zwarte sambuca. Doopt haar vinger in het koffieblikje. Likt hem af en drinkt opnieuw.

'Wat ik bedoelde, met die heldere sambuca,' legt Leonora uit, 'dat is dat hij je bijt nadat je geslikt hebt. En dan rijst hij als vuur op naar je hersens. Probeer eens een slokje van die zwarte. Gewoon om te vergelijken.'

Floria vergelijkt. Smakt met haar lippen.

'Voel je niet dat die zwarte zwaarder is?'

Floria schudt van nee. 'Wil je me zeggen of ik aan het hallucineren ben?'

'Oké. Je bent aan het hallucineren. Hoezo?'

Floria gebaart naar het aanrecht waar Leonora's pièce de milieu pronkt in twijfelachtige glorie. 'Wat is dat in vredesnaam voor een... ding?'

'Een eetbaar bloemenmandje dat ik van groenten heb gemaakt.'

'Waarom?' Floria schudt haar pakje Lucky Strikes. Als er niets uit komt, verfrommelt ze het en steekt ze een van Leonora's sigaretten op. Ze roken er allebei een. 'Waarom ben je daaraan begonnen? Het is afschuwelijk.'

'Niet zo afschuwelijk als die enge poppen van jou.' Ontzet over wat ze heeft gezegd staat Leonora op. Buigt zich over haar mandje: niets is wat het lijkt te zijn, alleen nu nog duidelijker, nu haar gevlochten broodmandje gespleten is en haar bosuitjes verwelken en haar radijsbloemen uitgedroogd zijn. 'Heel afschuwelijk,' zegt ze. 'Daar heb je gelijk in.'

Floria geeft geen antwoord.
'Het spijt me.'
Floria knikt.
'Goed dan, om het goed te maken mag jij het mandje meenemen.'
'Ik kan onmogelijk...'
'Jij mag het hebben.'
'Ik kan de aanblik niet verdragen.'
'Jij mag het hebben, samen met al die pannen en schotels en koekenpannen en servetten en tafellakens en glazen die je broer hiernaartoe heeft gesleept omdat hij ze kon afschrijven.'
'We zouden dat pièce de milieu naar zijn feestje kunnen brengen.'
Leonora begint te lachen. 'Ja, laten we dat doen. Het is even onecht als zijn beloften.'
'Maar eigenlijk... is dat mandje te goed voor hem.'
'Dat is ook weer waar.' Leonora gaat zitten en neemt een lange teug. 'Moet je voelen hoe die zwarte opkrult achter je neus, maar niet hoger komt, niet tot in je hersens, zoals dat heldere spul.'
'Jouw hersens. Niet de mijne.'
'Ik had het over hersens in het algemeen. Niet over de jouwe.' Leonora neemt nog een slok, steekt haar vinger in de gemalen koffie, zingt het liedje van Chock-full-o' – Nuts-is-the-heavenly-coffee, '...betere koffie kan zelfs het geld van miljonairs niet kopen.'
'Als jij het geld van miljonairs had, wat zou je dan kopen?'
'Een nieuwe paus. Nieuwe bisschoppen. Nieuwe *paters*.'
'Ik zou een huis kopen. Met een aparte kamer voor mijn naaiwerk. Met een veranda aan de voorkant, en een tuin.'
'En ik zou zwarte sambuca kopen. Want die gaat door mijn gehemelte heen, en zakt dan weer zachtjes terug. Het is net zoethout.'
'Meer anijs, eigenlijk.'
'Dus zijn we het eigenlijk eens. Want zoethout komt van het zaad van de anijsplant.'
'Nee. Van de zoethoutboom.'
'Jij wilt het gewoon nooit met mij eens zijn. Dat is een opstel-

ling die niets met feiten te maken heeft.'

'Pak de encyclopedie maar.'

'Wat krijg ik als ik gelijk heb?'

'Als je gelijk hebt... dan zal ik je vertellen over de slechtste minnaar die ik ooit heb gehad.' Floria slaat haar hand voor haar mond. 'Vergeet dat ik dat heb gezegd. Neem nog een slokje. Dan vergeet je het vast.'

'En dan dacht ik nog wel dat jij zuiver als miswijn het huwelijk in was gegaan.'

'Wijn is wijn.'

Leonora sleept haar stoel naar de kastjes, gaat erop staan en trekt de encyclopedie uit haar stapel kookboeken boven op de kastjes. 'Zoethout...' Ze slaat bladzijden om. 'Zoet... zoet... zoet...'

'Stap van die stoel af voordat je iets breekt.'

'Alleen als jij me vertelt over je slechtste minnaar.'

'Jij eerst.'

'Wie beweert dat ik een slechtste...' Ze wankelt. Houdt zich in evenwicht. 'Slechter dan wat?'

'Slechter dan andere minnaars.'

'O.'

'Elke vrouw heeft er minstens een.'

'Hoeveel heb jij er gehad?'

'Stap van die stoel af, anders vertel ik je niet over Luipaardman.'

Leonora klimt van haar stoel en sleept hem terug naar de tafel. 'Ja?'

Maar Floria stelt haar verhaal uit. Ze houdt het blikje koffie schuin, schudt ermee tot er een hoopje koffie op het plastic tafelkleed ligt, en drukt er een kuiltje in, alsof ze gist toevoegt aan meel.

'Luipaardman?'

'Luipaardman.' Floria brengt haar vingers naar haar tong. Vervolgens een slokje zwarte sambuca. Strijkt over de paars-en-gouden letters op de fles, de ronde vorm, de hals die even lang is als de onderste helft.

Leonora ziet Floria dolgraag zo, geestig en een beetje ondeugend. En zonder een spoor van die treurigheid. 'Laat me eens raden. Luipaardman ging aan de kroonluchter hangen.'

'Had hij dat maar gedaan... Hij verscheen gekleed voor die rol. Een heel klein onderbroekje, met luipaardpatroon bedrukt. Net als die dunne sjaaltjes in een goedkoop warenhuis.'

'Je moeder heeft me een keer een blouse met dat patroon gegeven, en toen moest ik een van die vervelende bedankbriefjes schrijven die ze altijd wil krijgen, ook al vond ik die blouse afschuwelijk.'

'Je droeg hem elke keer dat mama kwam.'

'*Alleen* wanneer je moeder kwam.'

'Jij hebt tenminste pas bedankbriefjes moeten leren schrijven *nadat* je met Victor was getrouwd. Ik heb dat moeten doen sinds ik kon schrijven, en dan moest ik erin zetten hoe elk cadeautje gebruikt werd. Bijvoorbeeld: "Lieve tante Camilla, ik schrijf u deze brief met de prachtige pen die u voor mijn negende verjaardag uit Spanje voor me meegebracht hebt..." Of: "Lieve mevrouw Cohen, vandaag draag ik het gele vestje dat u voor me gebreid hebt. Het is zo zacht als dons..." Victor en ik moesten er een tekening van elk cadeautje bij doen. Of foto's, zo mogelijk.'

'Foto's? Laat ik je iets over foto's vertellen. Vier dagen nadat Anthony geboren was, kwam je moeder hierheen met *manicotti* en een camera, en ze liet me Anthony kleden in al die verdomde kleertjes die mensen hem hadden gegeven, en dan moest hij liggend tussen de divankussens poseren – vier dagen oud was hij, Floria – terwijl zij foto's van hem maakte. Op elke foto andere kleertjes. Baby verkleden, klik zegt de camera, baby verkleden, terwijl het bloed van de bevalling nog langs mijn dijen droop, en toen Anthony begon te huilen, mocht hij van haar een halfuurtje slapen, en toen maakte ze hem weer wakker en sloeg weer aan het fotograferen.'

'Baby verkleden, foto maken... Ik heb een van die foto's. "Lieve Floria, hartelijk bedankt voor dat schattige katoenen pakje met die citroengele eend in appliqué. Zoals je op deze foto ziet, is het een van Anthony's dierbaarste kledingstukken..."'

'Zo sentimenteel? Jezus Christus, je moeder stond over me heen gebogen terwijl ik die briefjes schreef. "Lieve mevrouw Bennett, hartelijk dank voor het schattige witte jasje dat u voor Anthony hebt gebreid. Zoals u op deze foto ziet, is het een van zijn dierbaarste kledingstukken..."'

'Baby verkleden, foto maken, baby verkleden. Mama was zo nijdig op je.'

'Op mij? Ik heb die verdomde bedankbriefjes toch geschreven?'

'Maar je had *haar* geen bedankbriefje geschreven.'

'Omdat ik haar persoonlijk had bedankt.'

'Dat telt niet mee. Ook heb je brieven aan anderen ondertekend met jouw naam en die van Anthony op de eerste regel, maar die van Victor daaronder.'

'Nou en?'

'Mama zei dat daaruit bleek wat volgens jou Victors plaats was in jouw gezin.'

'Je moeder...' Leonora slaat met beide handpalmen op de tafel, in de schaduw van de plafondventilator die zichzelf achtervolgt op het doorschijnende plastic waarmee het bloemen geborduurde tafelkleed is afgedekt. Ze voelt zich gevangen in de familiepatronen van de Amedeo's, in die hechte kring van allemaal samenkomen om het kleinst denkbare feestje te vieren, of dezelfde vervelende roddels te herhalen. 'Ik wil dat mijn schoonmoeder nietig verklaard wordt. Dát is nog eens een relatie die nietig verklaard dient te worden. Een relatie die nooit goed is geweest. Dat is tenminste Victors voorwaarde voor een nietigverklaring.'

Misschien is het verlies van Victor haar grote kans om van zijn hele familie af te komen. Ze kan bij iedereen wegkomen. Dat heeft ze voor zichzelf bewezen toen ze van haar vader was weggekomen door hem dood te wensen.

Alleen: Was het maar allemaal zo vreselijk geweest.

Dan zou ze haar vader definitief achter zich kunnen laten. Maar toen Anthony twee was, had ze hem meegenomen naar Rockaway, ze had hem van zijn eerste suikerspin laten proeven, had met hem in de draaimolen gezeten. Toen ze met hem naar de rand van de zee was gelopen, was een man op een paard in hun richting komen aan rijden. In de beschutting van zijn armen zat een meisje van vijf of zes, en ze zong in het zachte zonlicht. En wat Leonora op dat moment had gewenst, was dat ook zij zich een zomermiddag kon herinneren waarop ze de armen van háár vader beschermend om zich heen had gevoeld, met dat lopende paard onder hen – vader en kind – of enige andere herinnering, een goede, voordat die andere waren begonnen. Zij, een meisje van vijf of zes, zingend binnen de omhelzing van zijn armen, zingend in het zachte licht van die vrijpleitende zon.

Het had gebeurd kunnen zijn.

Terwijl ze zich omdraaide om dat paard na te kijken, was ze getroffen door plotselinge verrukking. *Het wás gebeurd. De zaligheid van klein zijn en rijden – niet op een paard, maar op mijn vaders magere schouders onder een rode paraplu. Hij rent om de tram te halen terwijl ik voor me heen zing, met mijn haren tegen de stof van die paraplu, terwijl straatlantaarns van boven af mijn rode-rode wereld verlichten...*

Het is een moment van zuiver zaligheid, een moment dat Leonora voor de rest van haar leven zou kunnen ondersteunen als ze met zichzelf kan afspreken de angst voor haar vader te vergeten, te vergeten hoe zijn vuisten op haar waren neergekomen. *Vierenvijftig dagen van vuisten zonder enige waarschuwing. Vuisten zonder reden. Vuisten die je zouden kunnen doden als vierenvijftig dagen zouden veranderen in vierenvijftig weken. Of vierenvijftig maanden.*

'Het was zijn blindedarm,' had Leonora's moeder uitgelegd toen hij doodging.

Het moest een plotseling sterfgeval zijn. Natuurlijk. Een sterven dat hij niet had kunnen voorkomen. Zijn blindedarm was inwendig doorgebroken. Zoiets. Beter dan zichzelf doodschieten op het parkeerterrein van Sing Sing.

'Neem nog wat sambuca en luister naar me,' zegt Floria. 'Alsjeblieft. Zo doet mama tegen iedereen. Het ene moment heeft ze je lief, en het volgende heeft ze van alles op je aan te merken. En je mag me geloven, tegen jou is ze niet zo lastig als tegen mij en Victor.'

'Dan zal ik zorgen dat ik haar daarvoor een gepast bedankbriefje schrijf.' Leonora pakt de doorschijnende fles en schenkt hun beiden voorzichtig in. Er is nog maar een vingerbreed drank over beneden het blauwe etiket met de afbeelding van het Colosseum.

'Bedenk eens waarom jij haar Springtij noemt. Denk daar eens over na. Springtij sleurt je mee, negeert je kreten, bepaalt de richting waarin je wordt meegesleurd. Het enige wat je kunt doen is wachten tot ze klaar is. Laat je door haar meesleuren en ontspan je, en maak dan gebruik van de eerste de beste kans om uit die stroming te komen.'

'Heel mooi.'

'Dat is iets wat zij me geleerd heeft... over zwemmen.'

'Ik zal Anthony nooit dwingen bedankbriefjes te schrijven.'

'Tot op zekere hoogte heeft mama bewondering voor jouw lef.'

'Omdat ze daardoor meer heeft om aanmerkingen op te maken?'

'Ik dacht dat je wilde horen over Luipaardman.'

'Waarom heb je maar twee flessen meegebracht?'

'Kalmaan een beetje.'

'Moest je dat tegen Luipaardman zeggen?'

'Had ik dat maar... Nee, hij was een en al kostumering en gymnastische toeren. Ik kon alleen maar plaatsvervangende schaamte voor hem voelen. Ik bedoel, hij hing niet direct in de kroonluchter...'

'Waarom niet?'

'... en hij klopte zich niet op zijn borst en hij sprong ook niet op handen en voeten op en neer... maar ik had aldoor het gevoel dat hij op een gekostumeerd feestje was, en dat het elk moment tot hem zou doordringen hoe dwaas hij eruitzag.'

'En – heb je het met hem gedaan?'

'Ja zeker. Het was alleen niet... erg opwindend. Hij werkte bij een automatiek van Horn & Hardart, waar hij eten achter die glazen deurtjes neerzette. Elke keer dat ik naar de stad ging voor een bioscoopje, ging ik daarheen voor de spinazie à la crème die mama zo lekker vindt.'

'De petitfours daar zijn het beste. Alleen al kijken door het cellofaan in het deksel van de doos...'

'Heb je hun rijstpudding wel eens geprobeerd? Zo zacht, en dan die rozijnen...'

'Te dun. En leid me nou niet af met praten over eten.'

'Tapioca?'

'Vissenogen.'

'Luipaardman was ouder dan ik, maar ik had eerder al twee vriendjes gehad, en ik wist dat het beter kon.'

'Had je het met hen ook gedaan?'

'En daarna was ik gaan biechten.'

Leonora staart haar aan. 'Ik word jaloers.' Ze voelt een zekere gloed, alsof iemand haar in zoethout heeft gebaad. Vanbinnen en vanbuiten. De warmte zweeft door haar hoofd. Ze gloeit. Haar tenen en haar knieholten doen mee. 'Ik heb ook een slechtste minnaar gehad.' Ze denkt snel, probeert Floria's Luipaardman te overtreffen, maar de waarheid is dat ze vóór Victor nooit een minnaar had gehad, en op school maar één jongen had gezoend, Stevie, dat was het enige wat ze gedaan hadden, en tijdens hun huwelijk was ze Victor nooit ontrouw geweest – híj was degene die dat had gedaan, de klootzak. Haar enige andere ervaring is met James. Alleen hoort James niet thuis in de categorie 'slechtste minnaars'. En hij maakt heel duidelijk deel uit van haar heden. Van vandaag. 'Mijn slechtste minnaar... vervolmaakte zichzelf alleen op dat ene gebied – in bed.'

'En daardoor is hij jouw slechtste minnaar geworden?'

'Want zodra hij begint te praten... ik bedoel, hij schept zo op dat ik me... namens hem ga generen. Hij zegt dingen als: "Ik werk in het vervoerswezen", terwijl hij in werkelijkheid alleen een taxi bestuurt. Of hij zegt: "Ik fok honden", terwijl hij in totaal slechts één slome cockerspaniël bezit. Een specialist in alles en niets.' Alleen al denken aan James maakt dat Leonora zich wijdopen voelt, verrukkelijk en weelderig.

'Je ziet eruit zoals ik me voel in de stoel van de tandarts.'

'Zo erg?'

'Dat hangt ervan af.'

'Victor zegt dat je altijd raar hebt gedaan als het om tandartsen ging.'

'Zo, en wat heb je nog meer over me ontdekt?'

'O, van alles. Dat je het heerlijk vindt als er in je gebit geboord wordt. En ik ontdek nog steeds meer dingen.'

'Die jongen van Hudak in jouw flatgebouw...'

'Dat je je step-in hebt aangehouden toen je voor het eerst met Malcolm sliep.'

'Heeft Malcolm je dat verteld?'
'Nee, Victor, en die had het weer van Springtij, en die...'
'Ik wil niet eens beginnen te raden waar mijn moeder dat vandaan had.'
'Waarom wilde je niet met Malcolm neuken nadat je wel met anderen geneukt had?'
'Als ik eerder geneukt had, wil dat niet zeggen dat ik met iedereen naar bed moet gaan.'
'Dit is de eerste keer dat ik jou "neuken" hoor zeggen.'
'Nou, jij zegt het vaak genoeg voor ons tweeën. O, kut – nou leid je me af. Die jongen van Hudak... had die niet een cockerspaniël?'
Leonora dwingt zich een onverschillig gezicht te zetten.
Floria zit voor zich heen te glimlachen, tekent patronen met gemalen koffie op het tafelkleed, volgt de blaadjes en bloemen op de stof onder het doorschijnende plastic. Ze likt twee van haar vingers af, spoelt het koffiestof weg met een slokje sambuca. 'Je doet het toch niet met die jongen? Zeg dat het niet waar is. Het is wél zo, hè Leonora. Ja? Ik weet dat die jongen taxichauffeur is geweest. Dat hij vroeger een cockerspaniël had. Doe je het echt met die jongen?'
'Het is geen jongen.'
'Jezus, Leonora.' Een intense lach rijst op uit Floria's buik als belletjes van de bodem van een aquarium. 'Je gaat om met een babypudding.'
'Hij is eenentwintig. En heel wat harder dan pudding.'
'Waarom doe je dan zo arrogant over Victor?'
'Omdat ik tenminste gewacht heb tot het huwelijk voorbij was.'
'Ik ben er niet zo zeker van dat het voorbij is. Victor zou zó weer terugkomen als jij hem de kans gaf.'
'Op dat punt zit je verkeerd.'
'Hij praat met me, Leonora. Hij is mijn broer.'
'Laat je broer maar praten. En jij mag luisteren. Ik heb voor het leven genoeg geluisterd. Ik wens niet van je broer te horen dat hij gedroomd heeft van Elaine, of dat Elaine houdt van neuken op klaarlichte dag, op een of ander stom tapijtje.'
'Hij zegt dat het je niets kon schelen toen je erachter kwam dat zij iets hadden. Dat je niet huilde of wat dan ook.'

'O, wil hij dat óók nog? Mij zien huilen bij wijze van afscheidscadeautje voor hem?'

'Ik heb hem verteld dat je gekwetst bent. En dat je dat gewoon niet kan laten merken.'

'Ik heb ervoor gekozen dat niet te laten merken. En eigenlijk wil ik helemaal niet over hem praten, Floria.'

'Zolang je maar begrijpt dat hij zó bij je terug...'

'Wat zou ik in vredesnaam met hem aanmoeten?'

Floria kijkt haar aan, strak.

'Heeft híj je hierheen gestuurd met die flessen?'

'Ik heb je toch gezegd dat ik die flessen had gestolen. Maar ik ken mijn broer. Hij en die... andere vrouw, die passen niet bij elkaar.'

'Nou, ik heb geen verlangen naar hem.'

'Verlangen... Je zou eens moeten horen over de enige man naar wie ik verlangd heb.'

'Naast de mannen die je *gehad* hebt?'

'Ik heb hem maar één keer ontmoet – op mijn trouwdag. Hij was Malcolms getuige.'

'Julian.'

'Je kunt je hem herinneren.'

'Julian Thompson. Ik heb met hem gedanst.'

Floria kijkt haar scherp aan.

'Hij danste fantastisch.' Leonora gaat rechtop zitten. 'Lang niet zo knap als Malcolm, maar wat een danser. Hij ontwerpt meubels, is het niet? Ik kan me hem vooral herinneren omdat Victor jaloers werd. Het was pas ons tweede afspraakje. Zozo... Julian Thompson... Heb je het ook met hem gedaan?'

'Natuurlijk niet. Het was mijn trouwdag.'

'Nou ja... misschien dan de dag daarna?'

'Zo is het genoeg.'

'Of misschien heb je een week of twee gewacht.'

'Ik ben geen del.'

'Natuurlijk niet. Sorry. Maar wil je toch vertellen over Julian Thompson?'

Floria aarzelt.

'Het spijt me dat ik je met hem heb geplaagd.'

'Goed dan... Malcolm had een tijdlang op kamers gewoond in Hartford bij Julians ouders. Je weet... nadat hij uit Engeland was vertrokken, heeft hij allerlei adressen gehad.'

Leonora knikt.

'Hij is bijna een jaar in Hartford gebleven. Raakte bevriend met Julian. Jaren later heeft hij hem uitgenodigd voor onze bruiloft. Als getuige en als chauffeur voor de trouwauto. Typisch Malcolm – een extra grote limousine huren, maar zonder chauffeur – pompeus en goedkoop. Het sneeuwde toen Julian me naar de St. Nicolaas van Tolentino reed, en toen we daar aan kwamen, deed hij het portier open en stak zijn handen uit naar de mijne. En toen, eerlijk, ging er een schok door mijn armen, door mijn hele lichaam en via mijn benen naar de grond – iets wat me met Malcolm nooit is overkomen, en toen wist ik dat ik een geweldige fout ging maken, door met Malcolm te trouwen. Julian keek me aan met zoveel spijt, zoveel tederheid, dat ik ervan overtuigd was dat hij net zoiets voelde. Maar daar stond ik, bevend van top tot teen – en ik moest de treden naar de kerk op in die trouwjapon die ik zelf had genaaid, ik moest aan papa's arm door het middenpad lopen naar het altaar, waar Malcolm stond te wachten in een pak dat hij van een buurman had geleend – wat had ik anders kunnen doen?'

'Je omdraaien en wegrennen?'

'Dat is nooit bij me opgekomen.' Floria zet haar tanden in haar onderlip. 'Misschien nu.' Ze knikt. 'Misschien dat ik het nu zou doen.'

'Hoe is het Julian vergaan?'

'Ik heb hem sindsdien nooit meer gezien. Hij is in januari daarna getrouwd en wij hadden geen geld om naar zijn bruiloft te gaan. Maar we stuurden elkaar wel kerstkaarten, soms foto's, van hun zoon Mick, of van onze meisjes...' Floria trekt haar hoofd tussen haar schouders, alsof ze een klap heeft gekregen.

Onze meisjes.

Haastig legt Leonora haar hand op die van Floria.

'Het is er altijd.' Floria draait haar hand om onder die van Leonora, handpalm tegen handpalm. 'Alleen vergeet ik het soms en hoor ik mezelf zeggen "de tweeling" of "de meisjes".'

'Er zijn geen woorden om je te vertellen hoe vreselijk ik het vind,' fluistert Leonora. 'Elke dag. Ieder uur.'

'Elke dag... ieder uur...' Floria kromt haar vingers, vlecht ze tussen die van Leonora. Haar nagels zijn volmaakt ovaal, ongelakt. 'Weet je hoe vaak ik me heb afgevraagd wat er gebeurd zou zijn als ik hier in jouw keuken bij haar was gebleven? Of als ik een paar seconden eerder was teruggekomen?'

'Mij vergaat het net zo. Ik zie mezelf schreeuwen tegen Bianca dat ze bij dat raam weg moet.'

'Schreeuwen dat ze die cape moet afdoen. Het raam met een klap dichtdoen. En het wordt allemaal zo echt dat ik de koude lucht op mijn armen kan voelen... de sneeuw kan zien.'

'Ik vind het zo erg...' Hoewel Leonora lang heeft gewacht tot Floria erover begon, zich dat heeft voorgesteld, wordt hierdoor niet hersteld wat ze gehoopt had, die grappige, betrouwbare band. 'Zo erg.' Leonora buigt zich voorover en drukt haar lippen tegen de vervlochten vingers tussen hen in, oefent druk uit met haar vingers. En nog steeds voelt Floria onbereikbaar aan. Zonder vergiffenis.

Sinds Bianca's dood heeft Leonora zich steeds zorgen gemaakt dat haar vaders gewelddadigheid zou voortleven in haar zoon, wat haar in verwarring brengt, want het is een gewelddadigheid die niet bij haar zoon past. Maar ja, het paste ook niet bij haar vader voordat die gewelddadigheid was begonnen, de vader *die me draagt onder die rode paraplu, de vader die me meeneemt naar Far Rockaway, naar zijn lievelingsrestaurant, dat niet breder is dan een gang. Gebakken kip en patat en maïs met room. Als ik klaar ben met eten, verschijnt een lange zwarte man; hij buigt zich over mijn bord, bestudeert de kippenbotjes en het vel. 'Wat heb jij gegeten, meisje? Was het heerlijk en smakelijk?' Ik zeg ja tegen hem, zeg dat het heerlijk en smakelijk was, en hij lacht, samen met mijn vader. 'Geef mij maar hetzelfde,' zegt hij tegen de kelner. En mijn vader knipoogt naar me en zegt: 'Uitstekend gekozen.'*

Ze had gedacht dat ze haar angst had achtergelaten bij het graf van haar vader, maar het is nog steeds bij haar, vrees voor haar zoon, en Floria's gezicht vertoont een treurigheid die Leonora ervan overtuigt dat ook zij vreest voor Anthony. Floria's vingers zijn langer dan de hare, ronder, zodat de afstanden tussen de vingers groter zijn dan wanneer Leonora haar eigen vingers in elkaar verstrengelt, en wanneer Floria haar vingers terugtrekt, voelen die afstanden aan alsof ze voorgoed ingekerfd zijn, voorgoed blijven, en Leonora bereidt zich voor op elke willekeurige aanklacht tegen Anthony die Floria zal laten horen.

'Hij is nu gescheiden,' zegt Floria.

'O... Julian bedoel je.'

'Denk jij ook niet dat hij mij vergeten heeft?'

Leonora verdeelt de rest van de heldere sambuca, een paar druppels extra voor Floria. 'Misschien wacht hij op je.'

'Doe niet zo mal.' Floria legt haar voorhoofd op de rand van de tafel. 'Ik ben zo moe.'

'Zal ik de divan voor je opmaken?'

'Nee. Ik doe alleen even mijn ogen dicht voordat ik vertrek. Soms ben ik ervan overtuigd dat dat de belangrijkste liefde is die ik ooit heb gekend. Omdat het... bleef zoals het was op die ene dag.' Floria's stem sterft weg. 'We... hebben nooit de kans gekregen elkaar teleur te stellen of...'

'Als je met hem getrouwd was, zou je daarvoor heel wat kansen hebben gekregen.'

Floria zucht. Haalt diep adem. En nog een keer. Laat een zacht gesnurk horen.

Ze zit nog vast te slapen, daar bij de tafel, wanneer Victor Anthony thuisbrengt. Hij fronst zijn wenkbrauwen wanneer hij haar daar ziet zitten, maar hij zegt niets. Ook Leonora zwijgt. Ze zwijgen terwijl ze de veters losmaken van Anthony's schoenen – nat van de regen – en hem uit zijn pak helpen. Slap van moeheid vindt hij goed dat ze hem naar zijn bed brengen, hem instoppen. Leonora vermoedt dat hij zich jonger voordoet dan hij is opdat ze langer hier bij hem blijven.

Victor drukt een kus op zijn voorhoofd. 'Slaap lekker.' Hij volgt Leonora naar de gang.

'Ga nu maar,' zegt ze tegen hem.

'Kunnen we niet even gaan zitten?'

'Ik heb vandaag al gezeten.'

'Ik bedoel zitten om te praten.'
'Ik heb vandaag al gepraat.'
'Alsjeblieft?'
'Waarom?'
'Ik weet het niet. Ik weet niet eens wat ik tegen je wil zeggen. Alleen dat ik nog niet weg wil.'
'Willen willen willen...'
'Dat bedoel ik niet.'
'Waarom ga je niet terug naar huis, naar Elaine en...'
'Dat is niet thuis.'
'...om samen met haar na te gaan wat je *wilt.*'
'Dit heeft niets met Elaine te maken. En het is...'
'Mooie mededeling, op de dag dat je je met haar verloofd hebt.'
'Dat weet ik,' fluistert hij.
'Ik kan je daarbij niet helpen, Victor.' Leonora gaat achter hem staan, legt beide handen op zijn schouderbladen – *Hoe lang is het geleden dat ik je heb aangeraakt? Hoe lang!* – en duwt hem in de richting van de deur. De hele dag heeft ze bij die deur gewacht, op iemand die wegging of kwam. Ze heeft hem geopend. Gesloten. En opent hem nu voor Victor, die nog steeds praat.
Praat over praten. 'Hoe kan ik weten wat ik echt tegen je *moet* zeggen voordat ik het begin te zeggen?'
Ze sluit zijn mond af met haar handpalm, en rukt die niet weg wanneer hij haar vingers kust, haar armen, haar hals. Ze duwt de deur dicht, schudt haar ochtendjas af, helpt hem met die lachwekkende band om zijn middel. Daar, met haar rug tegen de voordeur, is alles heel dringend, ruwer dan ooit, lust en gevaar, met Floria en Anthony vlakbij, slapend. Ze voelt zich gewichtloos wanneer hij haar optilt, zwaar wanneer ze zich voor hem opent en om hem neerzinkt – *en het zou altijd zo kunnen zijn, weer zo kunnen zijn* – en toch, net wanneer ze bijna klaarkomt, voelt ze zich gedesoriënteerd omdat het allemaal nieuw is, en toch niet.
En dan dringt het tot haar door. En wordt razend. 'Je hebt geleerd van die vrouw.'
'Ik hou van je.'
'Je hebt verdomme geleerd van die verdomde vrouw.'
'Jij bent de enige bij wie ik wil zijn.'

'Waarom probeer je niet eens met haar te neuken terwijl jullie allebei op je hoofd staan?' Ze graait haar ochtendjas van het vloerkleed. Wankelt even en merkt dat ze, heel dwaas, denkt dat het bijna tijd is voor de kale vloer in de zomer, en ze knoopt in haar oor dat ze de tapijtenman moet bellen dat hij de vloerkleden moet ophalen en schoonmaken, en ze opslaan tot de herfst. 'Help me herinneren dat ik de tapijtenman opbel.'

'Mag ik blijven?'

Ze smijt hem de band toe.

'Jij hebt ook geleerd. Denk daar eens over na. We hebben allebei geleerd.'

Ze worstelt hem de deur uit. Sluit af als hij weg is. Als ze bij Anthony gaat kijken, ligt hij op zijn buik te slapen. Aan de keukentafel zit Floria zachtjes te snurken, en Leonora dekt haar toe met de oranje en groene wollen deken die Springtij voor haar gehaakt heeft.

In haar slaapkamer kijkt Victor toe vanaf de trouwfoto, en zijn ogen branden in haar huid.

'Nee,' zegt ze tegen hem.

We hebben allebei geleerd.

'Je láát het,' zegt ze tegen hem, en ze voelt zich vies, hoewel hij haar echtgenoot is, en hoewel ze zich niet vies had gevoeld met James.

Maar zijn ogen blijven op haar gericht, borend.

En dus dwingt ze hem te stoppen. Ze haalt de zilveren lijst van de wand, legt hem ondersteboven op de ahornhouten ladenkast. Zo. Nu kan hij haar niet meer zien. Hij is weg uit haar leven. Na deze avond zelfs nog meer.

In de ochtend voelt haar hoofd licht aan, van een bijna aangename sambuca-hoofdpijn die achter haar jukbeenderen zweeft, als onderdeel van haar adem. Ze wikkelt de trouwfoto in een oude handdoek, maar zodra ze hem achter de grammofoonplaten in de woonkamer verbergt, begint ze zichzelf te missen, ze mist zichzelf als bruid, elegant en tastbaar. Ze tast naar de foto, wikkelt hem uit de handdoek. En daar is ze. *Elegant. Tastbaar.* Het enige wat aan die foto mankeert, is dat Victor erop staat. Dat herinnert haar aan de tweedehands meubelwinkel aan Jerome Avenue. Ze is daar nooit binnen geweest, hoewel ze erlangs komt op weg naar de schoonheidssalon, en ze heeft daar een met de hand geschreven bordje in de etalage gezien:

RESTAURATIE VAN UW GELIEFDE FOTO'S!
Personen, huisdieren, meubels, planten
en achtergronden kunnen worden verwijderd of toegevoegd.
Wij repareren scheurtjes, verwijderen vlekken
en vervangen ontbrekende gedeelten.
Uw oorspronkelijke foto's zijn veilig bij ons.
Alles wordt hier ter plaatse uitgevoerd, sinds 1921.

Ze had zich altijd afgevraagd wat voor mensen anderen van foto's wilden verwijderen; maar wanneer ze over de plas voor de winkel heen stapt en de deur opendoet, kost het haar geen enkele moeite de ingewikkelde lijst aan de man achter de toonbank te overhandigen en hem te vragen Victor te verwijderen.

Als de man knikt, glijdt zijn toupetje een heel klein beetje naar voren. Het is glimmend, zwart, en lijkt uit één stuk te bestaan. Zijn ogen staan wijs en treurig, alsof hij al zijn tijd besteedt aan het weghalen van ontrouwe echtgenoten, en Leonora heeft het gevoel dat hij, zodra je zijn winkel bent binnengekomen, kan nagaan of je aan het eind van een huwelijk bent gekomen. Waardoor verraad je je? Door de stand van je lippen? Je afgebeten nagels? De woede in je ogen?

Hij vraagt een heel bedrag voor zijn diensten, maar Leonora herinnert zich wat Victor allemaal uitgeeft aan verlovingsfeestjes, aan nieuwe kostuums en schoenen. Terwijl zij geld bespaart op kleine dingen, waarbij ze zich goedkoop voelt. Altijd maar geld besparen. Een doos ijshoorntjes meenemen in de auto, zodat Victor, wanneer ze naar de Carvel's aan Webster Avenue rijden, maar twee vanille-ijsjes hoeft te kopen en wat van elk daarvan kan overscheppen in een hoorntje voor Anthony. Drie voor de prijs van twee. *Bespaarde pennies.* En nagellak – zoals ze flesjes tot op de bodem gebruikt en er dan nagellakremover in doet zodat het spul langer meegaat, ook al dekt de lak haar nagels niet glad en vallen de schilfers er vanaf. *Pennies.*

Terwijl ze betaalt om Victor uit haar trouwdag te verwijderen, belooft ze zichzelf dat ze tijdens haar wandeling naar huis het duurste flesje nagellak zal kopen.

Die avond belt Victor op, hij wil praten.

Elke avond belt hij.

Elke avond zegt ze tegen hem dat hij maar met Elaine moet praten.

Elke avond zegt hij dat hij gebroken heeft met Elaine.

Elke avond zegt hij dat hij terug wil komen, bij haar en Anthony.

Aan het eind van die week gaat Leonora terug naar die tweedehands meubelwinkel. In de lijst van zilverfiligraan is zij als enige overgebleven, nog steeds elegant en nog steeds tastbaar in haar witte japon; waar echter vroeger Victors arm in de hare had gerust, staat nu een tot het middel reikend piëdestal, van het soort dat je in musea ziet, en haar linkerelleboog – voorgoed gebogen in de oorspronkelijke houding – rust op het marmeren blad daarvan. Achter het piëdestal hangen de geretoucheerde plooien van een lang gordijn.

'Is dit wat u wenste?'

Heel even denkt ze dat hij vraagt of dit is wat ze aldoor al wenste van haar huwelijk. 'Het is zoals ik het nu wens,' zegt ze tegen hem.

Wanneer ze naar buiten gaat, met de ingepakte foto onder haar arm, komt een vrouw in een klokkende mantel uit de coffeeshop aan het eind van het huizenblok, met haar gezicht in de zachte wind, voor zich heen glimlachend. Leonora snuift de lucht op – knoppen en groen. De vrouw loopt op een elegante, vloeiende manier, en Leonora kan zien dat dit een vrouw is die graag alleen is. Daardoor komt bij haar de wens op ook op die manier alleen te zijn. Ze ziet zichzelf al uit een of andere coffeeshop of bioscoop komen, in een klokkende mantel, met een gezicht dat straalt omdat ze alleen is. Ze voelt dat haar voetstappen lichter worden, en naarmate de vrouw dichterbij komt, wordt haar glimlach breder, alsof ze weet wat Leonora heeft gedacht, en ze steekt haar armen op voor een omhelzing. Iets te overdreven voor Leonora. Toch gaat ze langzamer lopen, om zich voor te bereiden. Net op dat moment haast zich een magere man met een zonnebril – hij moet aldoor al een paar stappen achter haar hebben gelopen – langs haar heen, in de armen van die vrouw: die stralende glimlach was aldoor al voor hem bestemd. *Voor hem?*

Leonora krijgt nauwelijks lucht en moet tegen een bakstenen muur leunen terwijl het tweetal elkaar omhelst en zoent. Verkeer passeert haar, vrouwen met wandelwagentjes, mensen met boodschappenkarretjes op weg naar winkels, terwijl Leonora probeert die eerste glimp van een vrouw die geniet van het alleenzijn vast te leggen. Maar waar ze zich eerst alleen bewust was geweest van die vrouw, wordt ze nu overweldigd door alles om haar heen: het stotteren van een drilboor, een schrille ruzie op een binnenplaats, twee keffende hondjes. De geur van lente is geladen met roet en uitlaatgassen. Tegen de linkerkant van haar lichaam voelt ze de zilveren lijst, en terwijl ze haar greep verstevigt om het niet te laten vallen, voelt ze zich alsof zij degene is die van de ene lijst in een andere is gestapt, en ten slotte achter een geretoucheerd gordijn terecht is gekomen. Waar ze Victor zal vinden.

En op dat moment weet ze dat zij hem zal opbellen.

De eerste avond dat ze weer samen zijn, arriveert hij met een kartonnen doos van Bernice Peaches, vol kruidenierswaren, alsof hij nooit was weg geweest. Dat onderdeel van hun samenzijn is vertrouwd; maar in bed voelt zijn lichaam onbekend aan, en ze wil hem niet bij zich hebben. Ondanks die seks in de gang, op zijn verlovingsdag. Vanwege die seks in de gang.

Nadat ze haar bedlampje heeft uitgedaan, legt ze haar kussen recht, slaat erop zoals ze meestal doet om het goed te leggen, wacht tot hij iets vraagt.

En dat doet hij. 'Is het goed zo?'

Het troost haar, het ritueel van die vraag – *Is het goed zo?* – maakt dat ze zich realiseert hoezeer ze de geschiedenis van het ritueel gemist heeft, een geschiedenis die jaren geleden begonnen was met diezelfde vraag. Toen Victor zijn vraag de volgende avond herhaald had, en ook de nacht daarna – *Is het goed zo?* – of zelfs in de auto als ze onrustig was, had ze zich geërgerd, als steeds wanneer hij zich herhaalde, maar uit die ergernis was een zekere tederheid voortgekomen, tot ze ten slotte die gewoonte was gaan verwachten. *Is het goed zo?*

Zo gaat het tussen hen ook met andere dingen die van toeval zijn veranderd in frustratie, en van frustratie in vertedering. En dat is de reden waarom ze hem heeft laten terugkomen. Vanwege de gewoonten. Vanwege Anthony. Vanwege de onvermijdelijke tederheid tussen hen. Omdat ze niet eeuwig de tijd zullen hebben. Vanwege de vrouw in die klokkende mantel. Ondanks de vrouw in die klokkende mantel.

Ze weet dat ze het Victor niet makkelijk zal maken. Ze zal hem laten zweten, op zijn weg terug naar haar. En dat zal ze doen omwille van zichzelf – niet voor hem. Hoogstwaarschijnlijk zal ze hem niet vertrouwen wanneer hij niet bij haar is, althans de eerste maanden. Totdat ze zich, geleidelijk, niet meer hoeft te herinneren dat ze hard voor hem moet zijn. En misschien komt er een dag dat ze zich niet zal afvragen waar hij geweest is zonder haar, een dag waarop ze haar liefde niet hoeft in te houden.

Wanneer ze wakker wordt voordat de dag aanbreekt, ligt hij op zijn zij naar haar te kijken alsof hij helemaal niet heeft geslapen. Het maanlicht schildert zijn gladde gezicht, *het gezicht van de maan, glad en gebleekt, het gezicht van een man wiens huid glad is en gebleekt als de maan...*

Hij legt zijn ene vingertop onder aan haar keel. 'Je hebt je lichaam naar mij toegekeerd in je slaap, *mia cara.*'

Ze slikt. Voelt haar keel tegen zijn huid.

'Je lichaam keerde zich naar mij toe. Ik verroerde me niet. Je keel...' Hij zwijgt. Zijn ogen zijn gericht op de trouwfoto boven de ladekast.

Ze wacht of hij zal vragen waarom hij er geen deel meer van uitmaakt.

'Je keel,' zegt hij, 'kwam tegen mijn pols liggen. Ik voelde je bloed kloppen in mijn pols. Het was... zo mooi.'

Haar polsslag klopt tegen zijn vingertop, zoals hij het gevoeld moet hebben in zijn pols – prachtig, licht – en opeens is ze blij dat hij hier is. Zijn aanraking maakt het voor haar mogelijk zich voor te stellen hoe het zal zijn om zijn hele lichaam tegen het hare te voelen, binnenkort, honderd maal het gevoel van haar huid tegen zijn vingertop nu. Nog niet, besluit ze. En ze voelt hoe ze zich begint open te stellen. Open...

Maar hij zegt: 'Ik dacht: zo moet het zijn als je een baby verwacht.'

'Laat dat,' zegt ze waarschuwend. Hij is zo voorzichtig met haar geweest. Zo dankbaar dat hij weer thuis is bij haar en Anthony. En nog steeds begrijpt hij niet hoe die woorden door haar heen snijden.

'Dat soort nabijheid' – *gezicht van een man wiens huid glad en gebleekt is als de maan* – 'zoals de baby al leeft onder je eigen huid...'

Ze ziet zichzelf alleen, in ditzelfde bed, na Victors dood, terwijl ze zich herinnert hoe zijn gezicht eruitzag in de eerste nacht dat hij terug was nadat hij haar bedrogen had – *gezicht van de maan, glad en gebleekt, gezicht van een man wiens huid glad en gebleekt is als de dood...*

'Ik dacht,' mompelt Victor, 'dat dat iets is wat alleen vrouwen meemaken, maar toen jouw keel tegen mijn pols lag, begreep ik hoe het moet zijn, zwanger zijn.'

'Dat kan niet,' zegt zij. 'Dat kun je niet begrijpen.' Is hun huwelijk altijd al zo geweest? Zelfs op de momenten dat ze geloofde dat ze elkaar kenden? Is het allemaal zo eenvoudig voor hem? Hoe zat het dan met de bijzonderheden? De groeven en de plooien?

'Niet hetzelfde, natuurlijk,' zegt hij. 'Alleen bijna net zo.'

'Het lijkt helemaal niet op zwanger zijn,' zegt ze met vaste stem.

Wat ze hem niet vertelt, dat is dat zwanger neerkomt op bang. *Nadat je de eerste bent kwijtgeraakt, kun je geen kind meer dragen zonder bang te zijn. Het kind en de angst beginnen op hetzelfde moment in je te leven, en groeien beiden in je, tot het kind uit je weg zal bloeden. Terwijl de angst zich terugtrekt in je schoot, klaar om het volgende kind te omhullen. De schaamte als er alweer een kind uit je wegvalt. Het gefluister: 'Leonora heeft er weer een verloren...' Elk kind dat te vroeg uit je wegvalt. Vier verloren. Maar één geboren: Anthony. Je eerste zwanger-*

schap. Een achtmaandskindje. Levend. Een zwangerschap die nog niet bezoedeld was door angst. Anthony die één maand na je huwelijk met Victor in je schoot was gaan groeien. Daarna zijn alle andere uit je weggevallen; na vijf maanden; na drie maanden; na twee maanden; en de laatste had zich nauwelijks in je schoot genesteld, of je lichaam verwijderde hem. Een verbijsterende gedachte dat je al vijf kinderen zou hebben om groot te brengen. God verhoede het. Als je de keus kreeg...

Denk dat niet.

En toch, als je de keus kreeg – zou je één kind willen grootbrengen, of vijf? Maar stel dat je voor iets anders kon kiezen? Twee kinderen? Drie? Twee of drie kinderen zou je aankunnen. Maar de vraag die je jezelf moet stellen luidt: vijf of één? En het antwoord is wreed. Eén. Als je de keus kreeg. Gezien de vier baby's die uit je zijn weggevallen. Nee. Je zou voor die ene hebben gekozen.

'Toen ik je polsslag in mijn lichaam voelde,' zegt Victor tegen haar, 'was dat een geheiligd moment.'

Boek twee

Floria 1975: *Op het juiste tijdstip*

De Italiaanse woorden uit haar kinderjaren die Floria zich opnieuw herinnert, hebben te maken met muziek en eten. Haar vader die naar zijn operamuziek op grammofoonplaten luistert: geheiligde tijd. Haar moeder die kookte: geheiligde tijd. *Un bel di vedremo. Fragole. Scarola. La forza del destino. Costoletta. Una furtiva lagrima. Insalate. Tarantella. Dolce.*

Het is haar eerste reis naar Ligurië, en ze is in haar eentje naar Santa Margherita gekomen, naar dit hotel dat eeuwenlang een klooster is geweest. Misschien waren de nonnen verstrooid geraakt tijdens de oorlogsjaren, en zijn ze vergeten weer terug te komen. Sommigen zijn misschien wel getrouwd. Een ander altaar. Geen bruidegom alleen in de geest.

Het is merkwaardig aantrekkelijk om in dit klooster te verblijven als vrouw die zwanger is geworden en kinderen heeft gebaard. Katten benaderen haar raam wanneer ze haar zwarte kousen afrolt, terwijl ze haar koffer uitpakt. Ze heeft niet veel ingepakt: haar zwarte nylon onderjurk doet dienst als nachtpon, haar zwarte regenjas als ochtendjas, en haar zwarte sandalen dienen als pantoffels.

Twee katten drukken zich tegen haar raam, alsof ze verwachten dat het glas bezwijkt onder de druk van hun lijfjes: een rode kat met witte pootjes, en een bruine kat met een vacht die, onder het bruin, de vage tekening van een veel wildere en grotere kat vertoont. Ver beneden de katten ligt een binnenplaats, en aan de overkant daarvan rijzen de lemen daken op van rood-en-okergele huizen. Daarachter kromt zich de baai, waar stroken land de heuvels doen opgaan in de zee.

Zonsondergang vervaagt tot schemering, en een oude vrouw verschijnt in de nis van een naburig dak: eerst haar hoofd, dan haar armen, haar middel, terwijl ze moeizaam uit een trappenhuis klautert. Haar sjaal – van dezelfde onwaarschijnlijk turquoise tint als de geschulpte baai achter haar – bedekt haar haren en de schouders van haar rode kamerjas. Wanneer ze restjes eten in de schemer uitwerpt, duiken uit alle windrichtingen duiven neer, als vallende kinderen, ze wervelen om haar heen tot ze lijken op verlengstukken van haar: één lichaam met talloze hoofden en vleugels, dat zó weer uiteenvalt in afzonderlijke vogels, mocht iemand zich plotseling bewegen.

In de heuvels voorbij de oude vrouw kan Floria het dorp onderscheiden waar haar vader geboren is. Nozarego. Die naam herinnert haar aan Nazareth, roept beelden op van olijvenboomgaarden, geldwisselaars in de tempel, ezeltjes op stoffige bruine paden. In Nozarego is het grootste bouwwerk de kerk waar haar vader zijn eerste communie heeft gedaan. Het jaar daarop was zijn familie verhuisd naar Mestre, een stad die even groot en lelijk was – zo heeft hij Floria verteld – als Nozarego klein en mooi is. Toen zijn familie op een vrachtschip naar New York stapte, dacht hij dat hij uiteindelijk zou terugkeren naar Nozarego, maar hij is er nooit terug geweest, hoewel hij meer van dorpen houdt dan van steden, en de Bronx beschouwt als iets tijdelijks. Te lawaaiig, zegt hij graag, te kleurloos. En toch is hij van de Bronx gaan houden omdat die hem werk op een stortplaats heeft gegeven, en hem de kans heeft geschonken een rijtjeshuis aan Castle Hill Avenue te kopen, waar hij de diepe ruimte onder de trap heeft omgebouwd tot een muziekkamer met een schuin plafond.

Twee jaar geleden, toen Floria vijftig werd, hebben haar ouders haar deze reis naar Ligurië cadeau gedaan, maar het heeft zolang geduurd voordat ze hier kwam omdat haar vader haar gevraagd had de graven te bezoeken van zijn grootouders, omdat ze al zoveel dode mensen in haar leven heeft.

'In veel van die dorpen,' zo heeft haar vader haar verteld, 'liggen de begraafplaatsen op de plek waar de aarde een hoogste punt bereikt. Om het voor de doden gemakkelijker te maken te beginnen aan hun weg naar de hemel. Door hen zo ver te dragen als de aarde toestaat, kunnen wij zolang mogelijk deel uitmaken van hun reis, en vergemakkelijken we het deel van de reis dat ze alleen zullen moeten afleggen. Maar eerst moeten we de doden verlaten.'

Floria weet dat, want ze heeft haar dochter begraven. Aan Bianca's graf had haar vader haar handen vastgepakt, met een verschrompeld gezicht, met ogen die glinsterden alsof ze alle druppels vocht van zijn lichaam bewaarden. 'Toen ik een jongen was...' Zijn stem werd gesmoord. 'Alles wat Bianca van de hemel scheidt is dat laagje aarde. De doden kunnen alleen opstijgen wanneer er geen stervelingen zijn die toekijken. En wij moeten hun die kans geven...'

Floria haalt de foto van haar vader die ze naar Italië heeft meegenomen, tevoorschijn: de dag van zijn eerste communie, en daar staat hij voor de natuurstenen kerk, met op de grond een groot mozaïek van steeds wijdere cirkels. Zijn ogen zijn gericht op de begraafplaats hoog daarboven, en zijn handen houden zijn communiekaars vast alsof het gaat om het touw van zijn vlieger. Floria zet de foto op het bureautje naast haar bed, pakt het vaasje met mimosa's, waarvan de gele bolletjes beginnen te verwelken.

'Nog niet,' zegt ze tegen de jongen op de foto.

In de badkamer gooit ze de mimosa's in de prullenbak, en terwijl ze het vaasje omspoelt, wordt haar lichaam warm, een plotselinge blos die haar klam achterlaat, van dijen tot haargrens. Sinds ze niet meer bloedt, zijn die opvliegers gaan voelen als een ruil waaraan ze de voorkeur geeft boven de dagen met bloed. Ze weet hoe ze ze kan laten overgaan, door eraan toe te geven, door bij zichzelf te zeggen dat die plotselinge warmte voor haar binnen hooguit vijftig seconden voorbij zal zijn, en dat de klamheid – vooral onder haar borsten, waar het zachte gewicht van vlees tegen vlees haar zweet verbergt alsof het iets verbodens is – zal opdrogen.

Ze stelt zich Malcolm naast zich voor, liggend op zijn zij, niet evenwijdig met haar, maar met zijn gezicht naar haar toe, met zijn knieën tegen de hare, zijn handpalmen tegen de hare. En zij stelt zich voor dat ze de hand van haar man pakt en die brengt naar de klamme huid onder haar borsten, en fluistert: 'Voel eens. Voel dit eens, Malcolm,' zodat hij zich kan warmen aan haar geheimzinnig vuur.

De echtgenoot van haar jonge jaren zou gefascineerd zijn door haar geur, haar smaak.

De echtgenoot van haar jonge jaren zou haar zonder aarzeling hebben aangeraakt.

Maar de echtgenoot in wie Malcolm veranderd is in al hun jaren samen, zou zich van haar terugtrekken – niet meer nieuwsgierig, niet meer creatief.

De echtgenoot in wie Malcolm veranderd is, zou weerzin voelen voor haar plotselinge warmte.

Floria vraagt zich af of ook de nonnen door die plotselinge verhitting werden overvallen. Praatten ze daar onderling over? Zouden ze dat doen, in een vrouwengemeenschap? Floria kan de nonnen voelen, *ze bidden en slapen binnen de muren van dit klooster, lopen over de terracotta tegels van de binnenplaats, leunen tegen de witte zuilen, zitten op de rand van de marmeren fontein waar water druppelt uit de handen van naakte babyengeltjes. Enkele van de nonnen zijn nog jonge meisjes. Voor hun moeders geen verlies, maar een zegen. Sommige moeders doen in elk geval alsof. Een dochter in het klooster. Een zoon die geestelijke is. Gij zijt de gezegende onder de vrouwen. Gezegend omdat je je kind verloren hebt. Jonge meisjes die neerstorten of verdrinken of weglopen uit dorpen waar ze zijn opgegroeid, weg van natuurstenen huizen in de kleuren van duinen en aarde, opgestapeld tegen de heuvels te midden van diepgroene wijngaarden. Echo's van duiven – dat gekoer, met hun klauwen op de daken – kruipen langs stenen muurtjes, achtervolgen de meisjes door smalle straatjes die geuren naar mango's en net schoongemaakte vis.*

Toen Floria een meisje was, hadden de nonnen op haar school de vleselijke hartstocht gevreesd en de hartstocht van de meisjes omgezet in een kuise extase die even ongerept was als de witte jurken van de jeugdige postulantes, zwevend naar hun eeuwige bruidegom aan het kruis boven het altaar. Als veel van haar klasgenotes had Floria ervan gedroomd postulante te worden, maar ze had twee bezwaren ontdekt. Ten eerste: ze was bang te veranderen in een non als zuster Gabriella die geloofde dat ze achttien jaar lang het kind van de aartsengel Gabriël in zich had gedragen omdat de andere zusters jaloers waren en haar niet toestonden de baby van de aartsengel te baren. En ten tweede: ze kon zich niet voorstellen hoe ze zou zijn nadat ze het witte kleed van de postulantes had afgelegd. Niet dat het iets te maken had met voorgoed in het zwart gehuld gaan. In het zwart voelde ze zich elegant. De meeste van haar kleren waren zwart, en evenzeer een deel van haar als de geur van haar huid. Of haar naam.

'Je bent genoemd naar Floria in *Tosca*,' had haar vader haar verteld toen ze oud genoeg was om het te begrijpen, en Floria stelde zich voor hoe Puccini en haar vader hadden nagedacht over namen terwijl ze knie aan knie zaten in haar vaders muziekkamertje waar hij net genoeg ruimte voor twee stoelen had. Gezang rees op uit de welvingen van zijn Victrola, vloeide door gouden draden, en gleed over het hoekige plafond naar het raam dat uitzag op het achterstraatje.

Wanneer haar vader naar zijn werk was, hield hij de deur op slot, maar 's avonds mocht Floria binnenkomen – en niet haar broer, hoewel zij twee jaar jonger was dan Victor. 'Omdat jij weet dat je stil moet zijn in aanwezigheid van muziek,' had hij gezegd. Wat ze nog heerlijker vond dan de muziek, was staren naar zijn gezicht dat breed werd terwijl hij luisterde naar zijn opera's, zo breed dat zijn huid licht verspreidde.

Niemand begon aan de avondmaaltijd, zelfs gasten niet, voordat hij uit zijn muziekkamertje terugkwam, en al zat Floria te watertanden, dan wist ze dat ze geen hap mocht nemen voordat hij was gaan zitten, naar haar moeder knikte en zijn soeplepel pakte.

Zo vroeg in de maand februari is het hotel leeg, afgezien van Floria en de signora in de receptie, die van Floria's leeftijd is en een krachtig gezicht heeft, met brede lippen die mysterieus en suggestief lijken te pruilen. De signora draagt mantelpakjes zoals Jackie Kennedy had gedragen toen ze nog in het Witte Huis woonde, maar terwijl Jackie Kennedy tal van korte jasjes met bijpassende strakke rokjes had bezeten, heeft de signora er slechts twee: een jasje van leigrijze tweed met zilveren knopen, en een van rode wol, de kleur van aardbeien voordat ze helemaal rijp zijn. De signora draagt drie dagen hetzelfde pakje, en dan weer drie dagen het andere. Op die manier wordt Floria herinnerd aan het verstrijken van de tijd.

En dan zegt ze bij zichzelf: *Nu is het zes dagen geleden dat ik hier ben aangekomen.*

Nu is het negen dagen.

In de ontbijtzaal die vroeger de kapel was, hangt nog een wijwaterbakje naast de deur. Op het marmeren altaar heeft de signora voldoende eten neergezet voor een twaalftal mensen die nooit zullen komen – diverse soorten kaas en vliesdunne plakjes ham; bros en luchtig gebak; sap van uitgeperste bloedsinaasappels – alsof ze wacht tot de nonnen terugkomen.

Terwijl Floria eet, vraagt ze zich af of de signora de eigenares van het hotel is. Zo ja, hoe kan ze zich dan veroorloven het open te houden voor slechts één gast, met al dat eten en die verse bloemen? De verdiepingen tussen de hal en haar kamer vlak onder het dak lijken leeg. Misschien is het hotel alleen open voor herstelwerkzaamheden, en is elke gast toevallig. Gisteren heeft een oude man een paar vloertegels in de hal vervangen, en vanochtend zijn twee mannen een steiger aan het bouwen op de binnenplaats. Ze schuiven en hameren oude stangen in koperkleurige verbindingen, plaatsen planken over elke breedte van twee stangen. De kleinste van de twee, zwaargebouwd en bedachtzaam, beklimt de lagen planken als een gymnast, heel elegant en zonder veel moeite, terwijl de andere man zich beweegt met een verlegenheid die Floria aan Anthony doet denken. Ook hij heeft die gewoonte om zijn gezicht of nek aan te raken, alsof hij wil nagaan of hij er nog is.

Vroeger had ze van Anthony gehouden alsof hij haar eigen zoon was, en via hem had ze geleerd ook van zijn moeder te houden. Toen ze Leonora leerde kennen, vond ze haar helemaal niet aardig – te mager; te oneerbiedig – maar toen ze eenmaal allebei moeder waren geworden, was er een vriendschap tussen hen ontstaan, impulsief en vol vertrouwen. En dat is ook weer een verlies voor Floria: dat ze Anthony niet meer liefheeft als een eigen kind. Integendeel: ze voelde zich in zijn gezelschap niet op haar gemak. Omdat ze niet zeker wist wat hij te maken had gehad met Bianca's val. Terwijl ze het toch wist. En zich daarover schaamde. En dat inzicht geheim hield. Er waren zoveel dingen om geheim te houden in deze familie. *Dingen-waarover-we-niet-praten.* Niet praten over de eerste keer dat ze zich niet op haar gemak voelde met Anthony.

Het is zevenentwintig jaar geleden, maar ze kan hem nog steeds zien als kleuter in een oranje jasje, spelend met Bianca en Belinda op de speelplaats van St. James Park, waar hij zandtaartjes bakte, tunnels groef voor zijn autootje. Wanneer hij uit de zandbak klauterde, glimlachte hij als een engeltje en waggelde naar de klimrekken, waar een jongetje aan het spelen was met een speelgoedvrachtauto. Met uitgestoken handen bood Anthony hem zijn gele autootje aan, maar zodra de jongen zijn handen daarnaar uitstrekte, graaide Anthony naar de vrachtauto.

Hij blèrde toen Floria hem die afnam. 'Waar heb je in vredesnaam geleerd iets aan te bieden, enkel en alleen om iets groters te krijgen?' Om hem af te leiden, had ze hem weer in de zandbak gezet, en gedurende een paar minuten hij had met Belinda en Bianca gespeeld, maar algauw klauterde hij er weer uit en ging – met diezelfde engelachtige uitdrukking op zijn gezicht – op weg naar de klimrekken, met zijn autootje in zijn uitgestoken handen. Hij had op het punt gestaan de vrachtauto van die jongen in te pikken toen Floria hem had opgetild, en terwijl hij worstelde en trapte, was ze zich zorgen over hem gaan maken die verder gingen dan dat uur, die dag.

Op sommige dagen eet Floria in kleine trattoria's, waar haar alleenzijn zich verspreidt tot buiten haar lichaam, zo zichtbaar dat paren en gezinnen aan andere tafeltjes zich ongemakkelijk gaan voelen. Het is iets heel anders dan het alleenzijn in die lente, langgeleden, dat ze met vakantie was gegaan zonder Malcolm en de tweeling. Vijf dagen in Montauk, in een hotelletje aan de oceaan. Zoals ze genoot van alleen in een restaurant te zitten, alleen te bestellen wat zij alleen wilde hebben, op datzelfde moment, zonder plannen te hoeven maken, zonder te hoeven koken, voor haar gezin. En omdat ze wist dat ze na vijf dagen weer naar huis zou gaan, had haar alleenzijn haar beschermd, kracht gegeven. Omdat dat alleenzijn haar eigen keus was, voelde ze een intense band met Malcolm en haar dochters, een band die niets afdeed aan haar alleenzijn.

Eén avond echter, wanneer ze medelijdende blikken voelt van mensen aan andere tafeltjes, en zelfs van de kelner, bedenkt Floria opeens dat ze hier, in Ligurië, dat alleenzijn draagt zonder die band: een vrouw die maar één kind over heeft; een vrouw die niet zeker weet of ze bij haar man zal blijven. *Zonder Malcolm?* Dit is de eerste keer dat ze dit heeft gedacht, op deze manier, zo rechtstreeks, maar het schokt haar niet, die gedachte, die is al vertrouwd alsof het uit zichzelf in haar is gegroeid in de loop van jaren.

Zonder
Malcolm
Zonder Malcolm

De kelner steekt de zaal over, met een groot dienblad op zijn ene schouder. Hij draagt dure schoenen zonder sokken. Ziet eruit als een acteur die een minnaar zou kunnen spelen of een schurk, die je halfdood zou kunnen neuken, zoals Leonora zich zou uitdrukken, of je de keel zou afsnijden in een steegje, even gepassioneerd en even handig. Wanneer hij blijft staan om naar Floria te kijken, waarschijnlijk omdat hij gevoeld heeft dat ze naar hem keek, glimlacht hij; hij schuift het dienblad van zijn schouders, tilt het met beide handen hoog op en laat het vallen, zodat iedereen in het restaurant schrikt. Maar hij maakt een buiging, alsof hij inderdaad acteur is, slaat zijn ene arm schuin over zijn borst en dan de lucht in, vragend om applaus. Floria lacht en klapt in haar handen, ervan overtuigd dat het geen ongeluk was, dat hij dit al eerder heeft gedaan, zijn manier van flirten; en dan zit ook al een man aan een ander tafeltje te klappen, en vervolgens anderen, met haar mee klappend en lachend, terwijl de acteur zijn toneel schoonveegt. Daarna wordt het geroezemoes van de gesprekken, eerder al geanimeerd, levendiger, en het strekt zich ook tot haar uit.

In het hotel blijkt het peertje van de lamp naast haar bed kapot. Wanneer ze opbelt naar de receptie, komt de signora naar haar kamer, en ze beweert dat Floria voldoende andere lampen heeft.

'Maar dit is de lamp die ik nodig heb voor lezen in bed.'

Met een snel geruis van nylon dijen vertrekt de signora, en wanneer ze terugkomt, lijkt haar humeurigheid een laagje op Floria's huid te vormen, en ze neemt geen moeite woorden uit te spreken terwijl de signora het peertje vervangt.

Tegen de dageraad, wanneer Floria half gewekt is door zacht gesnurk, steekt ze haar arm uit voor haar eerste sigaret. Ze houdt van dat fluwelige hijgen achter in haar keel, vlak voordat ze helemaal wakker wordt, geniet van de vibratie van het snurken waar het tegen haar gehemelte kietelt. Soms gaat het weg zodra ze ernaar luistert, alsof het een eigen identiteit heeft, maar meestal kan ze het begluren, laat ze die tere kracht uitwaaieren naar haar stem. Op de ochtenden dat ze snurkend wakker wordt, voelt haar stem sterker aan, en die kracht is van invloed op haar manier van lopen, op haar gedachten, gedurende zo'n hele dag.

Op weg naar het ontbijt neemt Floria zich voor de signora te negeren, maar die staat al bij het wijwater en begroet Floria, met opgeheven handen, alsof ze op het punt staat haar te vergeven. Dat kan ik ook, denkt Floria, mijn handen opheffen. En dat doet ze ook. De signora glimlacht, brengt haar naar een van de uitvoerig gedekte tafels waar elk wit servet in de vorm van een bisschopsmuts is gevouwen. Als elke ochtend is Floria de enige gast. Het is duidelijk dat de signora meer van dit werk houdt dan van haar onderhoudstaken. Zo zou ik het ook voelen, denkt Floria, plotseling beschaamd dat ze de signora gedwongen heeft al die trappen nogmaals te beklimmen, voor één peertje.

Wanneer ze een paar avonden later teruggaat naar de trattoria, is de minnaar-kelner er niet. Twee vrouwen en een klein meisje komen later aan dan zij, maar pikken het tafeltje in waarop zij had staan wachten. Ze zijn helemaal in het ivoorwit, als figuren uit *The Great Gatsby*: ivoorkleurige hoeden en huid, ivoorkleurige japonnen en haar. Hun profielen: bestudeerde elegantie en onverschilligheid. Met tegenzin laat Floria zich een plaats aan hun tafeltje aanwijzen. Zonder het menu te bekijken, bestelt ze een schaal *trofie*. De vrouwen echter bespreken het menu in snel Italiaans, en kiezen *antipasti, primi piatti, piatti secondi*, en proberen hun onverschilligheid uit op Floria en op het meisje, dat speelt met een rubberen haai en een barbiepop.

Terwijl lamplicht weerkaatst van de flessen met olijfolie en paprika's op het buffet, duwt het meisje de benen van Barbie in de bek van de haai. Net elementen van verschillende eeuwen die met elkaar in botsing komen, denkt Floria. Wanneer haar pasta met sperziebonen in basilicumsaus arriveert, eet ze haastig door. De vrouwen geven elkaar een kijker door, gluren door het raam de diepblauwe nacht in, terwijl het kleine meisje verscheidene haai-en-barbie-posities uitprobeert: Barbies haren tussen de rubberen tanden van de haai; een van Barbies benen diep in de keel van de haai.

Nadat Floria nauwelijks de helft van haar bestelling op heeft, betaalt ze en stapt ze de donkere straat op. Opeens komt de vertrouwde vrees terug. *Bang voor bang zijn.* Ze loopt sneller, probeert zich ertegen te verzetten. Voor haar uit loopt een vrouw, met een doek om haar hoofd, en wanneer zij een kerk binnengaat, volgt Floria haar. Ze steekt haar vingers in het stenen wijwaterbakje, slaat een kruis – 'In de naam van de Vader en de Zoon en de Heilige Geest' – en knielt neer om te bidden zoals dat hoort in een heilig gebouw. Maar al sinds de dood van Bianca wil bidden niet meer lukken. De kerk is veranderd in slecht toneelspel: eindeloos herhaalde gebaren en woorden zonder betekenis. Toch is ze anders dan Leonora, die haar oneerbiedigheid laat blijken en graag kankert op de Kerk. Ze wenst dat Leonora hier bij haar was, nu. Dan zou ze niet zo bang zijn.

Er komt nog een vrouw binnen. Ze knielt even en begint te huilen. Floria's vader heeft haar verteld over dergelijke vrouwen in Italië. 'Ze komen een kerk binnen, het geeft niet welke kerk, en beginnen op slag te huilen. Voor hen is het een reflex, net als kwijlen voor het eten.' Maar Floria is jaloers op dat vermogen tot huilen. Zij kan niet huilen. Kan niet bidden. Kan niet terugkeren tot wat, naar ze nu weet – maar niet wist toen Bianca nog leefde – een staat van genade was. Daarna was de donkere treurigheid begonnen. Niet in staat uit bed te komen, haar pantoffels aan te doen, zich aan te kleden. Ze kon zich precies voor de geest halen wat ze moest doen:

mijn benen uit bed laten glijden
mijn voeten in pantoffels steken

opstaan
naar de kast lopen
mijn ochtendjas van de haak halen
mijn ene arm in een mouw steken
dan de ander
knopen dichtdoen –

Maar het was allemaal te veel. Te veel om echt uit te voeren. Telkens en telkens weer had ze de volgorde herhaald, maar de verbinding tussen haar wil en haar lichaam was verbroken. Overweldigd door alles wat ze niet kon, bleef ze maar in bed. Beslissen of ze een kussen in bed wilde, was een zware opgave. Er waren dagen dat dit de enige beslissing was die ze kon maken. Van haar bed naar de deur lopen was een onoverkomelijke afstand. En zelfs in de uren dat ze erin slaagde op te staan, werd alles waarvan ze vroeger zo genoten had – naaien, naar muziek luisteren, lezen, stoffen inkopen – een berg die afgegraven moest worden. En waartoe? Ze had niets om naar uit te kijken. Alleen doorgaan met het afgraven van die berg van alles wat ze niet gedaan had, opdat hij niet over haar heen zou vallen.

Tenzij hij al op haar was neergekomen. Ze had namelijk het gevoel dat ze daaronder leefde – zonder lucht; zonder licht. Alleen niet voortdurend. Zo was ze niet voortdurend. Soms kroop ze onder die berg vandaan, wat enorm veel inspanning kostte: ze dwong zich haar benen uit bed te schuiven; haar voeten in pantoffels te steken; op te staan; naar de kast te lopen; haar ochtendjas van het haakje te nemen; een van haar armen in een mouw te stoppen, en dan de andere; de knopen dicht te doen; haar tanden te poetsen; haar gezicht te wassen; te koken; en zelfs te naaien.

Ze ontdekte dat ze, als ze niet in huis bleef, soms de dingen kon doen die gedaan moesten worden. Op andere dagen presteerde ze niet méér dan de flat verlaten, en dan zwierf ze door haar buurt, steeds verder van huis, opgelucht wanneer het regende, want dan zouden anderen haar gezicht niet zien.

Van belang was dat ze na het ene uur het volgende bereikte. Na de ene dag de volgende. In het begin was dat om Belinda. Die dwong haar op te staan. Die eiste dat ze haar voorlas, of althans woorden aaneenreeg. Hoewel Floria zich inspande, vergat ze het begin van een zin voordat ze het eind daarvan bereikte. Dan las ze hem nog een keer. Staarde voorbij het boek. Voorbij haar dochter.

'Probeer het nog eens.' Belinda trok aan haar mouw.

'Niet doen... ik ben zo moe.'

'Voorlezen, mama. Nu!'

Maar ze vertrouwde zich niet de zorg voor haar dochter toe. Ze was bang. Bang voor bang zijn. Bang dat anderen zouden zien hoe ze bang was voor bang zijn. De vrees was anders dan alles wat ze vroeger had gevoeld, en ze wist niet of haar leven ooit weer normaal zou worden. Met behulp van slapen en zwijgen beschermde ze zichzelf tegen anderen. Naaiopdrachten werden niet uitgevoerd. Een huwelijk moest uitgesteld worden. Ze bracht ongeluk.

Dat had de moeder van de bruid haar verteld: 'U brengt ongeluk. Weet u niet dat uitstel van een bruiloft betekent dat het huwelijk geen stand zal houden?' Ze had Floria de onvoltooide bruidsjapon afgepakt, met spelden en al, hoewel Floria zich zorgen had gemaakt over de vraag wat voor halslijn het beste zou zijn voor die bruid met die benige borstkas die een veel te laag decolleté wenste. 'Ik zal een andere naaister zoeken om de japon af te maken,' deelde de moeder van de bruid mee. 'Uw reputatie is naar de maan. Daar zal ik voor zorgen. Want u richt mijn dochters leven te gronde.'

'U moet dankbaar zijn,' had Floria gefluisterd.

'Waarvoor?'

'Dankbaar dat uw dochter in leven is.'

'Wilt u me soms bedreigen?'

'Dankbaar. U moet dankbaar zijn.' Floria had zich langs de moeder van de bruid en de half voltooide bruidsjapon gewrongen, had de deur open laten staan.

Toen Malcolm haar vond, zat ze op een schommel in Slattery Park, met een kiezelsteen in haar hand geklemd. 'Hola.' Hij was naast haar komen zitten, legde zijn handpalm op de strakke welving tussen haar schouders. 'Wat heb je daar?'

Ze klemde haar vingers om de kiezelsteen, voelde hoe de vorm, de kleur zich voorgoed in haar huid persten.

Hij boog zich naar haar toe. 'Vertel het me.' Zijn stem was vriendelijk, dringend.

Ze liet toe dat hij haar vingers stuk voor stuk omboog om haar hand te openen. Luisterde naar zichzelf toen ze hem vertelde hoe ze was weggelopen van die moeder van een bruid, hoe ze opeens op de gedachte was gekomen hoeveel gemakkelijker het zou zijn om niet te leven. 'En toen heb ik dat steentje opgeraapt. Omdat het me bang maakte, die gedachte. En ik heb me vastgeklemd aan dat steentje en mezelf beloofd te blijven leven.'

'Dat is goed.' Malcolm wilde het steentje pakken.

Maar Floria klemde haar hand weer dicht. 'Jij was er niet eens bij.'

'Je weet dat ik gesmeekt heb of ik bij haar begrafenis mocht zijn, of ze niet iemand van het kantoor van de sheriff met me mee konden sturen. Je weet dat ze me antwoordden dat dergelijke beslissingen nooit haastig worden genomen, dat in dergelijke gevallen een procedure gevolgd moet worden.'

'Ik weet het... je was er niet toen ze doodging.'

Hij kromp ineen.

'En dát kun je niet wijten aan procedures en voorschriften.'

'Dat wijt ik alleen aan mezelf. Als ik er die dag bij was geweest...'

'Nee,' zei ze. 'Ik heb dat ook gedaan, me afgevraagd... stel dat ik in de keuken was geweest met de meisjes en Anthony...'

'Als ik je nou beloof dat ik nooit meer in de gevangenis zal komen – zou je me dan geloven?'

'Als? Je belooft, of je belooft niet. Vraag me niet te geloven in "als".'

'Ik beloof het. Ik beloof je dat ik nooit meer iets zal doen waardoor ik weer in de gevangenis kom. En ik zal niet aan je vragen dat te geloven voordat ik het je heb bewezen.' Hij sloot zijn hand om haar vuist. 'We nemen het mee naar huis, dat steentje van je.'

'Nee.'

'Dan heb je iets om je hieraan te herinneren.'

'Waaraan? Aan mijn ellende?'

'Aan de zekerheid dat je dit zult overleven.'

Hoewel ze het steentje niet had willen bewaren, beschikte ze niet over de energie om Malcolm tegen te houden; maar toen hij de deur van de flat opendeed, wilde ze niet naar binnen. 'Ik ben bang om het daarbinnen te bewaren.'

'Het is maar een kiezelsteentje.'

'Het zal me eraan herinneren hoe... ik me voelde toen ik het vond.'

'Wil je dat ik het weggooi?'

'O nee. Dat is... gevaarlijk. Want het betekent allebei – dat ik niet wilde leven, en de belofte aan mezelf dat ik blijf leven.'

'Laat mij het dan terugbrengen naar waar je het gevonden hebt.'

'Niet naar de speelplaats.'

'Naar ergens in het park waar jij nooit komt. Ik bedenk wel wat.' Zachtjes maakte hij haar vuist open. Pakte het steentje, dat eivormig was, vlekkerig zandgeel.

Hij bleef twee uur weg, en toen ze hem vroeg waar hij het had gelaten, zei hij: 'Ik heb verschillende plekken bekeken, maar die voelden niet juist aan, tot ik een spleet tussen een paar rotsen vond. En daar heb ik jouw steentje opgeborgen. Misschien wil je het ooit nog terug hebben.'

'Nee.' Maar ze stelde zich al voor dat ze daarheen ging. Voelde het gevaar. De belofte. 'Zou ik het kunnen vinden?'

'Ik zou het voor je vinden,' had hij geruststellend gezegd.

In de schemerige kerk knielen anderen neer – voor het merendeel vrouwen – lippen die snel bewogen, geloof als gewoonte, een geboorterecht. Boven het zijaltaar geeft een verbleekte Madonna baby Jezus de borst. Even moet Floria bijna lachen – ze heeft nooit eerder een Maria met ontblote borst gezien – en ze vraagt zich af wie de kunstenaar is geweest. Ze is blij dat het niet Michelangelo is. Haar moeder heeft haar aangeraden zijn graf in Florence te bezoeken, maar als Floria bedenkt wat ze over Michelangelo heeft gelezen, zou het vermoeiend zijn in zijn buurt te komen. Hij lijkt te veel op haar moeder: competent en veeleisend.

Overal rondom Floria zitten vrouwen te bidden. Heeft ooit een van hen het soort treurigheid gekend dat nooit meer gewone treurigheid zal zijn, als je eenmaal weet wat je beneden te wachten staat? Treurigheid is het valluik naar de leegte. Niet dat het elke keer dat je eroverheen loopt, ook opengaat. Maar je zult je bewust zijn van de leegte. Doodsbenauwd voor de leegte. Doodsbenauwd voor liefde. Doodsbenauwd voor boosheid. Want dat bewustzijn heeft de grenzen verlegd. Al zul je geleidelijk dagen meemaken dat je erop vertrouwt dat de grond je zal houden.

Wanneer Floria met haar voorhoofd steunt op haar gevouwen vingers, valt haar de vloer met dat oeroude steenmozaïek op: versleten tinten grijs en terracotta. Dat lichte duifgrijs... ze zal meubelbekleding in die kleur maken, gordijnen en kussens in terracotta. Onmiddellijk vindt ze zichzelf oppervlakkig. Ze zit hier nota bene in een kerk, omringd door gebeden en tranen en heiligenbeelden. En toch... ze kan wat stof kopen. Haar moeder vragen een bijpassende plaid te haken. En ze heeft al een vaas die er goed bij zou staan.

Wanneer ze de kerk verlaat, hangen flarden mist boven de piazza, als vleugels van enorme vogels, en door die mist heen komt haar een gezin tegemoet, voortreffelijk gekleed; de ouders houden de handen vast van een kind tussen hen in, een meisje van acht of negen, dat lacht naar de schaduwhemel vanuit haar fluwelen kraagje, op en neer danst als een marionet, met knieën die elkaar raken en ellebogen die dansen, zoals kinderen altijd schommelen aan de handen van hun ouders. De bontmantel van de vrouw vloeit om haar heen als een cape, en binnen dat vloeiende, die speelsheid, lijkt het een bevoorrecht gezin. Mist en de bogen van de piazza scheiden hen van de rest van de wereld, van allen die nooit die mate van geluk hebben gekend.

Als ik zeker kon weten...

Als ik zeker kon weten dat Bianca bij ouders als deze is – niet meer bij mij, maar zo voortreffelijk verzorgd in een wereld waar ik haar, voorlopig, niet kan aanraken – dan is dat, misschien, voor mij de dichtste benadering van de hemel. Of misschien is dat wat de hemel altijd al heeft moeten zijn, die glimp van iemand die je liefhebt, en die voorgoed in veiligheid is. Maar wanneer het gezin dichterbij komt, ziet Floria tot haar verbijstering dat die marionettendans van het meisje – hangend tussen haar beide ouders – de enige manier is waarop ze kan lopen. Haar vervormde ledematen schokken terwijl ze zich voorwaarts beweegt, met haar mond open naar de hemel, niet lachend, maar in één lang, eindeloos gejammer.

In haar hotelkamer kleedt Floria zich uit zonder het licht aan te doen, en naakt glipt ze tussen de lakens. Ze schudt een sigaret uit het doosje, strijkt een lucifer af in het donker, met een keel die snakt naar die hijgende rook, en dwingt zichzelf te geloven dat die ouders het meisje in de avondschemering naar de kerk brachten opdat ze genezen werd.

En dat ze ook genezen wordt.

Genezen moet worden.

Maar heel plotseling is dat meisje Bianca – *voorgoed hangend; voorgoed vallend* – en Floria dooft haar sigaret met kracht, drukt haar ene handpalm tegen haar mond. *Beroofd.* Beroofd van haar eerste glimp van het meisje: zo speels en gelukkig en beschut; beroofd van het verzinnen van een heel leven voor het meisje, zoals ze zich een heel leven voor Bianca heeft voorgesteld, al die jaren. Ze heeft haar gezien – zoals ze eruitziet, wat ze belangrijk vindt – door middel van de veranderingen in Belinda. Ze heeft zich gegeneerd dat ze zich zo vastklampte aan haar dochter die nog leeft. Een moeder die te veel haar best doet, te veel aanbiedt. Maar Belinda heeft geleerd aan die kleverige liefde te ontkomen, op school, op *college*, in haar huwelijk. In plaats van thuis te blijven wonen terwijl ze colleges volgt aan de Universiteit van New York, had Belinda een plaats in een studentenhuis gevonden. Nadat ze met Jonathan getrouwd was, hadden ze een driekamerflat gehuurd in West Village, in plaats van terug te keren naar de Bronx.

Wat vroeger Belinda's kamertje was, is nu Floria's naaikamer, maar ze houdt het bed schoon opgemaakt, voor het geval dat Belinda ooit een nacht wil overblijven. Maar Belinda is voortdurend op de vlucht voor Floria, en plant haar ontsnapping al voordat ze daar is. Wanneer Floria zich verzet tegen die vlucht, zich inspant om nog meer aan te bieden, wordt die vlucht dringend – ze moet onmiddellijk weg. De laatste tijd echter is Belinda ook op de vlucht voor Jonathan, die op een agressieve manier reinheid nastreeft, zijn tanden poetst na elke maaltijd, enkele malen per dag een douche neemt; en voorzover Floria kan nagaan, bereidt Belinda zich voor op een meer radicale vlucht dan alles wat ze eerder heeft geprobeerd.

Wanneer de signora sap inschenkt voor Floria, opent ze haar lippen voor een glimlach, en dat alleraardigste pruilmondje is geen pruilmondje meer, maar de manier waarop ze haar lippen opeen moet klemmen over haar vooruitstekende tanden en tandvlees.

'Grazie.'

Zon schijnt door het dikke, rode sap – *Bloed van Christus; Bloed van het Lam* – en ze vraagt zich af hoe iemand van een andere planeet zou reageren als hij een kerk binnenkwam tijdens de mis. Vlees van onze Verlosser dat gegeten wordt door priesters en zondaars. Amen. Duidelijk een gedachte à la Leonora. Floria knoopt in haar oor dat ze haar dat moet vertellen.

Uit de hal klinkt het tik-tik van de snelle hakken van de signora terwijl ze misschien de bloemen controleert, of bezorgde boodschappen. Licht pelt schaduwen van de witte zuilen op de binnenplaats, en engelen laten water morsen uit hun handjes. Hadden echt nonnen die naakte engeltjes uitgekozen? Of was het de signora? Leonora zou voor de nonnen stemmen: *'Als tegenwicht voor al die kleren die ze moeten dragen. Maar waarom hebben ze niet gekozen voor volwassen naakte engelen?'*

Een paar dagen eerder was het gehamer opgehouden, en nadat ze de steigers met groen netwerk hadden behangen, zijn de mannen vertrokken. Gisteren is de schilder gekomen, met emmers en kwasten, en hij zweefde achter dat netwerk als achter het glas van het aquarium op Coney Island, waarheen Floria de tweeling had meegenomen. Terwijl Belinda het aquarium prachtig vond, had Bianca gejammerd: 'Het gaat breken', wijzend naar het glas. Floria had haar meteen opgetild en beloofd dat het glas niet zou breken, maar Bianca was ontroostbaar. 'Het glas gaat breken... en dan breken de vissen ook... en dan...' Floria had haar neus tegen die van Bianca gedrukt, de ogen tegen haar ogen. 'Niets zal jou kwaad doen. Dat beloof ik.'

Wanneer Floria haar derde sigaret van die ochtend opsteekt, vraagt ze zich af wat voor beloften de signora heeft gebroken. Haastig rolt ze twee plakken ham op, ze verbergt ze in haar servet en rent de trappen op – in totaal zestig treden – naar haar kamer, met dat zware plafond dat de dakpannen moet torsen. Ze doet haar raam open, waarbij ze zich ondeugend voelt, want de signora zou tegen het voeren van de katten zijn, en terwijl ze stukjes ham op de dakpannen strooit, klakt ze met haar tong – 'hier... hier... hier' – en katten verschijnen onmiddellijk op het dak, lange, vloeiende schaduwen, eerst drie, dan acht, een elegante zwerm in de vorm van een waaier.

Ze gaat de glimmend gelakte deur van het hotel uit, laat de baai achter zich en voelt hoe het stadje zich rondom haar opent in zijn doolhof, de stille schaduw van weer zo'n smal straatje, het plotselinge licht van weer een piazza. Sommige kelders rieken naar kamfer en vochtige steen, naar kattenpis. Die kamfer vindt ze niet erg. Net als haar moeder knoopt ze mottenballen en takjes lavendel in lapjes stof die ze in kleren voor een ander seizoen stopt, en ze raadt haar klanten aan hetzelfde te doen. 'Zo blijven kleren langer goed,' zegt ze.

Ze gaat graag een hoek om, teneinde op het onverwachte te stuiten, om gezichten te bekijken. Winkeliers hebben kisten met groenten en fruit buiten gezet. Ze vindt het heerlijk om die Italiaanse woorden te horen. Op de middelbare school hadden zij en Victor zich gegeneerd voor het accent van hun ouders, en pas toen ze allebei kinderen hadden, waren ze waardering gaan krijgen voor de Italiaanse gewoonten, de taal. Floria slaagt erin haar inkopen in het Italiaans te doen. *Treviso. Radicchio. Melanzana.* Terwijl ze die dingen in haar handen houdt, moet ze denken aan haar moeder, die een godin is als het om eten gaat, een priesteres met voedsel; haar handen bewegen zich zacht en nauwkeurig terwijl ze enthousiast spreekt over kastanjes die je in rode wijn moet weken, over het schillen van broccoli, over het losmaken van teentjes knoflook. Dan wordt ze poëtisch, briljant.

'Daar woont de ziel van je moeder,' zegt haar vader graag.

Victor, die dat talent voor eten heeft geërfd, wist dat hij een reizend restaurant, zoals hij het noemde, wilde hebben – al toen hij nog op de lagere school zat en had gezien hoe twee vrouwen voorzagen in het voedsel bij het tienjarig huwelijksfeest van zijn ouders. Op zijn zeventiende was hij gaan werken voor een cateringbedrijf in Throgs Neck, en vóór zijn dertigste had hij een eigen zaak.

Een broodmagere vrouw schreeuwt naar drie jongens die een balletje trappen rondom haar groentekraampje. Haar enkels zijn dun, wankel, en telkens wanneer de bal te dicht bij haar komt, schudt ze met haar wandelstok naar de jongens, als een dirigent die probeert te voorkomen dat zijn orkest ontsnapt. Haastig plaatst Floria zich tussen de vrouw en de jongens, blijft wat langer staan terwijl ze een handvol gedroogde vijgen koopt, maar wanneer ze een zet van de wandelstok krijgt en de vrouw tegen haar schreeuwt, loopt ze door, en van haar vijgen etend passeert ze een vismarkt. Ze loopt onder waslijnen door die tussen ramen zijn gespannen, en die doorzakken van lakens en handdoeken en ondergoed, alles wit, afgezien van één rode blouse. Als meisje had Floria een dergelijke blouse willen hebben.

Een man komt haar kant uit gelopen met een heel klein hondje aan de riem. 'Rat aan een touwtje,' zou Victor zeggen. Hij kan snel ratten zien, in parken, in metrotunnels; hij vergelijkt ze met eekhoorns, met kleine hondjes; met duiven: vliegende ratten. Hij haat het parkje in de buurt van hun ouderlijk huis, waar mensen broodkruimels strooien voor de duiven, ondanks zijn waarschuwing dat het voeren van duiven ratten aantrekt. In de winter, wanneer het onkruid laag is geworden, kun je de ratten zien in de vrijende dierentuin. Dat is Anthony's naam voor het park. Gewoonlijk is hij zo stil, maar als hij een grap maakt, is dat iets bizars. Vrijende dierentuin. Je staart gewoon naar de grond tot je iets ziet bewegen, en als je dan in je handen klapt, schieten de ratten weg, en de dode planten huiveren nog lang nadat de ratten zijn verdwenen. Het is bijna zoiets als een steen in een vijver laten vallen en kijken hoe in het water vanaf dat punt buitenwaartse kringen ontstaan.

Sommige straatjes hebben geen trottoir, en dan moet ze het plaveisel delen met auto's en scooters. Als er een bus aankomt, drukt ze zich plat tegen een etalageruit. Binnen, op een satijnen kussen, ligt een broche met een camee die lijkt op haar eigen profiel, alsof ze een verdwenen voorouder tegen het lijf is gelopen. Ze aarzelt.

In Italië – daarvoor is ze gewaarschuwd – verwachten winkeliers dat je koopt zodra je eenmaal binnen bent. Toch gaat ze de winkel binnen. Koopt de broche voor zichzelf. Speldt hem op haar kraagje, verbijsterd over haar verkwisting. Ze gaat andere winkels binnen, alsof de aankoop van de broche alle zuinigheid heeft doen wegsmelten. Ze koopt shampoo die naar appels geurt. Verse mimosa, in cellofaan gewikkeld. Lotion die driemaal zo duur is als wat ze gewoonlijk betaalt. Een ovale schotel met een patroon in terracotta en duifgrijs.

In de etalage van een schoenwinkel ziet ze elegante zwarte pumps staan, en ze vraagt of ze mag passen. Hoewel zelfs de grootste maat te smal is, probeert de verkoopster Floria's rechtervoet in het stijve leer te wringen, en met snelle handen maakte ze in een of andere universele taal duidelijk dat Floria een paar splitten in het leer kan maken – hier en hier en hier – zodat de schoenen passen.

'Nee, *grazie.*'

Maar de vrouw maakt de riem van Floria's andere sandaal al los, klaar om ook die voet te verbrijzelen.

'Nee, *grazie.*' Floria is ervan overtuigd dat de vrouw een stuk of wat tenen zou afhakken om die schoenen te laten passen. Ze ziet hoe ze *gebaart naar achter in de winkel. 'Komt u mee naar onze speciale paskamer.' Ze zet haar voor een wasbak vol bloedvlekken waar eerdere klanten gepast hebben.*

'Nee,' zegt Floria, en ze vlucht, met losse sandalen die aan haar voeten wapperen. Ze bukt zich om ze vast te maken, en terwijl ze de helling afloopt, geniet ze van het vaste contact dat haar voeten haar geven. En dan te bedenken dat het haar vroeger ergerde dat haar schoenmaat groter was dan die van Malcolm. *Nu niet meer.*

Om haar route terug naar het hotel te vinden, zoekt ze naar de open hemel boven de baai, waar geluiden van duiven en motoren niet gevangen blijven zitten als in smalle straten, maar omhoog rijzen. Vanaf de baai kan ze zich oriënteren door over de promenade te lopen, en door de zijstraat langs de *farmacia* die naar het hotel leidt, en naar de signora met haar raadselachtig pruilmondje dat aanwezig is zolang ze niets zegt en bedenkt dat ze met gesloten mond moet lachen.

Van buiten het hotelraam staart de rode kat naar Floria terwijl ze een bad neemt. Zelfs met katten in haar eigen land – kleiner dan deze Italiaanse katten – voelt Floria zich nooit helemaal op haar gemak. Katten, zo heeft ze sinds haar kindertijd gedacht, beschikken over een potentieel aan gevaar dat dreigt achter hun gladde manieren, achter hun snelheid, die qua intensiteit alleen geëvenaard wordt door hun roerloosheid. Telkens wanneer Bianca en Belinda om een katje vroegen, had ze hun verteld dat katten op andere huisdieren jaagden – vooral op kuikens en parkieten.

Wanneer Floria haar nieuwe flacon lotion openmaakt, voelt ze zich bespied. Ze kijkt naar het raam, waar nu een zwarte kat ineengedoken zit, alsof de rode kat getransformeerd is. Zijn zwarte vacht is lang en pluizig, als het haar van de Amerikaanse studenten die hier aankomen met rugzakken nadat ze het pad over de kliffen tussen de dorpen van de Cinque Terre hebben afgelegd, en die hun broodjes kaas zitten te kauwen op de trap naar de kerk of op banken langs de promenade.

In New York is het daarvoor nog te koud; hier echter kun je zonder jas langs de haven wandelen.

En op oeroude stenen traptreden zitten, verwarmd door de zon.

Of besluiten dat je morgen naar Nozarego zult trekken.

Floria vermijdt de autoweg, klimt omhoog over oeroude voetpaden die zich kronkelen langs de achterdeuren van boerderijen. Die natuurstenen behuizingen zijn gedeeltelijk in de helling gebouwd. Ze voelt zich een indringster wanneer ze overwoekerde paden volgt die leiden naar paden die al enige tijd niet meer gebruikt zijn, hoewel ze al eeuwen door deze bergen boven zee kronkelen.

De lucht is bezwangerd door de geur van zout en aarde. Ze voelt zich soepel en sterk terwijl ze voortstapt langs terrassen met olijfbomen en wijngaarden. Van haar vader weet ze dat de aarde steenachtig is, moeilijk te bewerken. Zonder die stenen muurtjes zou de grond vast en zeker van de steile hellingen spoelen. Van dichtbij kan ze het onregelmatige patroon zien van de stenen waaruit die muurtjes bestaan, maar telkens wanneer ze opkijkt, ziet ze hoe de groene helling in parten verdeeld wordt door randjes als tanden. Beneden haar: de glinstering van de zee en de pannendaken van de eenvoudige bouwsels waar ze langs is gekomen. In een olijvenbosje schijnt het zonlicht in strepen door de bomen heen, en het concentreert zich op iets glimmends op het pad. Waterdruppels? Een spinnenweb? Nee. Wanneer Floria zich bukt, rijst de geur van rozemarijn en tijm naar haar op. Zilver... een ring. Nee, twee ringen... glad, afgesleten. De ene is een trouwring, de andere bestaat uit vier verweven knopen, vanbinnen zwart geworden. Iemand moet ze hier hebben verloren, iemand met kleine handen, want ze zijn te smal voor Floria's ringvinger.

Ze wil ze teruggeven aan hun eigenaar, of ze op zijn minst in het dorp achterlaten. *De priester. De priester zal het weten.* Om te voorkomen dat ze de ringen verliest, doet ze ze om de pink van haar linkerhand, en onmiddellijk wordt ze zich, vlak tegen haar huid, bewust van andermans ongeluksgevoelens en vreugde. Toch houdt ze ze om haar pink terwijl ze het pad naar de kerk volgt. Heel groot en stil hangt een klok in de opening van de toren. Voor de kerk bevindt zich een ingewikkeld mozaïek van kiezelstenen – wit en zwart en grijs en roodbruin – die een kring vormen met een kroon in het midden, omgeven door ruimere kringen met ruitvormige patronen, en binnen die ruiten bevinden zich kleine kringen. Een grote cirkel van witte stenen omzoomt het patroon. Floria heeft dergelijke mozaïeken bij verscheidene andere kerken gezien, allemaal uniek en toch heel eenvoudig. Ze zijn ontleend aan wat het land heeft geschonken, en ze zijn vaardig en geduldig gelegd, en ze zijn veel fraaier dan mozaïeken die uit goud en edelstenen bestaan, en de parochianen armer hebben gemaakt.

Acht panelen, verkleurd koper en flitsen van barnsteen versieren de kerkdeur. Maar de deur is op slot. En er is geen priester. Achter de kerk rijst de begraafplaats op die ze, volgens de belofte aan haar vader, gaat bezoeken. Misschien is de priester daar. Terwijl Floria de ringen aanraakt – *andermans ongeluk en vreugde, niet de mijne* – beklimt ze het stenen pad; ze telt twintig treden tot ze een soort bordes bereikt. De overige treden zijn hoger. Negenendertig. En dan nog drie naar opzij, waar de muur van de begraafplaats een hek vertoont.

Binnen hangen gieters aan een rek, naast een kraan. Floria stelt zich nabestaanden in het zwart voor, mensen die hier alleen naartoe komen voor een bezoek aan een overleden echtgenoot of kind. Ze vullen die gieters bij de kraan en dragen ze naar de nissen voor de doden die in de muren zijn aangebracht, verzegelde hokjes die geïdentificeerd worden met plaquettes en foto's van de doden: een vrouw met smalle lippen en met wit haar dat in een streng knotje achterovergekamd is; een man in zwart kostuum en hoge hoed, gezeten op een paard; een vrouw van in de vijftig die eruitziet als een vrolijke Frans. Heel wat doden zijn voorzien van foto's die niet passen bij de leeftijd die ze hebben bereikt: rimpelloze gezichten en volle haardossen, en toch wel zeventig of tachtig jaar geworden.

Sommige bloemen zijn fris, maar de meeste zijn nep, met bloemblaadjes die zo verweerd zijn dat ze verwelkt lijken, echt. Een paar nissen zijn nog leeg – ze zijn lang genoeg voor een lichaam. *De nis die op jou wacht. Niet in de aarde, zoals Bianca. Wat is erger, begraven te zijn of verzegeld? Duisternis, in beide gevallen. Opgesloten zijn. Koop je zo'n laatste cel nog bij je leven, zoals je thuis in Amerika een graf kunt kopen? Bezoek je die nog lege nis, staar je naar binnen, elke keer dat je die traptreden naar je reeds overledenen hebt beklommen? Kies je zelf de foto die je op je plaquette wilt hebben wanneer je eenmaal daar bent verzegeld? Welke van de foto's van Bianca zou je kiezen? Het is zo moeilijk haar te scheiden van Belinda. Altijd waren ze samen geweest: in je schoot; in de wieg; ze hadden elkaar aangeraakt in hun slaap.*

De meeste zondagen stapt Floria in de trein naar 'Gate of Heaven', waar ze op de stenen bank tegenover Bianca's graf gaat zitten. Malcolm komt zelden mee, Belinda bijna nooit, al was ze vroeger wel met haar meegegaan.

Een man met een ontblote borstkas grijnst vanaf zijn plaquette, een bejaarde gigolo met een gouden ketting op zijn bruingebrande borst. *Ik ben hier de enige die leeft. Geen nabestaanden. Geen priester.* Ze blijft staan voor een plaquette met foto's van een oude man en een jongeman – beiden heten Giulio Mastino. Hoewel de ene Giulio in 1891 was geboren, en de andere in 1945, zijn ze in hetzelfde jaar gestorven: 1972. Een grootvader en kleinzoon? Zijn beide Giulio's op dezelfde dag gestorven? Door een ongeluk? Aan dezelfde ziekte? Of zijn ze alleen in hetzelfde jaar overleden? En zo ja, wie is dan als laatste gestorven? Het is heel belangrijk voor Floria om dat te weten. Vanwege haar vader en Bianca. Omdat het veel tragischer is voor een grootvader om de dood van zijn kleinkind mee te maken. Ze hoopt dat deze Giulio's elkaars verlies bespaard is gebleven, dat ze samen zijn gestorven.

En dan vindt ze de plaquette die haar vader heeft beschreven. 'Heel opvallend... je zult hem zó vinden omdat hij zo anders is.' In wit marmer gehouwen berijdt een zeeman een dolfijn in de richting van een kruis aan de hemel. 'Als je eenmaal de zeeman hebt gezien, tel dan drie plaquettes in de richting van het hek. Daar rusten je overgrootouders. Ze hebben elkaar ontmoet toen hij door Ligurië trok, en een week later zijn ze getrouwd in Nozarego. En daar zijn ze voorgoed gebleven.' Een gezamenlijke plaquette met één foto van een vrouw en een man, beiden bejaard; maar zijn foto staat recht boven haar naam, en de hare boven zijn naam. Hij heeft haar acht jaar overleefd, bepaald wel lang genoeg om het negatief te laten omdraaien zodat de foto paste bij de namen. Heeft hij daarover gedacht? Of vond hij die verwisseling juist wel aardig?

Wanneer Floria weer afdaalt naar de kerk, vindt ze een nis met twee beelden in de lage muur bij de bronzen deur: een meisje dat knielt voor een Madonna, bij wie twee rozenkransen aan de gevouwen handen bengelen. Floria haalt de ringen van haar pink, legt ze aan de voet van het Madonnabeeld. Iemand, zo verwacht ze, zal de ringen zien en ze – in een dergelijk klein dorp – herkennen. Ze stelt zich voor dat die persoon het aan anderen vertelt. En die weer aan anderen.

En uit die fantasie rijzen zorgelijke vragen op. Stel dat een vrouw die ringen op het pad had laten vallen omdat ze genoeg had van haar huwelijk? Stel dat een vrouw die ringen vlak voor de Madonna ziet als een teken dat ze haar huwelijk trouw moet blijven? Stel dat het hele dorp dit als een wonder beschouwt?

Floria verlangt niet naar de last van een wonder.

En ze is niet zeker genoeg van haar eigen huwelijk om een levenslang gehuwd bestaan op te leggen aan iemand anders. Om te bedenken dat een simpel feit – zoals het vinden van die ringen en het neerleggen voor de Madonna – verkeerd uitgelegd kan worden als een wonder. Ze steekt haar hand uit naar de ringen. Maar ze laat ze liggen. Misschien zijn wonderen eigenlijk zoiets: verkeerde uitleggingen. Maar stel dat er geen verkeerde uitleggingen waren? Stel dat het vinden van die ringen ervoor gezorgd heeft dat zij deel uitmaakt van het wonder? En wat zijn wonderen dan eigenlijk? Gebeurtenissen die we niet kunnen plannen, die we niet kunnen beïnvloeden zoals het ons uitkomt? Gebeurtenissen die geloof aan ons ontlokken en ons laten betalen met onze verering?

Wonderen...

Herstel van iets wat verloren was: gezondheid; leven; twee zilveren ringen.

Die nacht, in haar bed, wenst Floria dat ze die ringen had laten liggen waar ze ze gevonden had. Misschien had iemand ze daar met opzet neergelegd. Maar toch, waarom op een overwoekerd pad, ver van het dorp? Niet de plaats waar je iets bewaart waaraan je waarde hecht. Tenzij je er geen waarde meer aan hecht, natuurlijk. Maar dan komt er een buitenlandse langs en die vindt je ringen, legt ze voor de Madonna neer, en nu moet je geloven dat het een verdomd wonder is, een wonder dat je niet wenst, een wonder dat, vanwege de aanwezigheid van getuigen – je hele dorp – je verplicht te blijven bij die man bij wie je eigenlijk weg wilde.

De volgende ochtend vroeg trekt ze opnieuw naar Nozarego, vastbesloten de ringen weg te halen bij de Madonna en ze terug te brengen naar het olijvenbosje. Maar de paden zien er allemaal hetzelfde uit, vijgenbomen en olijfbomen en bemoste stenen muurtjes. Wanneer ze bij de kerk komt, liggen de ringen niet meer aan de voet van het beeld. Verwonderd kijkt ze om zich heen, omhoog. Iemand heeft ze om de hals van de Madonna gehangen aan een gouden lintje, dat smalle soort lint dat in winkels gebruikt wordt voor gratis cadeauverpakkingen. Wanneer Floria de ringen aanraakt, kan ze de mogelijkheid van wonderen voelen. Misschien is dat het wezen van godsdienst: geloven in de mogelijkheid van wonderen. Zelfs als jij zo'n wonder hebt laten plaatsvinden, maakt dat het nog niet tot een onecht wonder: het is gewoon ontstaan uit verschillende elementen. En misschien bestaat dan het echte wonder uit wat het in jou wordt, wat het oproept, verandert.

Geloof was de adem van haar kindertijd geweest, en wonderen waren even gewoon als het weer of praten of honger. *Als je zo vroeg in geloof terechtkomt, kun je je er nooit meer helemaal van bevrijden. Je kunt de voorschriften van de Kerk negeren, maar de mystiek zal in je bloed blijven voortleven. Want zo is het allemaal begonnen, dat is het punt waar alle godsdiensten elkaar raken – binnen die mystiek, binnen dat beetje inzicht in iets wat groter is dan jijzelf. Het gaat verder dan geloof, verder dan twijfel, en zelfs verder dan je bezwaren. En misschien is dat goed, want het legt je vast in een bewustzijn buiten dat van jezelf, een gemeenschappelijk bewustzijn dat gevoed wordt door eeuwen van geloof die uitdagingen en twijfel hebben overleefd. Maar hoe moet je dan – binnen die traditie van geloof – de dood* van een kind *verklaren? Wat heb je niet geprobeerd je stem aan God kwijt te raken, wat heb je je niet verzet tegen de gewoonte van geloven die je omhulde als een nonnenhabijt?* Het habijt dat je niet voor jezelf hebt gekozen. *De gewoonte van geloof die door je lichaam stroomt, krachtiger dan de gewoonte van seksuele verlangens. Omdat zoiets veel ouder is, langer in je heeft bestaan.*

Boven haar is plotseling een beweging – een heel kleine vrouw met grijs haar is het balkon van de pastorie aan het vegen. Ze mijdt Floria's blikken en duwt langzaam haar bezem over steeds hetzelfde oppervlak. Dan gaat de voordeur van de pastorie open en een bejaarde priester verschijnt, loopt over het mozaïek op het kerkplein. Hoewel hij doet of hij niet naar Floria kijkt, controleert hij waarschijnlijk of ze de ringen niet steelt. Even overweegt ze de priester te vragen of hij weet van wie ze zijn; die vraag behoort echter bij gisteren, en sinds gisteren is er te veel gebeurd: de ringen zijn opgenomen in de legenden van het dorp, in de religieuze folklore. Ze verstoren zou heiligschennis zijn. Zij heeft de rol gespeeld die haar was toegewezen door een of andere wispelturige God, en het enige wat ze nu nog kan doen is het effect van het wonder te laten doorwerken, zonder haar.

Die nacht is de plotselinge blos van haar lichaam zo hevig dat ze ervan wakker wordt, en ze werpt de dekens van zich. Haar kuiten doen pijn van het klauteren in de heuvels. Terwijl ze daar bloot ligt, slaperig nog, draait ze met haar enkels, ze beweegt haar tenen, laat het zweet op haar huid afkoelen. Als ze zich kalm houdt, zal het eerder voorbij zijn. Het langst blijft het hoog op haar voorhoofd, waar de haarwortels de huid ontmoeten. In de eerste jaren van hun huwelijk waren zij en Malcolm vaak om deze tijd wakker geweest, en dan had een van hen gemompeld: 'Ben jij ook wakker?'

Wat herinnert ze zich nog goed zijn hardnekkigheid – teder en lachend en wild – in de eerste nacht dat ze samen waren, in het hotel waar Malcolm logeerde omdat zijn hospita woedend op hem was dat hij haar fiets had geruild voor een tas met golfclubs. Floria had haar beha afgedaan, maar ze had die hele nacht haar step-in aangehouden, al had iets in haar het ding willen uittrekken in dat verhitte heen-en-weer tussen hen.

Als jongeman was Malcolm rusteloos geweest, vol plannen en enthousiasme, en hoewel hij daardoor een opwindende minnaar was, maakte het hem ook onverantwoordelijk. Nadat ze getrouwd waren, kwam ze erachter dat hij altijd meer wilde dan wat hij thuis en op zijn werk had, dat hij de wet overtrad, totdat de wet hem strafte. En toch wist hij haar, elke keer dat hij uit de gevangenis terugkwam, te verlokken – hij charmeerde en maakte haar verlegen met zijn gretigheid, eerst alleen gretigheid naar haar toe, maar alras ook gretigheid naar het volgende plannetje dat hem voorgoed van gemakkelijk geld zou voorzien. Maar hoewel hij een charmeur was, wist Floria dat hij trouw was aan haar. Jarenlang had ze geprobeerd hem binnen de grenzen van de wet te houden, terwijl hij zocht naar uitbraakmogelijkheden. Wat zij wenste was een echtgenoot zonder die rusteloosheid, maar wel met eenzelfde vuur, en jarenlang had ze niet begrepen dat zijn vurigheid en rusteloosheid voortkwamen uit eenzelfde impuls, dat zijn bloed zonder die eigenschappen traag zou worden, zou stollen. Het kwam geleidelijk, een algemene kalmering, en ze was zo blij dat Malcolm zo betrouwbaar werd, dat hij zich schikte in het bestaan als man en vader, dat ze probeerde het hem niet kwalijk te nemen dat hij zich minder vaak tot haar wendde. Per slot van rekening was hij heel enthousiast wanneer zij avances maakte. Per slot van rekening werkte hij harder. Per slot van rekening kwam hij elke avond thuis bij haar. Totdat zij, geleidelijk, degene werd die aan rusteloosheid leed.

Floria trekt het laken recht dat om haar heen verward is geraakt. Zij had gemakkelijk het soort vrouw kunnen zijn dat haar trouwring van haar vinger verwijdert. Hem weggooit op een of ander overwoekerd pad. Haar echtgenoot achter zich laat. Begint aan het leven waarnaar ze verlangt. Ze zou God en alle engelen smeken dat er geen gek langs zou komen, haar ring zou vinden en zou proberen die aan haar terug te geven. Ze weet nog niet zeker wat het is, dat leven dat ze voor zichzelf wil, alleen dat ze zich nu – hier, alleen – dichter bij dat leven voelt dan haar in jaren is overkomen.

Te bedenken dat de echtgenoot van haar jeugd de ideale partner zou zijn geweest voor dit middelste deel van haar leven – een man die zijn hand onder haar borsten zou houden, het verkoelende vocht naar haar tepels zou wrijven. Maar misschien zou alleen een andere vrouw zoiets doen, zou alleen zo iemand kunnen genieten van een dergelijk moment. Even stelt ze zich een vrouwenhand voor op haar borst, en dat windt haar op. De eerste keer dat ze zich tot een vrouw aangetrokken had gevoeld, was in de achtste klas geweest, toen ze verliefd was geweest op zuster Francine, en zich in de klas niet kon concentreren doordat ze zich voorstelde dat de zuster naar haar toeliep, haar haren aanraakte – niet verder dan haar voorhoofd. Dat was haar allerzoetste verliefdheid geweest, omdat ze daarvan iets geleerd had over het wezen van vrouwen. Fysiek was er natuurlijk niets voorgevallen.

Ook had zich fysiek niets afgespeeld met Emily-van-de-stoffenwinkel. Dat was allemaal in Floria's fantasieën gebeurd. Eerst had ze die stoffenwinkel graag bezocht – Emily daar gaf dan haar commentaar op haar geschetste ontwerpen; vervolgens echter had Emily zich in haar ziel gevestigd, wat een gevaar was voor Floria's zelfbeeld, voor haar huwelijk. Om Emily uit haar ziel te bannen was ze in andere winkels stoffen gaan kopen, had ze Emily's patronen uit haar hoofd gezet, zich geconcentreerd op wat vertrouwd en veilig was binnen haar gezin, vertrouwd en veilig binnen haarzelf. Maar Emily's afwezigheid was sterker dan haar aanwezigheid: die holde Floria uit, nestelde zich dieper, alsof er meer ruimte voor haar was gemaakt. Nu gaf dansen met Leonora haar een verwarrend gevoel. Stel dat ze Floria's verlangen naar Emily aanvoelde? Stel dat ze dat verkeerd uitlegde als iets wat op haar gericht was, God behoede? En erger nog, stel dat dat gevoel – als het eenmaal was ontstaan, van Floria als een vlo zou overspringen en zich hechten aan enige willekeurige vrouw, inclusief de vrouw van haar broer, God behoede?

Buiten haar hotelraam is de nacht zwarter dan thuis, met al die straatlantaarns en neonreclames. Floria raakt zichzelf aan, laat zich wegzinken in de fantasie van een vrouwenhand op haar borst – *dat-ben-ik-dat-ben-ik-dat-ben-ik* – en vraagt zich opeens af of het ook zo is voor tante Camilla en mevrouw Feinstein. En staat versteld dat ze zich dat niet eerder heeft afgevraagd. Misschien omdat de hele familie vastbesloten lijkt de relatie tussen die twee als een vriendschap te zien, een goede manier om woonruimte en belangstelling te delen. Een vriendin om mee samen te wonen. Om mee naar de bioscoop te gaan. Of naar restaurants.

De enige man die Floria zou willen aanraken is Julian Thompson, en zodra haar gedachten naar hem gaan, is het zíjn hand op haar buik, op haar borst, hij is degene die haar zweet met genoegen aanraakt, met eerbied. Wat zou Julian denken als ze hem een prentbriefkaart uit Italië stuurde? Of als ze hem zou opbellen zodra ze weer terug was in de Bronx? Zou hij zeggen: 'O ja, ik weet nog wie je bent', of: 'Ik ben verliefd op je geworden op de dag dat je met Malcolm trouwde'? Maar dat zal niet gebeuren voordat zij Malcolm heeft verlaten – en opeens weet ze dat ze dat zal doen. Te zijner tijd.

Opnieuw gaat het schemeren, en Floria wacht op de oude vrouw die de duiven voert. Als ze vanuit het trappenhuis verschijnt op het dak – langzaam, pijnlijk –, zorgt Floria ervoor dat ze zich niet beweegt. De oude vrouw blijft niet lang, ze voedt de vogels alleen, ongehaast, zonder tederheid, alsof ze zakdoeken strijkt, bijvoorbeeld, of borden op tafel zet. Algauw verdwijnt ze weer in het trappenhuis, maar ze komt weer terug met een gieter. Ze houdt de lange tuit schuin om een aantal kommen te vullen. En dan is ze weer verdwenen. Weer een huishoudelijke taak die ze morgen pas hoeft te herhalen. Haar dagen vloeien ineen tot een opeenvolging van dagen net als deze.

Wat weet ik weinig van haar, denkt Floria wanneer ze eten gaat kopen. In de winkel op de hoek, waar gedroogde vis aan haken achter de toonbank hangt, wringt een witte kat – glanzend en weldoorvoed – zich langs Floria's benen en door de deur, voordat ze die kan sluiten. De eigenares schudt haar hoofd, gooit stukjes eten naar de kat. Achter het glas van de toonbank ziet ze lange schalen met pesto lasagne, broccoli *rabe*, gepaneerde kalfsschnitzels, laagjes aubergines... Floria wijst naar de heel kleine gebakken courgettes. Naar *focaccia* met kaas. Naar *torta acciughe* – ansjovispastei.

Terug in haar kamer pakt ze het eten uit, trekt haar zwarte kousen uit en maakt de knoopjes van haar jurk los. Ze voelt zich heerlijk decadent, zoals ze daar in haar zwarte onderjurk op haar matras zit te eten, terwijl ze kijkt naar de Italiaanse shoppingzender: armbanden, koekenpannen, japonnen, een messenset.

Toen ze pas over deze reis had nagedacht, was ze bang geweest dat ze veel alleen zou zijn. Daarom had ze moeten vertrekken – zo gemakkelijk is het; zo ingewikkeld – om voor zichzelf te bewijzen dat ze nog van alleen reizen kan genieten; om opnieuw te leren in haar alleenzijn te bestaan; om zich eraan te herinneren dat ze zich niet aan haar overlevende dochter moest vastklampen; om de lege tijd te vullen met zichzelf, en niet met anderen, zoals dat thuis mogelijk is, door langs te gaan bij Victors 'Festa Liguria', door met haar moeder naar de markt op Castle Hill Avenue te gaan, bij Sutter's koffie te drinken met Leonora.

Met haar vork duwt ze de ansjovis opzij. Te zout. Ze drinkt een glas water. Haalt de spelden uit haar zwarte knot en laat haar haren neervallen. Schakelt over naar een zender die een programma over reddingen laat zien. Hoewel ze de woorden van de nieuwslezer – bezorgde ogen, uitpuilende ogen – niet kan verstaan, verzint ze verhalen bij de beelden van mensen die gestrand zijn: gestrand na een schipbreuk; gestrand in brandende gebouwen; gestrand in een auto in een sneeuwstorm. Hoewel elk gevaar verschillend is, lijken de mensen op elkaar omdat ze situaties hebben overleefd die dodelijk hadden kunnen aflopen. Geen gewone gevallen van overleving. Nee. Dit zijn overlevingen van rampen die hebben plaatsgevonden. Het soort rampen waarbij anderen zijn omgekomen. *Wie kiest dat dus? Ik zou dat voor Bianca hebben gedaan, haar dood veranderd hebben in de mijne. In elke willekeurige vorm.* Zoals de moeder-overste in *Dialogues des Carmélites*, die een langdurige en angstaanjagende dood sterft hoewel ze haar leven lang over de dood heeft gemediteerd. Ja, ze draagt het, omdat ze gelooft dat het een sterven is dat aan een ander toebehoort, en dat die persoon – in ruil daarvoor – een vredige dood zal hebben. Floria had de opera gezien samen met haar vader, die ineen was gekrompen, elke keer dat een van de nonnen naar het schavot van de guillotine liep.

Ze zet haar maaltijd opzij. Leunend tegen het hoofdeinde van haar bed wrijft ze met haar duimen over haar voetzolen, smeekt de nieuwslezers haar het verhaal te brengen van een kind – het doet er niet toe wat voor kind – dat een val uit een raam op de vijfde verdieping heeft overleefd. Ze heeft wel van dergelijke voorvallen gehoord, en ze snakt naar bewijzen dat het verhaal van haar dochter anders had kunnen aflopen.

En ook mijn eigen verhaal.

Hoe zou ik zijn als ik het leven leidde van een moeder van wie beide dochters opgegroeid en uit huis gegaan zijn? Misschien zou ik geërgerd zijn dat ze zo'n haast hadden om hun thuis te vinden in een wereld buiten mijn muren, en bij mij alleen terugkomen voor feestjes en noodgevallen.

In werkelijkheid moet ze voorzichtig zijn dat ze niet te veel voor Belinda doet, dat ze geen vertrouwelijke gesprekken met haar verwacht. Dan zou Belinda des te meer de benen nemen. Belinda heeft haar dode tweelingzus aanwezig gehouden voor Floria, voor iedereen in de familie, vooral voor Anthony. Bij familiefeestjes weet Floria, wanneer ze hem erop betrapt dat hij naar Belinda staart, in haar hart dat hij in werkelijkheid Bianca ziet, en dat is de blik die zij en Anthony delen – dat ze Belinda niet kunnen zien zonder Bianca te zien. Op dergelijke momenten is ze bang te weten wat hij denkt, voor het geval hij in de stemming is om te praten, even bang als ze was voor de helderziende die Leonora naar haar toe had gestuurd in de zomer voor Bianca's dood, een vrouw met een geelbruine huid uit een of ander Centraal-Europees land, die Bianca's dood had voorzien door haar ene duim tegen Floria's keel te drukken, maar geweigerd had haar te waarschuwen.

Wanneer Floria de televisie uitzet, gloeit het scherm nog een paar seconden na, en dan wordt het dof. Ze neemt haar vuile was mee in de badkuip. Als lang gras drijven blouses en kousen en ondergoed langs haar heupen, tussen haar dijen, licht, heel licht. Floria grijpt shampooschuim uit haar haren en wrijft het in haar kleren, spoelt ze uit tot ze er geen schuim meer uit kan wringen. Gedurende de nacht zullen ze drogen, en morgenochtend zullen ze naar appels geuren, net als haar haar.

De hoge rand van de badkuip past in de ronding van haar nek en rug, en terwijl ze zucht van genoegen, voelt ze de katten daarbuiten in de nacht, luisterend, spinnend. Ze voegt een aanhoudend straaltje warm water toe, zegt tegen zichzelf dat ze wakker moet blijven, maar ze sukkelt al in slaap, zwevend en warm, warm en dromerig. *Droomt van reizen in een bus. In een of ander vreemd land, ze weet niet waar. Saffraangeel stof waait over het landschap, verhult ezels en tempels, terwijl de witgebleekte weg de bus al voorttrekt naar het volgende tafereel van de droom, de banden hobbelen, blauwe rechthoeken hemel dansen in de open ramen. Binnen is het warm, heel warm. Twee lange, smalle banken zijn aan de zijwanden van de bus bevestigd. De meeste passagiers zijn boeren, olijfbruine gezichten vol rimpels. Floria kan hun taal niet verstaan. De mannen dragen gerafelde jasjes, en hun hoeden zijn laag over hun voorhoofd getrokken. De vrouwen hebben hoofddoeken die onder hun kin vastgeknoopt zitten. Hele lagen rokken, ooit kleurrijk, zijn nu verbleekt en zitten vol rode en gele vlekken. Bloed en etter? Vlekken van groenten en fruit? In het kuiltje van rokken tussen gespreide knieën balanceren de vrouwen brede manden. Wat Floria bij zich heeft, is zo klein dat het in één hand past: een open doos, bekleed met roze watten, van het soort dat Woolworth in etalages gebruikt voor sieraden. Op dat roze ligt Bianca, nauwelijks vijf centimeter lang en volmaakt van vorm. Het is volstrekt normaal dat ze die lengte heeft. De zon verhit het metalen dak van de bus op de lange weg tussen open velden. Heet, te heet. Dan remt de bus opeens af. Manden vallen om – tomaten, uien, paprika's... ze rollen onder de banken. Floria houdt haar kleine doos in haar handen, daar is hij veilig. Maar wanneer ze goed kijkt, ligt Bianca er niet meer in. Ontzet zoekt ze onder de roze watten. Niets. Ze krijgt geen lucht meer. Andere vrouwen, die al op de vloer zitten, halen groenten weg van onder de banken. Floria laat zich op haar knieën vallen en probeert hun duidelijk te maken dat ze haar kind kwijt is. Ze kijken haar stralend aan, stapelen tomaten en uien en paprika's in hun manden. Gaan weer zitten. Terwijl Floria nog steeds door de bus kruipt en probeert lucht in te ademen, terwijl ze kruipt en staart langs benen naar de schemerige plekken waar...*

Water –

In haar ogen –

In haar mond –

Heet water. Zeepwater.

Ze spuugt het uit. Hoest terwijl ze overeind komt en de kraan, die heet blijkt, dichtdraait. Haar keel doet pijn, en ze is als de dood weer terug in die droom te komen. Ze weet namelijk waarheen die zal voeren: naar het feit dat ze haar dochter nooit meer zal kunnen vinden. Naar die zekerheid. Dat verhaal. Die vrees voor de treurigheid. Maar ze bezwijkt niet, stapt uit de badkuip, droogt zich af, zoekt iets verzachtends voor haar keel. In de hoop iets te vinden van dat sap van bloedsinaasappelen dat ze elke ochtend bij het ontbijt krijgt, trekt ze haar zwarte regenjas aan, loopt op blote voeten over de stenen trappen naar beneden, naar de hal, die nu leeg is, naar de ontbijtzaal.

De tafeltjes zijn al gedekt, maar het altaar is nog leeg, afgezien van een vaas bloemen, zo fris alsof iemand ze zojuist in het maanlicht heeft geplukt. Op de binnenplaats is de lucht rond de fontein blauw, en dikker dan lucht overdag wordt. Achter de netten ziet de steiger er surrealistisch uit, treden in de lucht die tot voorbij de daken leiden en opgaan in één glinsterend pad boven het stadje, waar antieke goden zouden kunnen wandelen.

Een schim maakt zich los van de wand bij het marmeren altaar. De signora. 'Wilt u dat ik iets voor u haal?'

'*Grazie*, nee. Wanneer slaapt u eigenlijk?'

Met gesloten lippen laat de signora haar mysterieuze glimlach zien, alsof ze wil zeggen: '*Wie heeft er nu slaap nodig?*' Ze wijst naar een stoel, en wanneer Floria is gaan zitten, komt ze voor haar staan.

Het rode jasje strijkt langs Floria's gezicht wanneer de signora haar beide handpalmen op haar schouders plaatst, handpalmen die eeltig aanvoelen, zelfs door de stof van Floria's regenjas heen, terwijl de signora haar schouders kneedt, op een manier waarop ze brood kan dwingen te rijzen onder haar aanraking, gestaag en sober en vaardig, elke hand gevolgd door het gewicht van het lichaam van de signora terwijl ze voorover leunt, en haar jasje verspreidt kerkgeuren – mirre en stof en kaarsen – die Floria herinneren aan verliefdheden die Floria als schoolmeisje had gekend, verliefdheden waarvan ze dacht dat ze uitsluitend haar geheim waren. Maar ze is niet meer het meisje dat afgunstig was op de postulantes die naar het altaar liepen. Zij is de vrouw in een klooster in Italië met de handen van een andere vrouw op haar schouders, meegaand met de bewegingen van het lichaam van die vrouw.

Nonnen hebben hier in deze ruimte gebeden. Hadden degenen met meer fantasie dan andere nonnen hogere vormen van verzinken in hun bruidegom bereikt? Was het alleen dat gebrek aan fantasie geweest dat haar ervan weerhouden had non te worden?

Nu echter beschikt Floria over de fantasie. 'Wat hebt u verloren?' vraagt ze.

De handen van de signora gaan omhoog om haar nek te strelen.

'Wat is het ergste dat u ooit verloren hebt?' dringt Floria aan.

Wanneer ze haar hoofd schuin houdt om naar het gezicht boven haar te kijken – uniek en toch zo vertrouwd in de combinatie van gelaatstrekken: neus; mond; ogen; oren –, verlangt ze ernaar een taal te kennen die haar met de signora zou kunnen verbinden; toch bedenkt ze onmiddellijk dat zij samen geen woorden nodig hebben, dat ze kunnen vertrouwen op aanraking, op zien, en als de signora de knopen van haar rode jasje zou losmaken, Floria's hand zou pakken en die naar de huid onder haar borsten zou brengen, zou Floria met vreugde, met herkenning, haar verkoelend zweet aanraken. Ongeveer net als die kat die de tekening van een wildere kat vertoont, voelt Floria zich soms vanbinnen wilder dan ze anderen laat merken, wild en stoutmoedig en – hoewel dat een ijdele gedachte is – hoogst aantrekkelijk. Ze weet al dat wat aanvoelt als aantrekking tot de signora, veel méér betekent; en ditmaal is ze niet bang waarheen haar dit zou kunnen voeren.

Voorlopig neemt ze het mysterie van haar gevoelens in zich op terwijl de signora naast haar komt zitten. Zij aan zij staren ze naar buiten, naar de stille binnenplaats waar honderden jaren lang nonnen hebben gelopen, volgens de hoekige omtrek van de plaats, met lippen die gebeden mompelden, kreten van bewondering slaakten. En misschien hebben, vroeg op een ochtend, twee nonnen in deze kapel gezeten, en terwijl de stenen vloer de oeroude en koude geuren verspreidde die alleen te vinden is in bedehuizen, had een van die nonnen haar hand naar de andere uitgestoken, zoals Floria nu haar ene hand op de gevouwen handen van de signora legt terwijl ze beiden staren naar het wisselende licht tussen de zuilen.

Belinda 1979: *Dagelijkse zonden*

In mijn familie stond het priesterschap hoog aangeschreven. Terwijl mijn neef en ik opgroeiden, speculeerden familieleden weleens dat hij priester zou kunnen worden. Niet dat Anthony ooit over dergelijke ideeën praatte, maar zijn enorme schuldgevoel was een ideale start voor een priester die naar verlossing snakte. Geen verlossing voor zichzelf – een dergelijk verzoek zou door God als hebberig zijn beoordeeld, zoiets moest als laatste komen, in de juiste volgorde, en alleen als resultaat van zijn gebeden voor anderen –, maar verlossing voor de mensen die hem het naast stonden. Waarmee ik bedoel: de familie. Die allesbehalve in de pas liep.

Maar Anthony wilde geen priester worden. Anthony wilde kok worden. En hij meldde zich aan voor de koksschool, werd toegelaten, leek het meer naar zijn zin te hebben dan ik hem sinds onze kindertijd ooit had gezien, lachte zelfs wanneer mijn moeder en Springtij aan zijn hoofd zeurden dat hij te mager was.

'...erger dan mager.'

'Buitengewoon mager.'

'Proef je nooit van de recepten die je op school maakt, Antonio?'

'Laten we hopen dat hij werk vindt in een restaurant waar een van zijn taken bestaat uit proeven van alles.'

'En wel in grote hoeveelheden.'

Halverwege Anthony's eerste jaar op de koksschool wist papa hem in de val te lokken. 'Maar een paar uur per week,' zei hij overredend, 'iets tijdelijks... terwijl ik een nieuw begin met mijn bedrijf maak.'

Dat was EZ Roofing. Hoewel Papa dat bedrijf spoedig was kwijtgeraakt, startte hij er opnieuw mee als Ideal Roofing. Opnieuw beginnen. Nieuwe namen. Discount Roofing. Empire Roofing. Die paar uur van Anthony veranderden in een paar dagen. Veranderden in fulltime. Plus overwerk. Wholesale Roofing.

Toen ontmoette ik Franklin, die ik van Jezus afpakte, en nu

hadden we twee mannen in mijn familie die van God hadden moeten zijn, die de verwanten hadden moeten leiden in hun strenge en aanhoudende klimtocht naar de ene hemel die uitsluitend voor katholieken bestemd was.

Maar Franklin geloofde in een God die ook anderen de hemel binnenliet, zelfs protestanten en badkuiphandelaars. Een meer royale God, eigenlijk. Ook geloofde Franklin in wonderen, wat ik best vond, want hij beschouwde onze eerste ontmoeting als een wonder. We hadden kennisgemaakt bij een picknick waar hij welkom werd geheten in St. Raymond's, de parochie van Springtij, en hij zat zalig geconcentreerd te knagen aan karbonaadjes van de barbecue, en zijn lippen en vingers waren zo donker van de scherpe saus dat ik ernaar snakte hem te proeven. Ik had nooit echt begrepen wat het woord 'broodmager' betekende, totdat ik Franklin zag: die bestond helemaal uit botten – lang; elegant; ontbrekend vlees dat hun prachtige vormen had kunnen verbergen. Broodmager.

'Je zit naar de priester te staren.' Springtij gaf me een zetje.

De priester keek mijn kant uit en streek zijn rode krullende haren weg van zijn voorhoofd.

'Belinda? De priester weet dat je naar hem zit te staren.'

Springtij was degene die me naar die picknick had meegesleept, hoewel ze er zelden in slaagde me naar de mis mee te slepen. Zij was ook degene die mij en Franklin doorhad toen ze me elke ochtend van die week bij de vroegmis zag. Omdat ik maar een paar straten van St. Catherine's Academy vandaan woonde – ik was daar muzieklerares –, was het duidelijk dat ik een hele omweg moest maken om in die kerk te zijn. Om haar vragen te ontlopen, rende ik weg zodra Franklin mijn tong met de hostie had aangeraakt.

Op de woensdag van mijn tweede week echter stond Springtij me op te wachten op de treden naar St. Raymond's, robuust en welverzorgd, haar tas aan haar over elkaar geslagen armen. 'Het gaat erom dat men aantrekkingskracht ziet als wat het is,' deelde ze mee, 'dat men ervan geniet om wat het is, ervan geniet met je hele lichaam.'

'Waar hebt u het in vredesnaam over?'

'Toen ik jong was, hadden we ook knappe priesters in deze parochie.'

'Dat is fijn voor u.' Ik liep bij haar weg.

Maar zij bleef naast me lopen. 'Als je je lustgevoelens verwart met liefde, ben je erg naïef.'

'Jezus Christus, grootmoeder. De man is priester.'

'Dat klopt.'

'Allemachtig, u choqueert me.'

We waren bij de hoek van Castle Hill Avenue, en ik bleef staan om afscheid van haar te nemen; zij liep echter met me mee in de richting van Westchester Square, waar ik in de bus naar school moest stappen.

'Toen ik zo oud was als jij, Belinda, dacht ik dat ik persoonlijk de seks had uitgevonden.'

'Dat ís ook zo. Het staat in alle encyclopedieën ter wereld: "Natalina Amedeo heeft de seks uitgevonden in het jaar Onzes Heren 1920." Is dat niet het jaar waarin u met grootvader getrouwd bent?'

'Ja, maar de seks had ik drie jaar voor mijn kennismaking met hem uitgevonden.'

'Toch niet *met* grootvader?'

'Niet zo brutaal, jij.' Ze hield mijn tempo moeiteloos bij, een gevolg, dat wist ik, van die anderhalve kilometer die ze dagelijks zwemmend aflegde in het zwembad van oudtante Camilla.

'Oké, dan volgt hier een verbetering: Natalina Amedeo heeft de seks uitgevonden in het jaar Onzes Heren 1917, toen zij...'

'... geloofde dat haar ouders voorgoed de seks hadden afgezworen.'

'Dat was waarschijnlijk ook zo.'

'Dat wensen alle jonge mensen te geloven. Die zijn zo naïef over alle andere dingen dat ze zichzelf wijsmaken dat ze meer van seks afweten dan hun ouders... althans seks op hún manier. Alsof er zoveel verschillende manieren zijn.'

'Tweeëntachtig, om precies te zijn.'

Ze gluurde van opzij mijn kant uit.

'Dat was maar een grapje.'

'Geniet van de lust, Belinda.'

'Toe nou, grootmoeder.'

'Ik meen het: geef je over aan de lust.'

'Zoals u erover praat, klinkt het als... zeilen.'

'Neem je lust op in je hartstocht voor muziek. Balanceer dat gevoel daar op de hoogste noot. Besef dat het normaal is en straf jezelf niet af.'

'Hoe moet ik me overgeven en balanceren en straffen, allemaal tegelijk?'

'Houd je lust op de hoogste noot.' Ze pakte mijn mouw vast, zodat we beiden stilstonden. 'Bedenk dat je de Kerk niets ontneemt. Zolang je de kwestie niet ingewikkelder maakt door er iets fysieks van te maken. Laat je voeden door die lust. Geniet ervan. Je mama – die was net zo op het moment dat ze voor het eerst Julian zag, net als jij met die priester. Vijfduizend kaarsen, brandend, allemaal tegelijk. Ze had Malcolm bij het altaar moeten laten staan, om weg te rijden met Julian. Alleen zou ze dan geen kinderen, jou en Bian... – Alleen zou ik jou dan niet hebben. Of jij zou dan niet zijn die je bent, is het wel?'

'Wilt u beweren dat ze een verhouding met meneer Thompson heeft gehad?'

'Natuurlijk niet. Ze hunkerde alleen naar hem. Het treurige is dat ze haar hunkering niet kon combineren met een gevoel voor humor. Ze had ervan moeten genieten. Ze is te serieus... Jij lijkt meer op mij. Maar ze zal de rekening vereffenen.'

'Wat voor rekening?'

'We vereffenen allemaal een rekening met onze kinderen. Omdat ze ons verlaten. Wij vereffenen de rekening door de liefde van hun kinderen te stelen. Wacht maar af, zodra jij kinderen krijgt, zal je mama jou hun liefde ontstelen.'

'Dan valt er dus niets te stelen. Want ik krijg geen kinderen.'

'Dan moet je maar liever uit de buurt van die priester blijven. Als hij het priesterschap laat varen, zal dat niet enkel en alleen voor een vrouw zijn. Hij is het type man dat kinderen zou wensen.'

'Ik zei alleen dat ik geen...'

'En neem het volgende van me aan, voor je encyclopedieën van de hele wereld: Natalina Amedeo heeft de seks uitgevonden in het jaar Onzes Heren 1917, en niet noodzakelijkerwijs met de man met wie ze uiteindelijk zou trouwen.'

Franklin wist pas vier maanden later dat hij klaar was om het priesterschap te verlaten, toen het mij niet meer genoeg was in mijn fantasie samen met hem te genieten – waarbij ik me overgaf en balanceerde en bestrafte in verbijsterende combinaties – en ik hem tijdens de biecht vertelde dat ik niet kon slapen.

'En hoe komt dat?' vroeg hij vanuit het schemerige hokje achter de scheidswand, met zijn slanke vingers ineen boven zijn wenkbrauwen.

De biechtstoel stonk naar verschaalde wierook en stoffig fluweel. Als meisje had ik altijd geprobeerd me de meeste geuren voor te stellen op grond van wat anderen me vertelden, totdat ik aan mijn voorhoofdsholten geopereerd werd en begreep hoe het was als geuren vrijelijk door me heen gingen.

'Waarom kun je niet slapen?' vroeg Franklin.

Ik huiverde. Staarde naar de bleke huid van zijn polsen, waar ze verdwenen in de zwarte stof. Ik stelde me zijn blote schouders voor, tegen mijn handpalmen; de huid daar zou zachter zijn dan op zijn bovenarmen. En als zo vaak verving die voorstelling het doen, die werd krachtiger dan het doen, veranderde de sfeer tussen hem en mij.

Zodat zijn stem dringend en behoedzaam werd toen hij vroeg: 'Waarom?'

Terwijl ik me afvroeg hoe zijn rug zou aanvoelen, drukte de kou van de stenen muren tegen me, en die herinnerde me eraan dat ik me bevond in de kerk waar deze man – deze priester – bij elke mis het bloed van Jezus dronk. Ik was in geen jaren te biecht gegaan, hoewel ik een hele lijst van zonden had vergaard, genoeg om mij minstens tien jaar in het vagevuur op te sluiten – en misschien wel in de hel, te oordelen naar wat ik op het punt stond te doen. En toch... Toch zei ik het, hoewel honderd stemmen in me probeerden me tegen te houden, de stemmen van de familie, van mijn voorouders, van heel Italië.

Ik zei: 'Ik kan niet slapen omdat ik aldoor aan jou moet denken.'

Toen ik Franklin meenam naar mijn familieleden, krompen sommigen ineen wanneer ik hem aanraakte – vaak, opzettelijk – om hen eraan te laten wennen dat wij bij elkaar hoorden. Ze wisten niet zeker of ze hem moesten vragen het tafelgebed te zeggen voordat we gingen eten, een eer die ze elke priester bij hen thuis zouden aanbieden. Deze priester echter was een priester die zich te schande had gemaakt, en ik was Maria-Magdalena-minus-verlossing, degene die de oorzaak was van zijn val, vanuit de deugd tot in mijn bed.

Alleen was Franklin tot dusver niet in mijn bed gevallen.

Franklin sliep op mijn bank.

Hoewel hij bereid was geweest het priesterambt op te geven, was hij niet bereid het celibaat te laten varen. Hij hield zich op dat punt aan katholieke voorschriften, en hij troostte me door te zweren dat hij ernaar snakte met mij de liefde te bedrijven. En ik hield me in, drong niet aan. In die tussentijd brachten we heel wat avonden door met andere ex-priesters en ex-nonnen. Die moesten er altijd al zijn geweest, maar ze waren heel anders dan de nonnen en priesters van mijn kinderjaren: sommigen droegen shorts of rookten, en zijn vriendin Ruthie vloekte erger dan mijn tante Leonora. Van Ruthie leerde ik op een afstand van honderdvijftig meter ex-nonnen herkennen, en wel aan hun degelijke wandelschoenen en aan de korte haren tot aan hun oorlelletjes.

Franklin werd gefascineerd door mensen die *niet* omtrent hun twaalfde tot de slotsom waren gekomen dat ze een roeping hadden. 'Hoe oud was je toen je voor het eerst een jongen in je liet komen?' vroeg hij op een ochtend toen we elkaar bij de koffiepot ontmoetten. Takken verdrongen zich voor de ramen, zodat de keuken veranderde in een boomhuisje, een geheim oord waar je zonder gordijnen kon wonen.

'Vijftien.'

'Waar?'

Ik wees naar mijn kruis.

Hij lachte hardop.

'In Freedomland,' zei ik. 'Achter de New Orleans Mardi Grasbaan.'

'Wat ben je toch dapper.'

'Zeg je dat tegen alle tienermeisjes die bij je komen biechten?'

'Alleen tegen jou.' Franklin trok me naar zich toe, heup tegen heup, alsof we op het punt stonden bij een tango door een balzaal te zwenken, over het geel-en-oranje linoleum van mijn hospita. 'Weet je nog dat liedje? "Mammie en pappie nemen mijn hand, nemen me mee naar Freedomland, twee vijfennegentig, meer niet, zodat je de hele dag geniet..."'

Franklin was twaalf geweest toen hij van zijn paard was gevallen; hij was met zijn hoofd tegen de stenen muur van de buren terechtgekomen, en kwam op zijn knieën overeind – hij mankeerde niets en was ervan overtuigd dat God hem wenste als priester.

'En hij was niet eens katholiek,' hoorde ik van zijn moeder toen Franklin me meenam naar White Plains om kennis met zijn ouders te maken. 'Hij had gewoon te veel films over jonge priesters gezien.'

Zijn vader knikte. 'Na dat ongeluk met paardrijden wilde Franklin met alle geweld naar een katholieke school. Heel ongewoon voor onze Franklin, dat hij zo aandrong.'

'Heel ongewoon,' zei zijn moeder.

'Niet echt,' zei Franklin. 'Jullie hebben me geleerd altijd uit te kijken naar voortekenen.'

Zijn ouders keken elkaar aan, verwonderd, en vervolgens zetten ze elk een verdraagzaam gezicht. Omdat zij unitariërs waren, wisten ze dat ze verdraagzaam hoorden te zijn. Toch hadden ze mij, in de weken voor ons huwelijk, minstens driemaal bedankt omdat ik Franklin had weten om te praten. 'Wij hebben geprobeerd die priesterstudie te verhinderen.' Zo ziet unitarische verdraagzaamheid er dus uit.

Toch was het altijd nog meer verdraagzaamheid dan Franklin en ik van mijn eigen familie kregen – afgezien van tante Leonora, natuurlijk, een echte voorvechtster van verdraagzaamheid. Voor de familie was ons huwelijk onvoorstelbaar – stel je voor, een gescheiden vrouw en een weggelopen priester –, en nog onvoorstelbaarder was dat we niet in een katholieke kerk mochten trouwen. En toch deed de plechtigheid, die plaatsvond in de Veteranenzaal die oom Victor graag huurde voor Festa Liguria, op een merkwaardige manier katholiek aan, niet alleen omdat er onder onze gasten verscheidene ex-nonnen en ex-priesters waren, maar vooral omdat ik als de dood was dat iemand zou opstaan wanneer de vrederechter vroeg of er iemand was die bezwaren had. Elke katholieke bruid die ik ken, was als de dood voor een dergelijke verstoring geweest, en ons huwelijk had wel een legioen bisschoppen tot interventie kunnen dwingen.

Maar de vrederechter stelde die vraag niet eens, en toen Franklin luid en duidelijk 'Ja' zei, kon ik alleen maar bedenken dat Franklin, toen Jonathan 'Ja' had gezegd, nog op het seminarie had gezeten, bij het eerste licht zat te bidden in de kapel, de geschiedenis van het geloof had bestudeerd.

Nadat we de maaltijd hadden genoten, het huwelijksgeschenk van oom Victor, nadat we gedanst hadden op de muziek van de accordeonband, nadat Anthony naar buiten was gegaan, nadat we de taart hadden aangesneden, vroeg papa ons te helpen bij het bedenken van weer eens een nieuwe naam voor zijn bedrijf.

'In die naam moet "Dak" of "Dakbedekking" zitten. Iets wat de mensen kunnen onthouden.'

'GDDNL,' zei tante Leonora zonder enige aarzeling.

'GDDNL...' Hij zette een nieuwsgierig gezicht.

'Precies.' Ze tikte met een vuurrode nagel op het witte tafellaken, alsof ze de letters uittypte voor papa.

Nadat zijn vijfde dakdekkersbedrijf, 'Wholesale Roofing', op de fles was gegaan, had hij korte tijd een tankstation gehad, het enige tankstation met een stomerij dat ik ooit gezien had, met een neonreclame: 'Uw dierbaarste jasje gratis gestoomd tijdens het tanken. Minimaal 28 liter.' Daarna was een andere combinatie gekomen: een holle fietsenwinkel die 's avonds veranderde in een bioscoop. Uiteindelijk was papa teruggekeerd naar dakdekken: dat was het vak dat hij geleerd had, het werk dat hij graag deed. En omdat hij Anthony – die afgestudeerd was op de koksschool, maar niet als kok werkte – had om zijn kantoor en eventuele werknemers te beheren, kreeg papa werk aan daken. Toen Anthony voorstelde de Gouden Gids in te schakelen, koos papa namen uit het begin van het alfabet, zodat eventuele klanten hem meteen zouden vinden – A-Okay Roofing; Affordable Roofing – alleen waren beide namen alweer veranderd voordat de nieuwe Gouden Gids uitkwam.

'GDDNL...' Papa vormde een rechthoek met zijn vingers en staarde daardoorheen alsof ze die letters omlijstten. Toen verschoof hij ze tot ze mama omlijstten – zij was geheel in perzikgeel, een van de weinige keren dat ik haar iets anders dan zwart had zien dragen. De witte japon die ze het jaar daarvoor had gekocht, toen ze met meneer Thompson – *Noem mij maar Julian* – was getrouwd, had ze geverfd, en ze had een perzikgeel kanten vest ontworpen dat eroverheen zweefde. Haar haar was nog steeds korter dan vroeger, door haar trouwkapsel van Madison Avenue, even duur als tien kappersbezoeken in de Bronx.

'Wat vind jij van GDDNL?' vroeg papa aan haar.

'Dan zou ik eerst moeten weten wat het betekent.'

Papa knikte energiek.

Sinds hun scheiding hadden hij en mama zich beter met elkaar op hun gemak gevoeld dan tijdens hun huwelijk. Omdat hij degene was die in de steek was gelaten, was ik weleens boos op mama; en hoewel hij nu uitging met andere vrouwen, had ik toch het gevoel dat ook dat haar schuld was.

Met meneer Thompson had ik me niet op mijn gemak gevoeld op de dag dat ik hem ontmoette, omdat hij zo graag weg wilde uit Hartford, zijn meubelwinkel naar de Bronx wilde verplaatsen om in de buurt van mama te zijn. Voor mij was het allemaal te plotseling. Ik voelde me niet op mijn gemak op de dag dat hij met mama trouwde, en op mijn trouwdag had ik dat gevoel opnieuw, al was zowel mama als ik nu tweemaal getrouwd. Maar zoals ze hier zaten – zij helemaal in het perzikgeel, met haar ene schouder tegen de zijne alsof ze het niet kon afwachten naar bed te gaan met de man die besloten had dat ze niet mocht roken. Daarover had ik ruzie met hem gemaakt, maar hij had gezegd dat het was opdat ze langer zou blijven leven. Hij wenste niet te horen dat vrouwen in mijn familie oud werden en rookten zoveel ze wilden.

Ik voelde dat mama naar me keek, en toen ze knipoogde, bedacht ik hoe wij tweeën stiekem sigaretten hadden gerookt op de brandtrap, of over haar fornuis gebogen, snel trekjes nemend, terwijl de afzuigkap de rook opzoog, en wij dropjes kauwden om onze adem te verfrissen. Als samenzweerders deden mama en ik het lang niet gek, maar onze normale relatie was vluchten en achtervolgen. Ik vluchtte nog steeds voor haar verdriet, omdat ik niet wilde dat het mijne daardoor zou oplaaien. Ik kon voor haar geen vervangster van Bianca zijn; en toch was ik de enige die op Bianca leek. In de spiegel echter was alleen ik te zien – zonder Bianca. *De ik die haar afwezigheid bevestigt. Mijn evenbeeld ligt te rotten onder de aarde. Hoe lang duurt dat? Is er nog iets van ons over? Een rib of een schedel of een dijbeen? Het hart zal al verdwenen zijn. Misschien is het hart altijd het eerste wat verdwijnt. Met Jonathan was dat zeker het geval geweest. En dan moet het lichaam gewoon volgen.* Als meisje was ik stevig gebouwd – Bianca en ik allebei trouwens: stevig en lang – en toch ben ik uiteindelijk mager geworden, alsof de dood van mijn tweelingzus me van mijn vlees had beroofd.

Van tijd tot tijd haatte ik haar.

Omdat ze dood was.

Omdat ze verliefd waren op haar afwezigheid.

En toch liet ik soms toe dat mama, om van haar overmatige liefde te proeven, mij in Bianca veranderde; ik werd gretig Bianca voor haar, en genoot van de liefde die niet voor mij bestemd was, hoewel ik nooit voldoende voor haar zou zijn, hoewel ze me niet zonder verdriet kon aankijken. Wat heb ik om haar liefde gevochten, en geprobeerd die aan te passen aan de intense en verwarrende liefde die ik voor haar voelde. En steeds verloor ik het, want een dode dochter was sterker dan een dochter die nog leefde. Eén keer, geloof ik, heeft mama begrepen hoe het voor mij was, want ze huilde en omhelsde me stevig en zei: 'Ik wil je dit nooit aandoen, je dwingen om allebei mijn dochters te zijn voor mij.' En ik maakte me los uit haar armen en zei: 'Ik snap niet wat je bedoelt.'

'GDDNL...,' zei Papa langzaam. 'Het klinkt niet gek, Leonora, maar wat betekent het?'

'Goedkope Daken Die Niet Lonen.' Tante Leonora knipperde niet met haar ogen.

Net op dat moment kwam Anthony weer binnen. Hij bleef aarzelend bij de deur staan, alsof hij op het punt stond weg te gaan. Franklins ouders keken elkaar even aan, verbaasd, maar voorzagen vervolgens hun gezichten van een identiek getuigenis van verdraagzaamheid.

'Heb je dat uit een van je kruiswoordraadsels?' vroeg papa aan Leonora.

'Ik heb het zelf bedacht.'

'Heel origineel. Ik had het kunnen weten.'

Mijn grootvader begon te hoesten, en Anthony hield zich stijf rechtop, behoedzaam, als zo vaak. Van hem kon je dat zwijgen verwachten, of anders overdreven grapjes, op het scherpe randje van plagerijen, alsof hij wilde dat we hem een mep gaven om hem tot zwijgen te brengen.

'We hebben nog een paar stukjes bruidstaart,' deelde oom Victor mee. 'Tenzij iemand nog wat gevulde kalfsborst wil, of...'

'Ja,' zei Franklin. 'Kalfsvlees voor mij, alstublieft. Ik zou ook nog wat van die spaghetti van u willen hebben.'

We staarden allemaal naar mijn bruidegom toen hij zijn spaghetti in stukjes van vijf centimeter sneed, en toen mijn grootvader als eerste zijn blik afwendde, zwoer ik in stilte dat ik Franklin zou leren spaghetti om zijn vork te wikkelen, rustend in zijn lepel.

'Nog een toast,' stelde mijn grootvader voor met zijn zachte stem. 'Ga zitten, Anthony. Toast met me mee op onze schat van een bruid en op haar...'

'Ik wil wedden dat je nog wel meer originele ideeën hebt,' zei papa tegen tante Leonora.

'Tja, als je de voorkeur geeft aan een kortere naam...'

'Goed, dan iets korters.' Als gewoonlijk benadrukte hij elk woord met een handgebaar. Maar alleen zijn handen bewogen. De rest van zijn lichaam leek verstijfd. Vroeger had hij zijn woorden vergezeld laten gaan van bewegingen van zijn hele lichaam, maar sinds die Quality-schurken zijn handen hadden stukgeslagen, was het geweest of papa niet meer volledig over taal beschikte. Accordeon spelen was ook een deel van zijn taal geweest, maar hij had nooit meer gespeeld.

'Je zou de N kunnen schrappen en er gewoon GDDL van maken,' zei tante Leonora.

'Goedkope Daken Die Lonen?' Hij grinnikte naar haar als een schooljongen, alsof hij graag geprezen wilde worden om zijn juiste antwoord.

Maar zij verbeterde hem. 'Lekken.'

Minstens vier van de familieleden herhaalden de woorden geluidloos, 'Goedkope Daken Die Lekken,' en op dat moment wist ik dat we allemaal een zeker plezier voelden om papa's dilemma. In combinatie met schuldgevoel vanwege dat plezier. Geen van ons schoot papa te hulp. Zelfs ik niet. Want tante Leonora had een zeker recht op haar boosheid.

Boosheid op papa omdat hij haar zoon uitbuitte.

Boosheid op haar zoon omdat hij zich liet uitbuiten.

Ik had nooit goed begrepen waarom Anthony gekozen had voor werk waarvoor hij op daken moest klimmen; maar zoals hij daar zat aan mijn U-vormige feestdis, griezelig zwijgzaam, turend naar zijn moeder – elk van haar woorden was een wapen in haar gevecht om hem te heroveren –, vroeg ik me af of hij soms een of andere merkwaardige genoegdoening vond door bij papa zijn arbeid in te ruilen voor het leven van mijn zusje. Zelfs als papa bepaalde eigenaardige wraakgevoelens koesterde, had Anthony zich medeplichtig gemaakt aan zijn uitbuiting.

Opeens kreeg ik genoeg van zijn zwijgen, zijn naargeestig zwijgen. Vroeger had ik het gezien als een spel, een weddenschap met zichzelf om een familiediner te doorstaan zonder een woord te zeggen. Op een middag op Jones Beach, de vorige zomer, toen ik hem mijn zonnebrandolie had aangeboden en hij nee had geschud, had ik besloten na te gaan hoe dat soort zwijgen aanvoelde. Ik bleef zwijgend naar hem kijken, al wist ik heel goed dat Anthony, anders dan papa die alles aannam wat hij kon, zelfs moeite had met het aannemen van complimentjes of een tweede kop koffie of mijn zonnebrandolie. Dan verbrandde hij nog liever. Nog wat meer lijden.

Ik bleef wachten. Zwijgend. Maar ik hield het nauwelijks twee minuten uit. 'Wil je dan nog liever verbranden?' schreeuwde ik hem ten slotte toe.

Hij keek me gekweld aan.

'Wat wil je, Anthony? Nog wat meer lijden?'

Nog steeds weigerde hij te spreken.

'Stilzitten, verdomme nog aan toe.' Ik sprong op van mijn badhanddoek, maakte het flesje open en smeerde olie op zijn rug, en toen hij ineenkromp, zei ik: 'Blijf dan toch stilzitten.'

Anthony was er niet bij op de ochtend dat mijn tweelingzus in de aarde werd gestopt met haar lievelingsspeelgoed en snoepjes in de kist, met Nik-L-Nips en Bazooka-bubbelgum en toffees met papiertjes en Chuckles, met haar Tiny Tears-pop, die echte tranen kon huilen, maar niet met de Superman-cape die haar zo in de steek had gelaten.

Ik had papa's dominospel in de kist van mijn zusje gelegd, omdat hij niet naar haar begrafenis had mogen komen. Over de telefoon vanuit de gevangenis had hij gehuild, en ik had hem beloofd iets te zoeken wat van hem was, om aan Bianca mee te geven.

Later, in het huis van mijn grootouders waar we een tijdje logeerden, fluisterde Anthony's vader oudtante Camilla toe dat Anthony was opgehouden met praten op de dag dat Bianca was doodgegaan. Kijken naar eten maakte me misselijk, maar de grote mensen schepten *linguine* en bonen en een plak van Springtijs kerstkalkoen op mijn bord. Ik nam het bord mee naar boven, en toen ik het verstopte onder het bed van mijn grootouders, schrok ik van het plotselinge geluid van een opstijgend vliegtuig; toen ik omhoogkeek, was de Jezus met die zongebruinde huid en die nieuwsgierige ogen naar me aan het gluren vanaf het schilderij boven de ladenkast.

Haastig nam ik het bord weer mee, en ik liep ermee naar buiten, waar de lucht even grijs was als de beplanking van de muur. De ribbels daar leken op de ribbels in karton, maar toen ik de nagel van mijn wijsvinger erin drukte, liet die geen spoor achter. Ik deed het deksel van het kastje voor de melkboer open en zette mijn bord erin. Tegen de grauwe hemel leek het smeedijzeren hek op een inkttekening. Dat gold ook voor de lege smeedijzeren bloembakken die aan de muren onder de ramen op de benedenverdieping waren bevestigd; vandaar hoorde ik stemmen, gelach zelfs. Hoe kon iemand op een dag als vandaag lachen?

Heel opeens moest ik plassen. Maar als ik weer naar binnen ging, zouden ze me weer zo'n vol bord opscheppen. Ik zocht een plekje om achter neer te hurken. Maar als er dan weer zo'n vliegtuig over kwam, en lager? Ik besloot staande te plassen, als een jongen. Halverwege het straatje, naast de zijkant van het huis van mijn grootouders, ging ik met mijn vingers onder mijn zwarte rok en wrong mezelf zo dat mijn pies er naar voren uit moest komen. Toch kreeg ik natte handen. Wat me erg verbaasde, was dat mijn pies zo warm was, iets wat je niet merkt wanneer het gewoon in een wc wegloopt.

Ik kreeg Anthony de volgende dag niet te zien, en ook niet de dag daarna.

Drieëntwintig dagen lang kreeg ik Anthony niet te zien.

Niet op oudejaarsavond, die we niet vierden.

Niet toen de school weer begon in januari.

Zijn ouders stuurden hem daar niet heen, ze hielden hem thuis, alsof zijn verdriet groter was dan het mijne. Ik voelde me bekocht, want ik moest wél naar school, hoewel het *mijn* zusje was dat was doodgegaan.

Voorzover mij verteld is zijn Anthony's ouders met hem naar dokters gegaan omdat hij nog steeds niets zei – niet één woord – en toen een van de artsen zei dat het heel goed voor Anthony zou kunnen zijn als hij een paar weken ergens anders verbleef, namen zijn vader en onze grootvader hem mee naar Canada.

'Hoe ze op het idee van een jachttrip kwamen, begrijp ik niet,' zei Springtij. 'Of waarom ze dachten dat een reis met alleen mannen de jongen goed zou doen. Het is te gek.'

'Misschien zijn we op het ogenblik allemaal een beetje gek,' zei mijn moeder.

Hoewel ik een jaar ouder was dan Anthony, mocht ik niet mee naar Canada. Ik vond het zorgwekkend dat ik hem meer miste dan mijn zusje.

In die drieëntwintig dagen verhuisden wij naar gemeubileerde kamers aan Ryer Avenue, en ik werd overgeplaatst van St. Margaret Mary's naar St. Simon Stock. In alle flats waar ik tot die tijd had gewoond, was het meubilair anders, en ik zag het als de meubels van de huisbaas, omdat alle huisbazen opgingen in één persoon, degene die beschikte over de macht om onze waarborgsom in te houden als we de meubels meer krassen of vlekken bezorgden dan er al in zaten. 'Voorzichtig met de meubels van de huisbaas,' zei mama waarschuwend, want het was van wezenlijk belang dat we onze waarborgsom weer terugkregen. En er was altijd een volgende flat. Soms verhuisden we in het geheim, in het holst van de nacht, omdat we de huur niet konden betalen. De enige dingen die met ons mee verhuisden waren mama's naaimachine; haar paspop die ons volgde als een extra kind; en de televisie die oom Victor ons had gegeven.

Ik was dol op de televisiebisschop, bisschop Sheen, die op me af kwam lopen alsof hij zo uit het scherm zou stappen, met gevouwen handen, om elke nieuwe flat te inspecteren. Vervolgens spreidde hij zijn handen en zei waarschuwend tegen me: 'Geloof in het ongelooflijke, dan kun je het onmogelijke doen,' en dan keek ik om me heen, en dan viel me opeens op wat mama allemaal al aan het doen was om de flat te verbeteren – ze nam muren af, wreef tafels en stoelen in met citroenolie, verborg zelfs de afschuwelijkste bekledingen onder schone overtrekken – gestreept katoen voor de zomer, groen fluweel voor de winter – met bandjes en plooien zodat ze op alle mogelijke banken en stoelen pasten, en zodat elke flat onmiddellijk een vertrouwde indruk maakte.

De meeste van haar stoffen kocht ze in de uitverkoop bij Pring's, waar de rollen stof zo hoog opgestapeld lagen dat ik er niet overheen kon kijken. Omdat ik brandende ogen kreeg van nieuwe stoffen, waste mama ze, en als dat niet mogelijk was, hing ze ze buiten op, voordat ze begon te knippen en te naaien. Juffrouw Pring – Emily-van-de-stoffenzaak, zoals mama haar noemde – keek altijd zo blij wanneer mama haar nieuwe schetsen liet zien of haar bedankte voor speciale stoffen die ze in de kamer achter de winkel apart had gelegd voor mama. Emily-van-de-stoffenzaak praatte met mama over wie er gingen scheiden, en ze zei dat de mensen mama's trouwjaponnen zo mooi vonden. Emily-van-de-stoffenzaak zei dat mama van die prachtige handen had, en liet me zien wat ze bedoelde door mama's handen in de hare te nemen totdat mama ze terugtrok. In elke nieuwe buurt vond mama snel nieuwe vriendinnen, en ik vond die vrouwen aardiger dan Emily-van-de-stoffenzaak, want haar adem bleef hangen in de stoffen, en dan kreeg ik last van mijn ogen.

Stoffen die mama voor zichzelf kon kopen, waren nooit zo duur als de stoffen die ze voor haar klanten verwerkte, en waarvan ze de restjes gebruikte om iets voor mij te maken. Voor blouses zonder mouwen was de minste stof nodig. Daarom had ik verscheidene duur uitziende blouses, die ik van mama niet mocht dragen wanneer klanten nog eens terugkwamen. Hoewel ik me niet kon herinneren welke klant welke stof had meegebracht, wist mama dat altijd precies, want ze geloofde dat alles wat door je handen was gegaan, in je geheugen bleef hangen. 'Ik kikker ervan op als ik je in mooie kleren zie,' zei ze altijd.

Oudtante Camilla had mooie kleren, elegante kleren, en ik snakte naar die elegantie, snakte ernaar niet arm te zijn. 'Camilla boft maar,' zeiden familieleden weleens, 'dat ze een vriendin heeft om de huur van de flat te delen. Daardoor kan ze het zich veroorloven aan de Upper East Side te wonen.' Begreep een van hen iets van de liefde tussen haar en mevrouw Feinstein? Waarschijnlijk dachten ze er niets bij. Ze zeiden tegen haar dat ze mevrouw Feinstein moest meebrengen voor familiediners, maar dat deed ze zelden. 'Mevrouw Feinstein is op bezoek bij haar eigen familie,' zei ze dan. Ze plaagden elkaar over bezoeken aan Camilla, want mevrouw Feinstein was in het bezit van antiqueermiddelen en maakte alles wat ze zag antiek met strepen en gouden stippeltjes. 'Kijk maar uit,' zeiden ze, 'straks kom je nog thuis met een antiek gezicht.'

De zekerheid dat ik binnenkort, als Anthony eenmaal terug was uit Canada, hem helemaal voor mezelf zou hebben, was niet het enige goede dat me overkwam nu ik geen zusje meer had. Ook had ik nu een eigen kamertje. En mijn ouders waardeerden me meer dan eerst. Ook vond ik het flatgebouw aan Ryer Avenue mooier dan ons vorige gebouw, want de stenen glinsterden wanneer de zon erop scheen, en ik hoefde niet meer bang te zijn als ik afval naar de containers in de kelder moest brengen, want we konden het via de stortkoker naar de verbrandingsoven laten vallen. De huismeester zette dan de as aan de rand van het trottoir, voor de vuilniswagen. Op sommige avonden kon je rook zien opstijgen uit mijn schoorsteen, en een keer zweefde een brandend stuk papier weg op de rook, en het gloeide even na als een vallende ster, waarbij je een wens mocht doen.

Telkens wanneer mama's treurigheid kwam, hield ik mijn resterende gezin bij elkaar door boodschappen te doen, de wekker op te winden, water te koken voor hotdogs en spaghetti. Dat waren de twee dingen die ik kon bereiden, en ik combineerde ze, sneed de hotdogs in plakjes en roerde ze door de spaghetti terwijl die kookte. Margarine zorgde dat het niet kleefde, maar we hadden niet altijd margarine.

Op een middag, begin januari, trof ik mama huilend op haar bed aan, met haar gezicht naar beneden, met haar rok omhoog tot aan haar jarretels. Ik wreef met mijn hand tussen haar schouders. 'Ik ben er,' zei ik, 'ik ben er.'

Toen papa thuiskwam, probeerde hij mama op te vrolijken.

'Laat dat,' kreunde ze.

Maar hij trok aan haar tot ze in zijn omarming overeind stond, wankelend op haar benen.

'Floria,' fluisterde hij. 'Toe nou, meisje...'

Ze kuchte. 'Ik kan het niet.'

'Neem mijn adem.' Papa blies in zijn hand en hield die zachtjes voor haar mond. 'Doe maar of het jouw adem is.'

'Ik... ik...'

'Slik maar in. Doe maar of het van jou is.'

'Doen, mama. Slikken,' riep ik. Het gezin was al van vier in drie personen veranderd, en hoewel we eerder vaker met ons drieën waren geweest, telkens wanneer papa Ergens Anders was, waren we altijd weer een gezin van vier geworden. Alleen kon dat nu niet meer. Omdat het Bianca was die weg was, en niet papa, en dat betekende: als hij opnieuw Ergens Anders moest zijn, zouden we een tijdlang maar met ons tweeën zijn, mama en ik, en als mama stikte in haar gekuch en doodging en begraven werd, zou ik helemaal alleen zijn. 'Slikken,' schreeuwde ik tegen haar. 'Slik papa's adem in. Nu, zei ik.'

'Het spijt me.' Mama's gezicht was glibberig, haar mond hing open.

'Belinda,' zei papa, 'zet de douche aan. Warm. En hou de deur dicht.'

Ik rende naar de badkamer, tilde haastig mijn konijn uit de badkuip, zette hem in zijn kartonnen doos naast de wc en wachtte tot het water warm werd. Het was vreemd om water uit de douche te zien stromen zonder dat er iemand onder stond. Wolkjes stoom als witte bloemen. Tante Leonora zei dat witte bloemen niet zo sterk waren als gekleurde bloemen. Ik vond tante Leonora aardig, al had grootmoeder Springtij tegen me gezegd dat tante Leonora nogal egoïstisch was; het enige wat ik kon zien was dat tante Leonora knap was, en als een knap gezicht hetzelfde was als egoïstisch, dan wilde ik zelf ook best egoïstisch zijn. De witte stoombloemen verspreidden hun bloesems rond de lamp, en verborgen barsten in het plafond, omkrullende randen behang. Er waren witte bloemen rondom Bianca's kist geweest. Zij was tenminste geen heidense baby.

Toen papa binnenkwam, droeg hij mama over zijn ene schouder. Terwijl hij met zijn ene arm mama's benen tegen zijn borstkas klemde, ging hij op het deksel van de wc zitten, duwde de doos van het konijn met zijn schoen opzij en liet mama naar voren glijden totdat ze op zijn knieën zat, leunend op zijn arm. 'De stoom zal helpen,' zei hij. 'Goed zo, prima, mijn lieve Floria, ga door met ademhalen.'

Ik graaide mijn konijn in de plooien van zijn nek en nam hem in mijn armen. 'Goed zo, Ralph. Ga door met ademhalen.' Ik had heel wat huisdieren gehad, terwijl ik eigenlijk alleen een hond had willen hebben. Maar daarvoor hadden we nooit genoeg ruimte. Maar goed, Ralph was altijd nog het grootste van mijn huisdieren. En er waren kleine honden, ter grootte van Ralph. Ik niesde.

'Gezondheid.' Zweet droop over papa's voorhoofd. Zijn kin rustte op haar haar.

Terwijl ik ineendook op de rand van de badkuip, verlangde ik ernaar op zijn knieën te zitten.

'Laten we cijfers oefenen,' zei hij.

Ik schoof dichter naar hem toe.

'Daar gaan we... stel je voor dat je twaalf chocoladekoekjes hebt. Je wilt de helft voor jezelf houden, en de andere helft wil je geven aan – '

'Maar ik wil ze allemaal hebben.'

'Delen gaat over sámen delen.'

'Ik hou niet van samen delen.'

'Maar als je kunt delen, kun je er later zeker van zijn dat je nooit bedrogen wordt.'

'Jij zou me toch niet bedriegen.'

'Jou niet.'

'Dan zal ik ze delen met Anthony.'

'Goed, dus nadat je de helft van de chocoladekoekjes aan je neef hebt gegeven, hoeveel heb je er dan nog voor jezelf?' Papa's stem klonk vaag doordat de stoombloemen zich om elk woord wikkelden. Waar de spiegel was geweest, bevond zich nu een melkwitte rechthoek.

'Zes.'

'Precies. Twaalf gedeeld door twee is zes. Twaalf chocoladekoekjes gedeeld door twee kinderen is zes. Maar nu: je wilt die twaalf chocoladekoekjes delen met Anthony en oom Victor. Hoe gaat het dan?' Hij tilde zijn ene hand op van mama's dij, alsof hij een tweetal dobbelstenen schudde die het juiste aantal op mama's rok zouden werpen.

'Vier.'

'Uitstekend. Dus dat is: twaalf gedeeld door drie is vier.'

Ik niesde, en toen papa naar de zak van zijn overhemd wees, stak ik mijn hand uit. Als steeds was zijn zakdoek fris en opgevouwen, want hij droeg die alleen voor mij bij zich. Ik snoot mijn neus.

'Ik weet dat je het kunt, mijn lieve Floria.' Zijn stem en de bloemen veranderden in mama's ademtochten – ze vulden en verlieten haar moeiteloos – totdat haar treurigheid oploste in de hete nevel. Plotseling kreeg ze lucht, met een gorgelend geluid.

Ik lachte, en schaamde me onmiddellijk omdat ik gelachen had, want mama was zo treurig.

Maar papa knipoogde naar haar. 'Ik wil wedden dat je niet wist dat moeders kunnen boeren.'

'Ze huilt niet meer.'

Papa pakte mijn kin vast en boog mijn hoofd naar achteren, en in het midden van zijn lichtbruine ogen vond ik mijn ware zelf terug, niet Bianca, die er niet meer was, maar die haar kleren had achtergelaten, zodat ik een tijdlang van alles twee had: rokken en blouses en jurken en nachtponnen. Maar voor het merendeel waren die me te klein geworden, afgezien van de groene rokken en de gestreepte vestjes. Wanneer mama nu ging naaien, maakte ze maar één kledingstuk. Alleen maakte ze soms dezelfde kleertjes voor de pop, kleiner, voor de pop die altijd even groot bleef, precies zoals mijn tweelingzus dezelfde bleef op foto's en in mijn dromen, groter dan de pop, maar nog even groot als voor haar begrafenis. Soms hield ik echt van de pop, omdat ze er bijna net zo uitzag als Bianca. En soms was ik bang voor de pop. Om dezelfde reden.

Toen papa zijn nek boog, vielen zijn haren over zijn ogen, zodat mijn spiegelbeeld verborgen werd. Hij liet zijn vingers tussen zijn boord en zijn keel glijden. Waar zijn overhemd aan zijn lichaam plakte, was het nat.

Maar mama leek geen last van de hitte te hebben. De ene kant van haar gezicht rustte tegen papa's borstkas, en haar lippen waren halfgeopend, opgekruld. Toen ze iets zei, klonk haar stem slaperig. 'Je hebt vergeten je schoolkleren uit te doen.'

Toen wist ik dat ze beter was, want ze herinnerde me er altijd aan dat ik mijn bruine uniform moest uittrekken zodra ik uit school kwam.

'Ik ben... drijfnat...' Haar gezicht bewoog langs papa's overhemd. Dat kreukelde.

'Zet dat konijn neer, Belinda, en droog je af. Geef mij ook een van die handdoeken.' Hij droogde mama's gezicht en hals af. Haar polsen en armen. 'Ik zal wat warme melk met honing voor je maken.'

Ik volgde hem toen hij mama naar de keuken droeg.

Voordat hij haar op de groene bank neerlegde, omhelsde hij haar steviger. 'Wil je de radio aan hebben?'

'Doe de ramen dicht, gauw.' Ze begon te huilen. 'Heb ik echt zelf dat raam open laten staan?' Meestal deed mama de ramen open zodra het licht werd, wanneer iedereen nog sliep, en dan sloot ze ze voordat ik opstond. Vandaag echter stond het raam open. 'Ik kan geen ramen open laten staan zodat iedereen dood kan vallen.'

'Hela...' Papa deed het raam dicht en pakte haar vast bij haar schouders. 'Hela, meisje. Je moet hiermee ophouden. Je moet ophouden zo bang te zijn. Belinda, haal een sigaret voor je mama.'

Toen ik haar pakje greep, bleef mijn duim hangen aan de afgebladderde tafel. Waar de verf was afgesleten, was het hout vaag en korrelig. Ik stak een sigaret op voor mama.

'Schaefer is het enige bier dat je drinkt wanneer je er meer dan een drinkt,' zong iemand op de radio.

Om mama op te vrolijken zong ik de rest van dat reclamedeuntje, hoewel ik bier niet lekker vond. Als ik het dronk, zou ik Rheingold drinken, vanwege Miss Rheingold. In kruidenierswinkels stonden stembussen met plaatjes van meisjes die op de radio en op de televisie de volgende Miss Rheingold wilden worden, gedurende een vol jaar. Mama en ik hadden gestemd op een meisje met haar als het onze, dik en donker. 'Mijn bier is Rheingold, het droge bier,' zei de tekst op haar foto. Ik hoopte dat dat donkerharige meisje zou winnen, want als zij het kon, dan kon ik misschien ook het Miss Rheingold-meisje worden, als ik eenmaal van de middelbare school af was.

Ik kon mijn foto al zien, in kruidenierswinkels, waar mensen erop konden stemmen. 'Mijn bier is Rheingold, het droge bier,' zong ik.

'Moet je horen, Malcolm,' zei mama.

Toen ik eindelijk Anthony weer zag, halverwege januari, zei hij dat hij oorpijn had, en hij gaf me twee surprises: roze bubbelgum met ruilplaatjes van buitenlandse vlaggen, en lippen van was, met kersensmaak, en met een snor van drop. Maar toen ik ze tegen mijn lippen drukte, voelde ik de tandafdrukken van een ander in de rode was.

'Het zijn tweedehands lippen.'

'Ik heb ze uitgeprobeerd. Een keer maar.'

Ik sabbelde op de uiteinden van de snor. 'Ik heb voor jou ook een surprise.'

Achter ons flatgebouw, waar de bakstenen grijs van de vorst waren, voelde ik onder mijn geruite rok, ik duwde mijn kruis naar voren en creëerde een verbijsterende gele boog die een trechter vormde in de sneeuw. Ik dacht dat Anthony wel onder de indruk zou zijn, maar hij schopte alleen naar wat bevroren onkruid, met kromme, breekbare dorens.

Die avond kreeg ik slaag omdat ik vieze spelletjes met Anthony had gedaan. Ik legde niet uit dat ik hem alleen maar had laten zien hoe ik kon plassen, ik protesteerde niet tegen de straf, want ik begreep dat dit een oude straf was die bij mij hoorde en die me eindelijk had ingehaald – niet voor plassen, maar voor het stelen van de onyx giraf. 'Welke hand?' had oudtante Camilla gevraagd, maar Bianca had de giraf gekregen, omdat ze snel had gekozen. In de andere hand zat een stier van onyx, log, in tegenstelling tot de giraf, die elegant was, maar Bianca wilde niet met me delen, wilde niet ruilen. Wat was ik bereid te ruilen? Te verliezen? Wat ik verloor, zo geloofde ik, was mijn ziel, toen ik de giraf in een paar sokken verstopte, en toen verstoppen in stelen was veranderd omdat Bianca was gestorven. Ik had haar de giraf willen teruggeven, hem tussen haar kussen en het dominospel stoppen, maar ik was nooit alleen bij haar kist geweest. Omdat ik bang was dat iemand me zou zien met haar giraf, bewaarde ik hem in mijn zak en legde ik alleen paarse en roze snoepjes naast haar elleboog.

In de jaren na haar dood werden Anthony en ik eerder broer en zus dan neef en nicht – de enige kinderen in een familie van volwassenen. We hielden allebei van films, en we hadden dezelfde lievelings-dj, Alan Freed op de zender WINS, die ons kennis liet maken met rock-'n-roll, met Elvis, met Bill Haley and the Comets. Over mijn tweelingzus praatten we niet. Niemand praatte over mijn tweelingzus. Op de dag dat ze uit onze levens was gevallen, had ze alle verhalen over haarzelf meegenomen, zodat ik achterbleef met fragmenten van mijzelf die niet waarachtig aanvoelden. Verhalen over onze eerste communie veranderden in verhalen over *mijn* eerste communie. Verhalen over hoe we precies op dezelfde dag hadden leren lopen, veranderden in verhalen hoe *ik* had leren lopen.

Tot die tijd was ik dol op verhalen geweest, omdat de familieleden elkaar dan opjutten. 'Vertel jij dat deel maar.' 'Nee, jij. Jij doet dat zo goed.' In hun verhalen kwamen zelfs mensen van lang voor mijn tijd weer tot leven. Verhalen schonken me vaak stukjes van aanvullende verhalen die pas een week, of een maand, later afgesloten werden. En dan niet eens door dezelfde persoon. Maar wel altijd afgesloten. Behalve het verhaal van Bianca's val. Dat verhaal had geen einde. Omdat alleen Anthony het kende.

Zoveel manieren van vallen. Weglopen van mama's holle kreten die me volgen als de kreten van overvliegende trekvogels. Nu zal ik Anthony helemaal voor mezelf hebben. Ik zie al voor me hoe Anthony en ik een sneeuwpop maken, mijn konijn leren hoe hij op zijn achterpoten moet staan, gaan fietsen als het eenmaal lente is. Om te zien of ik nog dezelfde ben, klim ik op de wastafel, voor de spiegel. Mijn gezicht is vlak. Al mijn botten zijn weggesmolten, en achter die gesmolten botten zit niets. Geschrokken raak ik mijn kaak aan... mijn oren... wangen... nek... borstkas... middel... buik... benen... opgelucht dat ik er nog ben, achter mijn gesmolten botten. 'Nu kunt u Bianca laten terugkomen,' bid ik.

De huwelijksreis van Franklin en mij bestond uit een lang weekend; we reden langs de kust van New Jersey in de Oldsmobile die we van zijn vader hadden geleend. Als kind had ik dolgraag in New Jersey willen wonen, want ik zag die staat als een eindeloos weiland vol kippen en schildpadden en konijnen. Van daaruit was het heel logisch mijn tweelingzus ook daar in New Jersey te zien, klaar om terug te vliegen naar de Bronx.

Toen Franklin en ik Cape May bereikten, vonden we daar een tamelijk chic hotel voor een laagseizoenprijs, aan het strand, met een overdekt zwembad en van die kleine, schandelijk dure koelkasten. Franklin was eenendertig jaar, twee maanden en elf dagen oud, en hij was nooit met een vrouw naar bed geweest. Hij wilde heroveren wat hij al die jaren aan God had afgestaan – met vreugde, dat moet ik toegeven –, en hij heroverde het met zoveel vreugde, zoveel extase, dat neuken met hem me een heilig gevoel gaf.

Buiten: golven en het vage licht van de maan; zout in de lucht die naar water geurde. Binnen: zoveel dingen die deze nieuwe echtgenoot en ik nog niet van elkaar kenden. Hij bezat een zekere onschuld die mij het gevoel gaf dat ik eindeloos veel wijzer was, al was ik maar twee jaar ouder dan hij. Terwijl ik met mijn handen het landschap van zijn huid bestudeerde, waar hij ruw aanvoelde, waar hij zijdezacht leek, bedacht ik dat ik bezig was te weten te komen wat ik me had afgevraagd op die dag in de biechtstoel – in welke richting de haren op zijn rug groeiden; de vier kleine moedervlekken tussen zijn schouderbladen – en ik dacht: Dit lijkt op het ontdekken van een nieuwe wijk, in het eerste jaar dat je er woont.

Nadat we de liefde hadden bedreven, legde ik de zijkant van mijn gezicht tegen zijn schouder, met mijn ene hand laag op zijn vlakke buik. 'Is dit wat je bedoelde toen je zei dat je ernaar snakte om met me te slapen?'

'Dit. Ja.' Hij kuste me. Hard. Hij had me lief met zijn ziel en met zijn lichaam, en ik kon voelen dat hij er geen spijt van had dat hij voor mij het priesterschap had opgegeven. Hij had me dat al eerder verteld, maar toen ik het in mijn lichaam voelde, veranderde dat in een overtuiging. Ik was niet jaloers wanneer hij het priesterschap miste – het zou vreemd zijn als dat niet het geval was geweest –, maar er was verschil tussen betreuren en missen, en de omgang met andere ex-priesters en ex-nonnen hielp hem door dat gevoel van gemis heen.

'Vijftien jaar? Jouw eerste keer...'

Ik stak een vingertop achter zijn sleutelbeen, draaide hem zachtjes rond. 'Ik heb een hele geschiedenis van dingen vroeg doen. Dat gaat terug tot de tijd dat ik klein was en cadeautjes eerder openmaakte. Ik beschik over de gave cadeautjes vroegtijdig op te sporen. Een volle week voordat ik vijf werd, heb ik gespeeld met een pop die boertjes kon laten, een cadeautje dat ik in de muziekkamer van mijn grootvader had gevonden. Elke keer dat Springtij me betrapte met een cadeau dat zij had verstopt, vroeg ze: "Wil je dan niet liever verrast worden?"'

'Verras mij eens...'

Ik streelde zijn schaamhaar, zijn erectie. 'Als ik Springtij vertelde dat ik liever wilde weten dan verrast worden, kwam ze altijd met hetzelfde verhaal... van toen ze zeven was en nog in Italië woonde en de slaapkamer van haar ouders was binnengeslopen en daar een cadeautje had uitgepakt dat bedoeld was voor haar eerste communie, en dat ze toen misselijk was geworden tijdens de mis en de hostie van haar eerste communie in het gangpad had uitgespuugd.'

'Misschien...' Franklin kwam omhoog tegen mijn handpalm. 'Misschien had de priester haar een bedorven hostie gegeven.'

'Maak dat Springtij maar eens wijs.'

'Ik zal haar de statistieken van het Vaticaan over bedorven hosties geven...'

'Ik voelde me net een dief.'

Franklins hoofd kwam overeind, en zijn adamsappel leek gebeeldhouwd. 'Als je een cadeautje te vroeg openmaakt, ben je nog geen dief.'

Ik dacht aan de onyx giraf onder in de map met oude belastingbiljetten. Maar ik zei tegen Franklin: 'Een dief omdat ik jou gestolen heb. Weg van Jezus.'

'Dat is niet mijn interpretatie.' Franklin wrong zijn ene arm tussen mijn dijen. Legde zijn hand om me heen.

Ik drukte tegen die hand. 'Ik weet niet veel van dieven af. Maar dat is niet waar. Papa heeft altijd...'

'Kom nou...' Franklin klom over me heen.

Ik drukte me tegen hem aan, voelde hem binnen in me, dringend en diep. 'Grootmoeder Springtij...'

'...die op dit moment samen met ons in dit bed ligt...'

'...is opgegroeid met allerlei schuldgevoelens, en ze heeft haar uiterste best gedaan die door te geven aan mama en mij. Ik zie het zo: je moet ervoor zorgen dat je vrij blijft van al die flauwekul. Ik bedoel: als iets zwaar gaat voelen, of kwaad, dan maak ik me daarvan los. Terwijl mama zich vastklampt aan diezelfde dingen en probeert na te gaan wat ze verkeerd kan hebben gedaan.'

'Dit is geen... tijd voor gedachten... aan schuld.' Bijna. Hij was er bijna. Zwaar en snel en bijna klaar.

'Langzaam...' Ik bewoog me tegen hem aan. 'Langzaam... Denk aan grootmoeder Springtij.'

'Dan kom ik helemaal niet meer klaar.'

'Als het om seks gaat, is ze heel radicaal.'

Hij bewoog nu sneller.

'Ik heb bedacht: het geweten – haar soort geweten – maakt dat je je beroerd voelt.'

'Ik zie het geweten als...' Nog sneller nu. '...als iets om keuzes te bepalen. Als iets instinctiefs.'

Instinctief...

In-stinc-tief... een ritme nu, het woord *In-stinc-tief...* een echo door mijn hele lichaam.

In-

stinc-

tief...

In-

stinc-

tief...

In-

'Franklin? Ik hou van je...' Maar het was Jonathans stem die ik hoorde. *'Jij vindt instinctief de zon en gaat erin liggen. Als een kat.'*

stinc-

tief...

In-

stinc-

...een echo door mijn hele lichaam, dringend en heerlijk –

'Je bent net een kat, Belinda. Instinctief vind je de zon, en daar ga je in liggen.' Een andere echtgenoot, hetzelfde bed – 'Je inspireert me, Belinda. Vind je het erg als ik het opschrijf? "Als een kat vind je instinctief de zon, en daar ga je in liggen."'

tief...

In-

stinc-

Overdag werkt Jonathan voor de Belastingdienst, maar 's avonds ontwerpt hij wenskaarten. 'Ik weet dat ik in de buurt kom,' zegt hij, elke keer dat Hallmark zijn kaarten afwijst, en...

'Ik hou van je,' zei mijn andere echtgenoot, deze nieuwe echtgenoot, en hij buigt zijn hoofd achterover. 'Ik hou...'

tief...

In-

Franklin. Hij steekt zijn hand tussen ons in, streelt met zijn duim mijn clitoris –

In-stinc-tief...

In-

stinc-

tief... een echo, een ritme...

In-

'Franklin? Ik hou van je...'

Jonathan die weer een van die belachelijke boeken koopt: Hoe je je hobby in een loopbaan kunt veranderen zonder het huis te verlaten. *Jonathan die dagdroomt over in aanmerking komen voor belastingaftrek, over plannen voor zijn wenskaarten terwijl hij naar onze kinderen kijkt. Hoe vaak –*

Franklin, die het zweet van mijn slapen kust.

stinc-

tief...

– vertel ik Jonathan niet dat ik mezelf niet kan zien met eigen kinderen? En in hoeveel nachten praat hij niet almaar over onze kinderen – kin-deren, altijd in het meervoud – terwijl ik afwacht tot hij zichzelf in slaap heeft gepraat? Tot een avond, wanneer het gevaarlijk lijkt naar hem te luisteren over kin-deren omdat hij me zou kunnen overtuigen, mijn wil verdringen.

'Te veel van mezelf ontbreekt nog in Bianca.'

'Wat wil dat zeggen?'

'Ik wil er niet meer over praten.'

'Ik denk dat het wil zeggen dat jij Bianca gebruikt als zondebok voor alles wat je niet wilt voelen.'

'Niet met mij. Je kunt geen kinderen krijgen met mij.'

Maar hij zet zijn geduldige stem op: 'Het zal niet lang duren voor je kin-deren wilt. Het is een kwestie van biologie, Belinda.'

Ik reageer woedend. 'Vertel jij me niet wat ik wil.'

Dan zwijgt hij. Bijna een volle minuut houdt hij zijn mond. En dan zegt hij beschuldigend: 'Jij doet alleen wat jij prettig vindt.'

Ik zoende Franklin. 'Hij was anders dan jij.'

'Wie?'

'Jonathan.'

'Ach, alweer iemand bij ons in bed – het doet er eigenlijk niet toe. We hadden je grootmoeder al.'

'Laten we een nieuw bed kopen.'

'Om ruimte voor nog een paar mensen te maken?'

'Het stamt nog uit dat andere huwelijk.'

'We schaffen een nieuw bed aan.'

'Jonathan zei dat ik alleen doe wat mijzelf goed lijkt.'

'Waarom zou iemand ooit iets anders doen?'

'Je bent zo koud als een kat.' Zo vat Jonathan mijn karakter samen wanneer hij eindelijk wenst te geloven dat ik geen kinderen wil.

'Wat is dat met mij en katten?' vraag ik. 'Eerst heb je het aldoor over katten en zon, en nou zijn katten opeens koud.'

Maar hij slingert me zijn laatste woorden toe. 'Sommige katten vreten hun jongen op, Belinda.'

Franklin was niet op zijn gemak met katten. Onze hospita had twee zwerfkatten geadopteerd, en die streken langs Franklins benen toen we terugkwamen van onze huwelijksreis. Hij schrok ervan, want hij was groot geworden met paarden, en alles wat kleiner was, leek gevaar te lopen door zijn grote handen. Hoewel hij slungelig aanvoelde door zijn lengte, zag ik een grote schoonheid in de manier waarop zijn botten onderling verbonden waren. Bij de meeste mensen vielen je als eerste haren en ogen op, maar bij Franklin zag je botten. Mager en harmonieus. Broodmager. Wanneer hij de katten over hun rug aaide, deed hij dat heel voorzichtig, met één vinger; toch kwamen ze speciaal op hem af, en ze drukten zich tegen die vinger alsof ze hem wilden trainen in strelingen die hij nog niet had bedacht.

In onze slaapkamer pakte hij tientallen drankflesjes uit, afkomstig uit die veel te dure koelkastjes in ons hotel.

'Wanneer heb je die eruit gehaald?'

'Terwijl jij onder de douche stond.'

'Ja maar... je drinkt wat je maar wilt, maar later zeg je dat bij de balie, en je betaalt ervoor wanneer je vertrekt.'

Franklin verbleekte, alsof hij zojuist veroordeeld was wegens altaardiefstal. 'Ik dacht dat ze gratis waren... net als de zeep en de badhanddoeken en de blocnootjes.'

'Zeep, ja. Badhanddoeken, nee. Blocnootjes, ja. Dat wist je niet. Dat komt waarschijnlijk door dat seminarie.'

Natuurlijk moest hij toen zo nodig het hotel opbellen om zijn zonde op te biechten. En natuurlijk wisten ze al van die flesjes, maar niet van de badhanddoeken, en ze vertelden hem dat ze ons een rekening van vierennegentig dollar zouden sturen.

'Dat is meer dan die hele kamer kostte.' Franklins gezicht stond verslagen.

'Goddank heb je de gordijnen laten hangen.'

Die hele week maakte hij zich zorgen over wat allerlei dingen kostten, over het zoeken van een baan, en het werd duidelijk hoe weinig ervaring hij met geld had – hij was regelrecht van zijn ouderlijk huis naar het seminarie gegaan.

'Hoe gaat het met de sollicitaties?' vroeg papa toen hij een week later voorbijkwam.

'Franklin probeert iets in het onderwijs te vinden,' zei ik snel.

'Tot dusver niets,' zei Franklin.

Papa knikte. 'Deze hele buurt is namelijk zwaar katholiek.' Hij bestudeerde Franklin aandachtig. Die blik had ik eerder gezien: bij papa, en bij roofdieren op *National Geographic*. En ja hoor, hij zei tegen Franklin: 'Laat het me weten als ik iets voor je kan doen.'

'Dank je,' begon Franklin. 'Ik...'

'Franklin heeft heus geen hulp nodig.'

'Ik heb het over goede raad, Belinda.'

Daarna belde papa zo om de dag met ideeën. 'We zullen iets gemakkelijks voor je bedenken...'

Franklin en ik maakten ruzie. Steeds dezelfde ruzie: hij hield vol dat papa hem hielp; ik hield vol dat het een en al manipulatie was, de oprechtheid van de zwendelaar.

'Iets tijdelijks...,' stelde papa voor.

Maar hij kreeg al steun van twee generaties: eerst van oom Victor, niet ter wille van papa, maar om mama's leven voor mama minder moeilijk te maken; en vervolgens van Anthony, nu al bijna vijftien jaar. Als ik papa zijn gang liet gaan, zou hij Franklin en toekomstige generaties verlokken, en hij zou elke uitbuiting uitleggen als een gunstige kans.

Bij mij in de familie waren we eraan gewend zijn mislukkingen als successen te vermommen; hij had echter ook een andere kant, die gulle kant waardoor hij vooraan stond, telkens wanneer het Rode Kruis om bloeddonors vroeg – en dan deed het er niet toe dat hij misschien een zakelijk buitenkansje zou verkopen aan de persoon die achter hem in de rij stond. Mama's theorie luidde dat zijn gulheid in rechtstreeks verband stond met spel en winst. Net als met 'Chocolate for Jesus' – die chocoladerepen in rood zilverpapier, met een plaatje van het kindje Jezus, die ik met hulp van papa huis aan huis verkocht, zodat ik de eerste prijs won, een verzameling kaarten van heiligen die zowel maagd als martelares waren geweest, omdat ik meer 'Chocolate for Jesus' had verkocht dan enig ander in de geschiedenis van St. Simon's. Hij meldde zich ook als vrijwilliger voor de kledinginzameling in de vasten, en hij trad regelmatig op als begeleider voor onze uitstapjes naar het Museum of Natural History en naar de dierentuin in Central Park, waar we wachtten tot het nijlpaard de betonnen helling af kwam stormen om zich in het troebele water te storten, waarbij hij de glazen wand die ons van het nijlpaard scheidde, helemaal onderspatte. Ik maakte me zorgen dat de hippo zich pijn zou doen aan de randen van zijn bad, dat nauwelijks groot genoeg was voor hippo's, zelfs als je ze er naast elkaar in propte.

Toen Franklin bijna een jaar als dakdekker had gewerkt, gleed zijn ladder uit terwijl hij bezig was met het voeglood op Onze Lieve Vrouwe van Genade. Twee uur lang zat hij vast op dat steile dak, totdat de non die het water van de altaarbloemen ververste, hem om hulp hoorde roepen.

'Dat is een teken,' zei ik. 'God wil je terug hebben.'

Franklin lachte. 'Jij en je fantasie, Belinda.' Zijn adamsappel schoot omhoog in zijn elegante keel.

'Dat zeiden de nonnen ook altijd tegen me, op school: "Belinda, jij hebt te veel fantasie. De lege plekken die je niet begrijpt, vul je in met je verbeelding." En kijk eens waar ik zodoende terecht ben gekomen.'

'Waar dan?' Zijn rode haar viel over zijn voorhoofd.

'Bij jou. Toen ik je ontmoette op die picknick bij St. Raymond's, zag ik ons in mijn fantasie samen.'

Hij snuffelde rondom mijn hals. 'Het is niet zo dat je het allemaal alleen voor elkaar hebt gekregen.' Hij rook naar teer en dakspanen en zon en zweet.

Hoewel ik me ongerust maakte over dat werk op daken, was ik dol op de geur die hij meebracht. Jonathan had naar zeep en tandpasta geroken, en ik zweer dat ik daardoor mijn liefde voor hem heb verloren. Toen we elkaar ontmoetten op de universiteit van New York, hadden we allebei een assistentschap in de muziekfaculteit. Hij deed een beetje vreemd over geuren, maar ik dacht dat dat beperkt bleef tot etenswaren, want hij klaagde als een van ons een lunch met een sterke geur meebracht – tonijn of knoflook of pindakaas. Om hem te plagen had ik hotdogs gekocht, of vis, bij karretjes op straat. Ik wist nog steeds niet helemaal zeker hoe Jonathan en ik ooit van het uitwisselen van gekwelde blikken bij het altaar terecht zijn gekomen, alleen moet het voor een deel met zijn stem hebben samengehangen. Hij en vier andere muziekstudenten, die zich de Grand Concourse Troubadours noemden, zongen opera's zonder ze op te voeren, en toen ik mijn grootvader meenam naar *Daughter of the Regiment*, zei hij: 'Die vriend Jonathan van jou heeft het soort stem waardoor je vergeet waar je de auto hebt geparkeerd.' De enige andere stem waarvan grootvader dat ooit had gezegd, was die van Mario Lanza.

Ik stond versteld dat Jonathans mond die klanken voortbracht, als je bedacht dat hij nauwelijks zijn lippen bewoog als hij at of zoende. Hij kon zeer bepaald beter zingen dan kussen. Maar zijn stem was weelderig, royaal; en hij was ook royaal met verrassingen: sokken met muzieknoten; briefpapier met een fluwelen accordeon in de ene hoek; slipjes met een viool, geborduurd in het kruis...

'Heb je nog vogels gezien toen je daar op dat kerkdak zat?' vroeg ik aan Franklin.

'Wat heeft dat te maken met...'

'Denk even na. Niet één vogeltje?'

'Een duif.'

Ik rukte het cellofaan van een krop ijsbergsla. Liet hem vallen op onze oranje-en-gele aanrecht. 'Wil je me even Ruthies schaaltjes aangeven?'

Zonder zich uit te rekken stak Franklin zijn arm uit naar de bovenste plank, en hij pakte twee grote kommen, een paascadeau van Ruthie. Paascadeaus waren populair onder ex-nonnen. De meesten deden niet veel bij verjaardagen, maar Pasen zette hen aan tot extravagantie. Met ex-priesters was het net zo... ze wilden met alle geweld Pasen vieren, met name Marv die samenwoonde met een politieagent, Chris. De laatste keer met Pasen hadden ze ons eieren gegeven die ze zelf beschilderd hadden, en Marv had voorgelezen uit de paasliturgie.

'Ik geloof dat ik een paar duiven heb gezien op dat dak,' gaf Franklin toe.

'Dat is het bewijs. Op plaatjes wordt de Heilige Geest afgebeeld als duif. Hij heeft zelfs de naam van een vogel – parkiet.'

'Parakleet.'

'Hoe je hem ook wilt noemen – hij smeedt vuige plannen om je terug te krijgen. En hij gebruikt mijn slimme vader als een soort goddelijk werktuig.'

'Om een of andere reden... vind ik het uitdagend jouw vader te zien in de rol van goddelijk instrument.' Franklin tilde me op van het linoleum van onze hospita. Zij hield van geel en oranje, niet alleen op de vloer, maar ook aan de muren, die behangen waren met luchtige zonnetjes die geen gelijkenis vertoonden met de laagstaande zon van die late namiddag. 'Ik werk graag voor je vader,' zei Franklin, hoewel hij op de hoogte was van papa's problemen met de politie – niet met zijn geweten –, terwijl papa op jacht was naar het geluksgeld, het eeuwige geld; hij speurde handeltjes op die te bijzonder waren om binnen de wet te vallen; leende geld van vrienden en familieleden zonder het ooit terug te betalen; overreedde anderen om zijn werk uit te voeren.

'Kerkdaken zijn niet veilig.' Ik scheurde de ijsbergsla in stukjes.

Franklin pakte het knapperige hart en beet erin, kauwde erop, met halfgesloten ogen – de manier waarop zijn lichaam genot weergaf. 'Ik begin te ontdekken hoe ik geniet van werk in de openlucht.'

'Dat hoort allemaal bij de manipulatie.' Ik goot gorgonzolasaus over de sla, sneed het stuk gevulde kalfsborst dat oom Victor ons had gebracht in plakjes. Het rook even lekker als toen hij het voor onze bruiloft had gemaakt – naar rozemarijn en spek en warme worst en knoflook – en altijd als hij wat overhad van een catering, reserveerde hij het voor ons. We aten allemaal van zijn Festa Liguria, zelfs mama, hoewel ze nu een verantwoordelijke echtgenoot had. Oom Victor bezocht zodoende minstens tweemaal per maand alle familieleden. Ik stond argwanend tegenover opofferingen, maar ik kon merken dat hij ervan genoot ons te eten te geven, en ik genoot van zijn gulheid, genoot van wat uit vrije wil werd geschonken: eten en lachen, een uurtje samenzijn.

Ik zette Ruthies paasschaaltjes neer. 'Weet je wat ik leuk vind in Marv en Chris? Dat ze op minstens één extra manier tegen de paus zondigen, vergeleken met ons.'

'Hoe kom je nou op Marv en Chris?' Franklin pakte een stukje worst en kalfsvlees. 'Ik vind dit zalig.'

'Van Ruthies kommetjes... naar paascadeautjes... naar ex-nonnen... en ex-priesters...'

'Heel logisch.' Hij likte zijn vingers af. 'Ik ben onder de indruk van jouw moed om het te laten aankomen op schermutselingen met de paus – hoe denkbeeldig ook.' Zo praatte Franklin soms. Voornaam. Verheven. Dat was de reden waarom ik nog steeds dacht dat hij een inspirerende leraar zou zijn.

Ik stak mijn hand uit naar het bovenste knoopje van Franklins denim shirt. Maakte het los. 'De paus heeft al veel te veel schermutselingen gewonnen. Gedurende mijn hele jeugd. Al eeuwenlang.'

'Ik had er geen idee van dat hij al zó oud was.'

'Het doet er niet toe welke paus.' Ik dekte zijn lippen af met mijn linkerwijsvinger, liet de andere wijsvinger van zijn beeldschone keel neerglijden en hield hem midden tussen zijn tepels, op weg naar het volgende knoopje. 'Het gaat om het ambt van de paus. De macht. Al die overtuigingen die je niet in twijfel mag trekken.'

'Veel overtuigingen zijn cultureel en historisch bepaald. En eigenlijk onbelangrijk. Bijvoorbeeld de maagdelijke geboorte.' Hij kuste me.

Ik worstelde met mijn handen naar zijn volgende knoopje. 'Al die oefeningen in schuldgevoel... Maar waarom laat ik me dan nog steeds verleiden door de gezangen, de geuren?'

'Misschien leven voor jou de rituelen voort, hoewel het geloof is afgenomen. Voor mij is het eigenlijk andersom. Mijn geloof is vast, maar ik kies mijn eigen rituelen.'

'De biecht bijvoorbeeld?'

'Ja, maar niet als sacrament.'

'Nee, maar het luisteren.' Blaadjes wendden hun onderzijde naar de hemel, alsof ze regen voorspelden, naar regen snakten. 'Ik geloof dat oudtante Camilla jou ziet als een biechtvader zonder die rechtstreekse verbinding met de hemel, maar met meer mede-leven. Dat is ook de reden waarom mijn grootvader je vertrouwt. Jij spreekt geen oordeel uit. En je houdt het mysterie van het geloof in ere.'

'Dat is wat me aantrok tot het priesterschap. Tot het huwelijk. Het mysterie.'

'Ik beloof dat ik mysterieus zal blijven.' Ik drukte me tegen hem aan. 'Mijn tepels – raak ze aan.'

Maar toen ging de telefoon, en Franklin nam aan, net op het moment dat ik zei: 'Niet doen.'

'Nee, helemaal niet...,' zei hij. 'Ik ben altijd blij je stem te horen.'

'Tepels,' fluisterde ik.

'Wat een goed idee... Maar daarover kun je beter met je dochter praten.' Hij gaf de hoorn aan mij door.

'Geen tepels.'

'Zouden jij en Franklin met ons mee willen om appels te plukken in die boomgaard in Southampton, over een paar weken? Dan gaan we met de trein, en ik zal een picknick meenemen en...'

'Ik haat appels plukken.'

'Nee, dat is niet waar.'

'Ik weet het.' Vroeger was ik graag in de trein gestapt om 's avonds terug te keren met zakken vol appels en – als de oceaan nog warm genoeg was – opgedroogd zeewater op mijn scheenbenen.

'Maar ik weet niet of we daar tijd voor hebben. Mag ik overleggen met Franklin?' vroeg ik.

'Natuurlijk... Julian en ik zijn de hele avond thuis.' Mama's stem was hees van verdriet dat ik niet dolblij was van haar te horen.

Dergelijk verdriet kon je evenzeer gaan overheersen als overdreven godsdienstonderwijs. Dat had ik geleerd van tante Leonora, die van buitenaf bij ons was gekomen; die zich nog steeds een buitenstaander voelde, al had ze al lang voor mijn geboorte deel van de familie uitgemaakt. Ik daarentegen kwam van binnen de familie. Net als Anthony. Ik denk dat tante Leonora er nooit helemaal bij hoorde omdat ze niet alleen vanbuiten kwam, maar ook geen gelovige was – althans, ze geloofde niet in de katholieke God van mijn familie –, en ze liep graag te koop met haar ongeloof, en met haar argwaan jegens politici die beweerden dat ze Gods wil uitvoerden. Familie, dat kon van alles betekenen. Warmte en liefde en eten en Kerk. Kerk en straf. Kerk en dreigementen. De gemeenschap van de familie was het beste van alles wat ik kende, maar ook het ergste. Het ergste, denk ik, voor mijn tante Leonora, die elk jaar tien dollar schonk aan Madalyn Murray O'Hair, die erin geslaagd was de gebeden op openbare scholen te laten afschaffen. Tante Leonora was even allergisch voor officiële godsdienst als voor de geur van kamfer, terwijl kamfer voor mama en Springtij inhield dat je zorg besteedde aan wat je bezat.

Ik legde de telefoon neer met de belofte terug te bellen, en even miste ik Jonathan, die zo geloofwaardig excuses had kunnen verzinnen: een verzwikte enkel; een repetitie; een lekke band. Bij Franklin echter werd elk excuus een last, want hij werd er zo onrustig van dat hij de bijzonderheden vergat. Toch probeerde ik het met hem in te studeren. 'Laten we tegen mama zeggen dat vrienden van je ouders, van buiten de staat, op bezoek komen, net op de dag dat zij appels wil gaan plukken.'

'Wat moet ik dan zeggen als ze vraagt hoe ze heten?'

'Dat zal ze niet vragen.'

'Maar als...'

'Dan bedenk je ter plekke namen.'

'Of als ze vraagt wat voor werk ze doen? Of hoeveel kinderen ze hebben?'

Ik legde mijn beide handen op zijn schouders, schudde hem zachtjes door elkaar. 'Mag je zelf kiezen.'

'Maar stel dat ik zeg: drie kinderen...'

'Franklin!'

'...en jij zegt: vier kinderen, en dan...'

'...dan zeg jij tegen haar dat je hen niet zo goed kent, omdat het vrienden van je ouders zijn. Dan kun je alles zeggen wat je maar bedenkt.'

Hij keek me zo benauwd aan dat ik wist dat we zouden gaan, omdat zijn tegenzin om te liegen groter was dan mijn tegenzin om een volle dag met mama door te brengen. Om een eind aan zijn bezorgdheid te maken belde ik haar op. Zei dat we allebei met haar mee zouden gaan.

'Fijn,' zei ze.

En toch, nadat ze had neergelegd, kon ik de vragen voelen die ze niet hardop had gesteld: *Waarom kom je niet vaker op bezoek? Waarom bel je niet vaker?* Franklins ouders kwamen met andere vragen, vragen die door hun ogen werden gesteld. Elke keer dat we hen bezochten, staarden ze naar mijn buik, op zoek naar hun vurig verlangde kleinkind. Franklin had maar heel weinig familie: geen broers en zusters; geen tantes en ooms; geen grootouders. De fixatie van zijn ouders op mijn buik had me stapelgek kunnen maken, maar ze waren nu familie, en van familie neem je meer dan van gewone mensen. Bij familie toonde je waardering. En ik was op weg naar waardering voor hun onhandige vriendelijkheid, hun inspanningen om zich flexibel op te stellen.

Franklin stak zijn hand langs me heen, schoof de telefoon en de salade opzij, legde zijn handen om de achterkant van mijn dijen en tilde me op het aanrecht. 'Werk doen dat je heerlijk vindt,' zei hij, 'heeft niets met manipulatie te maken.'

'Ik moet die telefoon hebben. Het is geen toeval dat papa je dat werk bij die kerk laat doen.'

'Maak je je zorgen dat ik zou willen terugkeren naar de Kerk?'

'Nee. Alleen argwanend dat de Kerk je wil inpikken. En op dat punt gaat papa een rol spelen.'

'Gaan we terug naar het goddelijk instrument?'

'Reken maar.' Terwijl ik 464-4664 draaide, hoorde ik bijna papa's stem: *Gemakkelijk te onthouden, Belinda, mijn nieuwe nummer – alleen vieren en zessen. Eerst één keer vier. En dan één keer zes. Na één keer komt twee keer, dus dan krijg je tweemaal vier. En tweemaal zes. En dan ga je weer terug naar vier.*

Ik kreeg een antwoordapparaat – een minuut van die dwaze harpmuziek van zijn nieuwe echtgenote. Onbeleefd. Geen van mijn andere familieleden had een antwoordapparaat. Vorig jaar februari was papa getrouwd met een vrouw die half zo oud was en half zoveel woog als mama, alsof hij dubbele winst verwachtte in deze gok van een nieuw huwelijk. Dwaze Diane. Haar stem kwam nu door de hoorn: 'Vertel ons alstublieft wie u bent...'

Ik keek Franklin aan, rolde met mijn ogen.

Nog meer harpmuziek. '...en we waarderen het dat u aan ons denkt...' Harpen. '...en we zijn echt van plan heel spoedig contact met u op te nemen...'

'Moet je horen, papa,' zei ik haastig toen ik via Diane en haar harp bij de piep was aangekomen. 'Ik wil weten wat je in godsnaam uithaalt met Franklin. Neem de telefoon aan, als je thuis bent. En zo niet, bel me dan op. Oké?'

Vervolgens belde ik Anthony, die trouwens toch meer de zakelijke beslissingen nam dan papa, en toen ik hem bereikte in de boekwinkel waar hij de meeste avonden bijverdiende door Italiaans te koken in het café van die boekwinkel, zei ik: 'Ik neem je zaterdag mee uit voor de lunch.'

'Maar ik...'

Voordat hij iets anders kon zeggen, voegde ik eraan toe: 'In HoJo's, om twaalf uur. En ik neem geen genoegen met "te druk" of "mijn wortelkanaal".' Dat was niet zo'n grote uitdaging, want ik praatte sneller dan mijn neef. Ik hing weer op. 'En jij...,' zei ik tegen mijn man, 'jij belooft me uit de buurt te blijven van die parkiet.'

'Parakleet.'

'Ik heb een keer een parkiet gekregen, uit het warenhuis, nadat ons konijn in New Jersey was gaan wonen. Hij had een groene borst.'

Franklin raakte mijn borsten aan.

'En zwart-en-witte vleugels. Ga je nu ook vleugeltjes bij mij vinden?'

Hij knuffelde me, zachtjes, gebruikte zijn tong, met halfgesloten ogen.

'Ik noemde hem Knuffel. Alleen kon je dat niet doen.'

'Wat kon je niet doen?'

'Hem knuffelen. Hij pikte in je vingers als je hem vastpakte. We moesten hem tweemaal per dag uit zijn kooi laten om te vliegen, wat lichaamsbeweging te krijgen. Mama had een hoes genaaid, van het satijn van een bruidsjapon, en die deden we 's avonds over de kooi zodat Knuffel kon slapen. Maar op een ochtend is hij niet meer wakker geworden. Tante Leonora heeft hem begraven. De volgende dag nam ze me mee naar het warenhuis, en we kwamen thuis met twee witte dozen, het soort dat ze gebruiken voor een meeneemmaaltijd. In de ene doos zat vanbinnen vogelvoer, en op de buitenkant stonden plaatjes van vogels. In de andere zat een vogel, een parkiet met een blauwe borst. En raad eens hoe we die genoemd hebben?'

'Knuffel?'

'Dat was de Knuffel die niet lang geleefd heeft.' Mijn stem werd luchtiger, en ik merkte dat ik lachte, zoals ik vaak deed voordat ik over iets treurigs begon. 'Hij heeft zich te pletter gevlogen op de spiegel.'

Franklin keek me verbijsterd aan. 'Waarom lach je?'

'Zo erg was het ook weer niet.'

'Is dat wat je jezelf moet wijsmaken?'

'Wat is dit? Een biecht?'

'Precies. Hoe men verdriet moet uitstellen. Maar goed, ik vind het naar dat Knuffel op de spiegel is gebotst.'

'Er zijn nog meer vogels geweest. De derde Knuffel kwam uit de dierenwinkel. Oom Victor heeft hem voor me gekocht. Hij zei dat parkieten uit de dierenwinkel vast beter waren dan uit het warenhuis. Hij was groen en was humeurig, hij pikte naar mama wanneer ze hem vers water gaf, hij vloog me achterna en bleef met zijn vleugels in mijn haar hangen... ik kreeg het gevoel dat ik Medusa was. We waren allemaal blij dat die Knuffel verdween.'

'Mag ik de vraag wagen wat er met die parkiet is gebeurd?'

'Papa heeft hem meegenomen naar onze melkboer in New Jersey. Die hield van huisdieren en nam altijd de onze over wanneer ze te groot of te lastig werden voor een flat. Ik denk dat al mijn huisdieren een beter leven hadden in New Jersey. Moet je mij horen. Als dat niet katholiek klinkt – een raar idee van de hemel, New Jersey.'

'Een persoonlijk idee van de hemel. Dat hebben we allemaal.'

'Voor jou toch geen kerstman in de wolken?'

Hij schudde zijn hoofd. 'Hoeveel andere Knuffels heb je gehad?'

'Nog een. De vierde Knuffel. Uit de dierenwinkel.'

'Ik hoop dat die lang geleefd heeft.'

'Inderdaad.'

'Gelukkig maar. Nog een dode parkiet zou ik niet kunnen verwerken, vrees ik.'

Bij HoJo's bestelde Anthony een Dr Pepper en een BLT, 'met vooral veel B'. Ik nam koffie en uienringen. Anthony was, net als zijn moeder, klein en mager; maar hoewel men haar tenger kon noemen, was hij broodmager. Ondermaats. Hij maakte dat weer goed met groene ogen en lange wimpers en een mond ter grootte van Pelham Bay Park. Tenminste als hij besloot te praten. En dat wist je maar nooit, met Anthony.

'Luister, Belinda,' begon hij, 'toen je vader jou dat baantje voor Frankly bezorgde...'

'Franklin,' corrigeerde ik Anthony, die kennelijk in de stemming was voor buitensporige uitspraken. Prima. 'Mijn man heet Franklin. En vertel me niet dat papa dat baantje voor mij heeft geregeld. Want ik wil dat zeer bepaald niet.'

'Nou, hij heeft het voor jou gedaan. Uit dankbaarheid.'

'Dankbaarheid waarvoor?' Ik keek Anthony dreigend aan om hem te waarschuwen dat ik hem kende, vanbinnen en vanbuiten.

'Dat hij nooit meer een zondags diner met Jonathan hoeft uit te zitten.'

Sinds zijn eerste ontmoeting met Jonathan had papa hem geplaagd door hem alleen heel scherp gekruid eten voor te zetten. Dan trok hij eekhoorngezichten achter Jonathans rug, bewoog zijn neus op en neer en liet zijn snijtanden zien. Bracht zijn gekromde vingers tot vlak voor zijn mond – zenuwachtige kleine pootjes. Mama zei dan tegen hem: 'Doe niet zo kinderachtig, Malcolm.' *Kinderachtig.* Al heel vroeg was papa voor mij het toonbeeld van wat kinderachtig betekende: niet kunnen rekenen op iemand die je schoolspullen kocht, die je een heel liedje kon leren, die er was als je doodging. Kinderachtig betekende dat beloften niet méér waren dan plagerijen.

'Goed dan,' zei ik tegen Anthony, 'ik heb Jonathan enkel en alleen vanwege papa aan de kant gezet. Nu dat eenmaal vaststaat – wat is dit met Franklin en die verdomde kerkdaken?'

'Je vader heeft Frankly de keus gegeven – dat, of werken op kantoor.'

'En waarom heeft Franklin me dat niet verteld?'

'Omdat, eerlijk gezegd, Frankly...'

'Hou nou op hem zo te noemen.'

'...wil graag op een dak zitten en wil jou niet alles vertellen. Waarom is het zo moeilijk te begrijpen dat hij het leuk vindt om voor je vader te werken? Of dat ik het leuk vind om voor je vader te werken?'

'Jij had kok willen worden.'

'En je man had priester willen worden. Maar toen wilde de priester echtgenoot worden. En nu wil de echtgenoot op het dak werken.'

Ik moest wel lachen.

'Dus – laat mij nu maar uitmaken wat ik leuk vind. Laat Franklin dat zelf beslissen. En misschien kun je dan ook nog aannemen dat je vader goed is in zijn werk. Waarom denk je dat Franklin je niet verteld heeft dat je vader hem een kantoorbaan had aangeboden? Omdat jij hem zou overhalen die kantoorbaan aan te nemen.'

'Daar kun je donder op zeggen. Ik wil namelijk niet dat hij komt vast te zitten op een of ander kerkdak.'

'Ik snap niet in hoeverre die anders zijn dan andere daken.'

'Omdat Franklin vroeger priester is geweest.'

'Wil je echt dat je vader opdrachten afslaat omdat jij priesters bij hun altaar wegrukt?'

'Ik heb hem uit de biechtstoel weggerukt. Als je het precies wilt weten.'

'Ik wil het altijd precies weten. Luister, je vader en ik hebben Franklin opgeleid voor werk waarmee hij geen enkele ervaring had. Ik bedoel maar: er zijn heel weinig biechtelingen op het dak, en tot dusver hebben we ook nog geen verzoeken gekregen of hij water wil zegenen. Wat het laatste oliesel betreft...'

'Dat zul je zelf nodig hebben als je hem niet bij kerkdaken vandaan houdt.'

'We zijn allemaal wel eens op een dak blijven steken. Nog maar een paar weken geleden was ik goten aan het schoonmaken op een blok met drie verdiepingen in Queens, toen de waterslang om de ladder kwam te zitten en hem naar beneden trok zodat...'

'Ik krijg zo godallemachtig genoeg van dat verhaal.'

'Ik heb je godallemachtig nooit *dat* verhaal verteld.'

'Ik heb het gehoord. Geloof me nou maar, talloze versies van datzelfde verdomde verhaal.'

'Nou, dit is een ander verdomd verhaal over een ander verdomd dak.'

'Kun je je iets fatsoenlijker uitdrukken?'

'Jij praat ook op die manier tegen je priester.'

'Natuurlijk.'

'En pies je nog steeds staande?'

'Uiteindelijk ben ik tot de conclusie gekomen dat zoiets niet de moeite waard was.'

'Mooi zo. Want anders...' Anthony grinnikte zijn gore kleinejongenslach.

Ik kon wel raden waarheen hij me wilde hebben, en ik viel hem haastig in de rede. 'Anders zou ik ballen hebben gekregen.'

'Je hébt ballen.'

'Er zijn ballen nodig om ballen te krijgen.'

'O, werkt het zo. Ballen die passen bij dat zogenaamde pikkie. Wat leidt tot zogenaamde-pikkienijd.'

'De enige keer dat ik last van pikkienijd krijg, is als het gaat om plassen in de openlucht.'

'Ik hoop dat je je priester niet te gronde richt met dergelijke praat.'

'*Jij* zou ervan blozen.'

'De Kerk is niet meer wat hij vroeger was.'

'Daarvoor dank ik de hemel en de parkiet.'

Hoewel Anthony en ik elkaar niet meer met konijnenkeutels bekogelden en elkaar ook geen elleboogstoten meer gaven op de achterbank van zijn vaders auto, vielen we elkaar nog steeds graag aan met woorden, net als toen hij de problemen met mijn voorhoofdsholten voor 'vieze snottebellen' uitschold, en ik tegen hem zei dat hij in een cockerspaniël zou veranderen omdat de naar lever smakende pasta op zijn brood Alpo heette. Terwijl hij almaar spuugde en huilde, dansten Bianca en ik om hem heen, en we zeiden: als je hondenvoer at, dan veranderde je in een hond.

'In een cockerspaniël.'

'Alle cockerspaniëls zijn eigenlijk kinderen die Alpo hebben gegeten.'

'Daarom kijken ze zo droevig.'

We konden elkaar nauwelijks verstaan, omdat Anthony zo huilde.

Hij huilde ook zo gauw. Bianca en ik treiterden hem, we maakten ruzie over de vraag wie van ons hij het aardigst vond, we ruzieden terwijl we ruzie over hém maakten. We stelden een rooster op voor wanneer een van ons alleen met Anthony mocht spelen, en we werden jaloers als een van ons aardig tegen hem was in de tijd van de ander. In mijn hart wist ik dat ik zijn favoriet was. Zelfs toen ik de gesp van zijn riem kapotmaakte. Zelfs toen ik een schram op zijn been maakte. Elke keer dat ik naar een broertje verlangde, stelde ik me iemand als Anthony voor, en dan was hij er toch al, en dan hoefde ik geen eigen broertje te hebben.

Anthony jatte een van mijn uienringen. 'Daar zat ik dus te wachten op dat dak in Queens, in de hoop dat iemand me zou horen. Maar niemand hoorde me.'

Ik legde me neer bij luisteren. Zoals ik geluisterd had wanneer papa thuiskwam met zijn verhalen over vastzitten op een dak.

'Het was een ongewoon steil dak, Belinda.'

'Wonderbaarlijk, zoals een dak steiler en hoger wordt, telkens wanneer een van jullie dat verhaal vertelt.'

'Het was echt steil.'

'Een hoog, steil, verraderlijk dak.'

'Precies. En al die tijd zat de hond van de eigenaar op me te loeren – een dalmatiër.'

'Geen Deense dog?'

'Dat was op een ander dak. Maar goed, eindelijk slaagde ik erin die tuinslang als een lasso om de ladder te werpen en hem op te trekken. Ik heb wel het avondeten gemist.'

'Jij en papa...' Opeens was ik razend. 'Avondeten gemist. Of...'

'Je vader was niet eens bij me.'

'Avondeten gemist. Schoolconcert gemist. Weken later komen, een en al verontschuldiging... allemaal leugens.'

Anthony stak beide handpalmen naar me op. 'Hola...'

'Weet je wel hoeveel versies van dat dakverhaal ik gehoord heb?' Ik kon nauwelijks nog slikken. 'Het ras van de hond wisselt. Evenals de steilte van het dak. En de lengte van de ladder. Wat rest, dat zijn de verloren uren... dagen. En dan probeerde hij me te charmeren door me te laten winnen met domino.'

'Eet van je uienringen,' zegt Anthony zachtjes.

Ik schuif hem mijn bord toe.

'Domino...' Hij zuchtte. 'Spelletjes... Ik zie je niet vaak genoeg om in vorm te blijven.' Hij goot een hele lading ketchup over mijn uienringen. 'Als je niet mijn dierbaarste familielid was...' Hij schudde zijn hoofd, opeens ernstig. 'Wat heb ik je aangedaan?'

Ik voelde die aloude vraag tussen ons, iets wat mij kracht schonk, te veel kracht. *Stel dat ik het was geweest, daar bij dat raam?* Al eerder had ik het hem bijna gevraagd. Maar zo dichtbij was ik nog nooit geweest. 'Anthony...'

Hij keek me aan, geschrokken.

Mijn hart draaide zich om in mijn lijf. De vraag voelde te gevaarlijk aan, omdat weten erger zou kunnen zijn dan wat ik me had voorgesteld, kon veranderen wat ik gewend was te zien: *Anthony voor het open raam, jammerend, zoals wind zich kan opsluiten in natte goten. Terwijl mama naar buiten leunt en krijst 'BiancaBiancaBianca...' Terwijl oom Victor al die trappen afrent, alsof hij gelooft dat hij mijn tweelingzus zou kunnen opvangen voordat ze op het trottoir terechtkwam. Terwijl tante Leonora*

Anthony bij zijn schouders pakt, met ogen die wild staan, maar wat ze in zijn gezicht ziet, verbergt ze voor iedereen – voor zichzelf – door hem tegen haar ochtendjas te drukken, jammerend, hem wiegend alsof ze samen zo'n schommelend stuk speelgoed zijn met een gewicht onderin, dat uiteindelijk recht overeind zal komen.

'Wat is er?' Anthony leunde achterover, van mij vandaan.

Zoveel manieren van vallen... Ik greep zijn handen vast.

Hij probeerde zijn magere vingers uit de mijne weg te trekken.

Maar ik hield hem vast – stevig, heel stevig – hield hem vast, voor hem en voor mijzelf. En ik vroeg het hem: 'En als ik het nu geweest was, Anthony?'

Hij schudde zijn hoofd.

'Bij het raam? Die dag?'

Hij schudde zijn hoofd.

'Jij bent degene die daar stond, met haar. Stel dat ik het was geweest, Anthony? Bij dat raam? Zou je mij dan in haar plaats naar buiten geduwd hebben?'

'Ik heb niet geduwd...' Iets in zijn ogen verschoof. 'Die winter...?'

'Die winter.' Ik hield mijn adem in.

'Die winter heb ik leren jagen. Ik was zeven,' zei hij, en zijn stem was opeens die van een kind van zeven. 'Ik ging naar Canada en kwam terug met oorpijn. Weet je nog?'

'Ik weet wat je doet.' Door me zijn verhaal over jagen aan te bieden, ontweek hij mijn vraag, zocht hij medeleven.

'Ik heb drie konijnen geschoten.'

'Bloedden ze?'

Hij knipperde met zijn ogen.

Ik voelde me misselijk. Toch hield ik aan. 'Bloedden ze, Anthony?'

'De eerste keer huil je tien minuten. De tweede keer kreun je wat. Daarna maakt het je niks meer uit.' Hij zweeg even terwijl de dienster mijn koffiekopje bijvulde. Toen zei hij: 'Op die tocht heb ik bijna aan één stuk door gehuild.'

'Daarnet zei je dat je na tien minuten ophield met huilen.'

'Om dat konijn, ja. Maar ik bleef huilen vanwege de kou. Pa en grootvader... die zijn urenlang met me gaan jagen bij ijskoud weer. Toen ik tegen hen zei dat mijn vingers en voeten pijn deden, zei grootvader dat dat juist goed was.'

'Grootvader? Ik kan me niet voorstellen dat hij zoiets tegen een kind zou zeggen.'

'Hij zei dat het goed was omdat...' Anthony's magere gezicht werd nu hol – 'je hoort te begrijpen dat doodmaken *niet* leuk is. Maar dat wist ik al.'

Ik voelde me helemaal stijf, in mijn nek, mijn schouders. 'Het spijt me zo,' zei ik, en toen ik in zijn kikkergroene ogen keek, kreeg ik andere herinneringen, aan manieren waarop we hem getreiterd hadden – *hij huilde zo gauw* – herinneringen die me ongemakkelijk stemden. Bianca en ik die hem op de grond hadden geduwd, op hem waren gaan zitten, hem gekieteld hadden onder zijn oksels en in zijn kruis. Misschien hadden we willen zien waar hij anders was dan wij. Waar hij net zo was als wij.

Ik drukte mijn vingertoppen in mijn schouders, trommelde ermee op mijn spieren om ze wat los te maken.

'Ik mag die Franklin van jou heel graag.'

Ik voelde hem tegenover me, hij kwam nog het meest in de buurt van een broer, en op dat moment veranderde hij in alle mannen die ik tijdens mijn leven had gekend: papa; Franklin; mijn grootvader; oom Victor; mijn onderwijzer uit de derde klas; en zelfs mijn eerste echtgenoot. Eerst vond ik het niet prettig dat iets in Jonathan me herinnerde aan die andere mannen, gezien zijn misselijke opmerking over katten die hun jongen opvraten; maar ja, hij had ook die andere kant – vertrouwd en teder en gulhartig – die hem met al die anderen verbond. Dat was duidelijk aanwezig in Franklin en in papa. Ook zat het in Anthony, ondanks al dat geklets en gebluf, en terwijl hij me aankeek en knikte, wist ik dat ik erop kon vertrouwen dat hij Franklin zou weghouden van kerkdaken, al begreep hij zelf niet goed waarom. Voor hem was het voldoende dat ik het belangrijk vond.

'Het spijt me van die Alpo,' zei ik, 'van dat kietelspelletje, van het stelen van Bianca's giraf, van...'

'Ik wist aldoor al dat jij hem had.'

'Ik ben nog steeds bang om hem weg te gooien, om betrapt te worden.'

'Je zou hem kunnen begraven...' Hij trok een gezicht. 'Nee, dat is al te gek.'

'Begraven? Waar?'

'In haar graf. Maar...'

'Zo gek is dat niet.'

'Als je wilt...' Hij boog zich naar me toe, hield me niet meer op afstand.

'Maar jij moet wel mee om dat te doen.'

'Misschien een of ander weekend als...'

'Aanstaande zondag?'

'Vandaag.' Hij keek me strak aan.

Ik knikte. 'Je bedoelt: haal hem nu op.'

'Je weet waar hij is?'

Toen ik 'Ja' zei, deed ik dat in de zekerheid dat Anthony en ik de onyx giraf zouden teruggeven aan mijn zusje, vandaag, en mijn gevoelens waren alsof we dat al hadden gedaan – opgelucht en dankbaar en verwonderd –, alsof ik me nu al ons beiden herinnerde, *knielend bij het graf van mijn tweelingzus, met de onyx giraf in mijn hand, gladde adertjes groen binnen andere tinten groen. Het graven in de aarde boven de kist voelt vreemd aan. We steken onze handen in de aarde, niet om de giraf in Bianca's kist te doen, maar in de aarde die voor ons wijkt, al hadden we ons schrap gezet voor botten: ribben of schedel of dijbeen. Maar de aarde wijkt voor ons.*

Boek drie

Floria 2001: *De last van alle dingen die nooit besproken waren*

Floria is stervende. Haar man heeft de gordijnen gesloten van de woonkamer waar ze op de bank ligt, en hij houdt haar handen vast. Julians vingers zijn zachter dan de hare.

Pezen en botten en vlekkerige huid die brandt sinds Julian repen gaas heeft verwijderd, kilometers en kilometers wit gaas, afgepeld tot alleen deze laatste laag van haar over is, tot haar longen half doorschijnend lijken onder het kantwerk dat haar moeder haar had leren haken toen ze een meisje was. Wit op wit.

Licht en het geluid van stemmen, boven haar zwevend,

langs haar schurend.

'Proef eens, mama.' Bianca... een lepel tegen Floria's tanden. 'Dit is soep die Anthony voor je gekookt heeft.'

'Lekker zacht voor je keel.' Julian. Hij staat tussen haar bank en de uitstalkast die hij gemaakt heeft voor hun dansprijzen. Kersen- en espenhout.

Bloed en licht.

Ingelegd hout, als al het meubilair dat hij in zijn werkplaats vervaardigt.

Soep als zeewier... lauw en zoutig op Floria's tong. Haar neusgaten voelen pijnlijk aan van de zuurstof. Eén lepel, meer kan ze niet slikken. Al negen dagen ligt ze te sterven – sinds Julian haar uit het Montefiore-ziekenhuis heeft gedragen, met zijn tweed overjas wapperend om haar dunne ziekenhuispon. Ze heeft hem overreed haar mee naar huis te nemen, vanwege de belofte die ze hadden afgelegd toen ze trouwden, meer dan twintig jaar geleden. Ze waren toen allebei vijfenvijftig, beiden oud genoeg om aan hun dood te denken, ondanks die heftig bloeiende passie die hen versteld deed staan.

'Stel je voor, op onze leeftijd,' zei ze verwonderd wanneer ze hem alweer naar zich toe trok.

'Stel je voor...,' zuchtte hij dan terwijl zijn mond op zoek ging naar haar huid.

Hun belofte was dat ze elkaar niet zouden laten sterven onder vreemden. 'Jij gaat nog als eerste dood,' knorde hij wanneer hij haar 's nachts op de brandtrap aantrof, stiekem een sigaret rokend, of wanneer hij tabaksrook bij haar opving, ondanks de dropjes die ze na het roken sabbelde.

'Ik rook minder sinds ik met jou getrouwd ben,' protesteerde ze dan, en ze herinnerde hem aan haar compromis – niet roken in de flat, of waar hij bij was.

Maar Julian wilde dat ze er helemaal mee stopte, zwoer dat hij haar zou meenemen voor een bezoek aan een herstellingsoord in Washington Heights waar rokers – van wie de mond was weggevreten door kanker – trekjes van sigaretten namen via slangetjes die uit de voorzijde van hun hals staken. 'Wil je soms zó eindigen?' vroeg hij dan.

Elke ruzie die ze hadden gehad – zelfs ruzies die van haar uitgingen, elke keer dat hij de meubels van haar familieleden gratis repareerde in zijn werkplaats – eindigde met Julians voorspelling dat ze aan longkanker zou sterven. Niet dat ze vaak ruzie hadden gehad in hun huwelijk. Het was verbijsterend gemakkelijk, goed opschieten met Julian.

Zoals ze het uitlegt aan Belinda en aan Julians zoon, Mick – beiden al in de dertig wanneer hun ouders trouwen – komt dat doordat zij en Julian hun dorens al in anderen hebben achtergelaten voordat zij een paar werden.

'Maakt me misselijk,' zegt Belinda, 'als ik me papa moet voorstellen met dorens van jou.'

'Jezus Christus, Belinda,' zegt Leonora. 'Je moeder heeft het niet over een of andere bloederige Jezus met een doornenkroon,

hangend aan een of ander bloederig kruis.'

'Het betekent: hoe ouder we worden,' zei Julian, 'des te beter weten je moeder en ik wat de moeite van ruziemaken waard is.'

Maar ja, Julian blijkt gelijk gekregen te hebben met zijn voorspelling van kanker, en hij is niet eens het type man dat graag gelijk krijgt. Alleen ten aanzien van het feit dat hij als jongeman al had geweten dat hij haar liefheeft. En wel op de dag dat ze trouwt met Malcolm. Precies zoals zij het weet. En dat hij haar – wanneer ze hem opbelt na haar terugkeer uit Italië – vertelt dat hij vaak aan haar denkt.

'Heel vaak... elke dag.'

En daarvan staat ze zo versteld dat ze toegeeft hoe ze naar zijn ogen had gekeken in de achteruitkijkspiegel van de trouwauto, en zich had voorgesteld dat ze samen met hem wegreed.

'Dat heb ik bijna gedaan,' bekent hij. 'Ik ben haast die kerk voorbijgereden, met jou in je trouwjurk. God, wat had ik dat graag gewild – zo graag.'

'Toen ik in Italië was,' zegt ze tegen hem, 'heb ik me voorgenomen weg te gaan bij Malcolm.'

'Malcolm...'

'Ik ben het, Julian.' Julian. Zijn gezicht boven haar. Grauw.

Jaren getrouwd zijn met Julian voordat hij toegeeft dat Malcolm geld bij hem leent. Julian wil niet dat ze dat weet, maar ze dringt aan, omdat ze het onbehagen in zijn afgewende blik herkent. Sinds lang uitgeleend geld veroorzaakt zulk onbehagen. Geld dat nooit is terugbetaald. Dat is de blik die ze gezien heeft in de ogen van haar broer, haar tante Camilla, haar vader, diverse buren.

'...zijn... hoogst ontwikkelde... vaardigheid is zijn overredingskunst.'

'Malcolm heeft mij ook overreed, lieveling.'

'Ik zal je... terugbetalen.'

'Het gaat niet om jouw geld.'

'Doe je mond eens open, mama.'
'Er mankeert niets... aan... mijn mond.'
'Je mond is prima, tante Floria.' Anthony

die kookt, maar geen kok is. Die chef-kok is, zoals Leonora iedereen opdraagt te zeggen. Chef-kok. Hoewel hij zijn recepten geleerd heeft van Floria en Victor, die ze weer geleerd hadden van Springtij: laagjes aubergine met saus en kaas, manicotto of ravioli of lasagne, zo heet dat het minuten duurt voordat je eraan kunt beginnen, kijk eens hoe de kaas langs de zijkant drupt. Dat is het eten waar Floria dol op is. Anders dan Julians verjaardagseten, wanneer hij haar meeneemt naar fijnproeversrestaurants – cognacsauzen en vissen met ogen en al – waar je altijd moet bijbetalen voor de salade.

'Chef-koks zijn... chiquer dan koks...'
'Dank je, tante Floria.'
'...vooral als ze... chef-kok zijn... in een boekwinkel.'
'Je krijgt de hartelijke groeten van Ida en Joey.'

Die boekwinkel is nu voor de helft van Anthony, nu hij getrouwd is met Ida.

'Oud... om vader... te worden. Al... dat wachten.'
'Dat meent Floria niet.' De stem van Leonora.
'...Wachten maakt je... voorzichtig.'
'Dat klopt. Ida zegt dat ik het soort vader ben dat eerder veiligheidsdingen voor Joey koopt dan sportspullen.'
'Treurig... je klinkt treurig... altijd treurig wanneer Ida weggaat...'

Sommige mensen hebben verscheidene huwelijken. Sommigen hebben één huwelijk. Anthony en Ida echter hebben één scheiding, die verstoord wordt door perioden van huwelijk.

Floria heeft twee huwelijken. En twee trouwjaponnen. De eerste had ze zelf genaaid. De tweede had ze in een winkel gekocht, voor te veel geld.

'Je naait altijd voor anderen, lieverd.'
Maar de verkoopsters begrijpen het niet, hoewel Floria duidelijk zegt: 'Een trouwjapon', en vervolgens: 'Een japon om te dragen bij mijn huwelijk.' Een bruid van haar leeftijd gaat hun voorstellingsvermogen te boven.
'Bent u de moeder van de bruid?'
'Bent u een van de gasten?'

'Ik ben het zelf... de bruid.'
'Mama?'
'Ze zei iets van dat ze de bruid is.'
'Lachgas...'
'Iedereen is hier, mama.'

'O,' zeggen de verkoopsters. Ze feliciteren haar. Brengen haar naar japonnen voor moeders van bruiden. Japonnen waarin je begraven kan worden.
'Beige is geen goede kleur voor mij.'
'Als u maar wat lippenstift gebruikt. En wat oogschaduw.'
'Ik zou me raar voelen, met al dat spul op mijn gezicht.'
Ze stellen andere schoenen voor, met hogere hakken en enkelbandjes, hoewel ze al de schoenen draagt die ze van plan is bij haar trouwerij te dragen. Een nieuwe japon. Maar schoenen die hun draagbaarheid bewezen hebben.
'Dit mag je als excuus gebruiken,' zegt ze die avond tegen Julian. 'De verkoopsters hebben moeite mij als bruid te zien.'
'Ik heb je altijd als bruid gezien. Meer dan dertig jaar heb ik aan jou als bruid gedacht.'
Wanneer de foto's van hun huwelijk ontwikkeld zijn, haalt Floria het album van haar eerste huwelijk tevoorschijn, en bekijkt met haar nieuwe echtgenoot de foto's van haarzelf als veel jongere bruid. 'Ik was er ook,' zegt Julian, 'zie je wel, ik was erbij, als trouwgetuige,' alsof hij sinds die dag af bij haar is geweest; alsof Malcolm niet meer dan een overstapje in haar leven is geweest, een inval, een onhandigheid; alsof ze haar herinneringen kan terugspoelen en opnieuw beleven met Julian. Maar die jaren samen met Malcolm zijn ook een

deel van haar leven, en hebben haar twee dochters geschonken.

'Mooi zo, ze slikt.'
'Te heet...'
'Ik zal blazen, mama.' De stem van Bianca.
Heet. Floria's gezicht is heet

van spelen op het schoolplein, waar ze mieren inzamelt die ze in de zak van haar blouse verstopt tot ze ze kan overbrengen naar het kasteel dat ze voor hen gebouwd heeft, van klei. Ze verstopt het kasteel onder haar bed, dan kan haar moeder de mieren niet vinden en doodmaken. 'Wat denk je wel Floria, ongedierte mee naar huis brengen?' Haar moeder vindt elk dier dat je niet in de dierenwinkel koopt ongedierte.

'Ongedierte...'
'Daarmee hebben we geen problemen, lieverd.'
'Ik kan je de naam van een betaalbare zuiveraar geven, Julian.'
'Nog een lepeltje, mama.'
'Het... kasteel heeft...'

twee torens en tunnels die Floria met een potlood in de klei heeft gemaakt. Als het grafiet afbreekt, gebruikt ze de potloodslijper van haar broer. Maar Victor wordt humeurig omdat zijn slijper nu door klei verstopt is. Victor kan zo humeurig doen. Doet nijdig en wil scheiden van Leonora, en blijft dan toch maar, terwijl Floria gaat scheiden van Malcolm

'Vanwege dat... zweterige slapen...'
'Ssst, tante Floria zegt wat.'
'Mama?'
'Vanwege wat?'
'Dat zweterige... slapen...'

en Julian die haar liefheeft terwijl zijden zweetbloemen verschijnen op haar nek, doordringen tot haar haren, haar borsten bevochtigen, haar dijen, terwijl haar lichaam zichzelf weer afkoelt, zodat ze dankbaar is dat het zo verstandig is

'Ze zegt dat ze het warm heeft.'

'Malcolm... wil me niet aanraken...'

'Wat zei je over papa?'

'Ik wil... Julian... terugbetalen.'

'Waarvoor?'

'Wat hij... geleend heeft.'

'Maar we zijn getrouwd.' Julian. Een oude man... zo oud. Een glimp van de toekomst waarnaar Floria niet verlangt. 'Bovendien: alles wat je mij zou betalen, zou nog steeds van ons samen zijn.'

Tranen in haar ogen bij de opluchting dat geld niet meer zo'n probleem is...

'Niet huilen, mama.'

de opluchting dat Malcolm geen geld meer verspilt aan zijn plannetjes; de opluchting dat ze niet alleen haar naaimachine en paspop bezit, maar al haar meubels, voor het merendeel nieuw – in een winkel gekocht of door Julian gemaakt – afgezien van haar vaders Victrola, die ze geërfd heeft. Dingen die ze wil hebben. Geen gemeubileerde flats meer. Geen hoezen over de meubels meer. Geen verhuurders die haar waarborgsom inhouden. Toch heeft ze de eerste keer dat zij en Julian verhuizen het gevoel dat ze de meubels van de verhuurder steelt, dat ze 's nachts zou moeten verhuizen. Zo gewend dat meubels achterblijven, dat ze begint met ander oud meubilair zoals die bruine bank aan Ryer Avenue die zo'n stoffig-zoete geur verspreidde...

Ze wappert die geur weg met haar handen. '...vreselijke... lucht...'

'Mama, voorzichtig, je slangetjes!'

'Houd haar armen vast.'

die stoffig-zoete lucht van de bruine bank, te groot voor haar hoezen, bruin en te slap, met losse kussens waarachter lepels en baby's en munten verdwijnen...

'Stilliggen, Floria.'
'Munten. Ik... wil...'
'Ze wordt nog onrustiger.'
'Ja, mama? Wat wil je?'
'...Julian... terugbetalen.'
'Zeg maar tegen haar dat ze je mag terugbetalen, Julian.'
'Je mag me terugbetalen, lieveling.'

Haar vader stopt geld in haar hand, zoals hij dat ook bij de tweeling doet. Hij vergeet bankbiljetten en muntstukken in zijn zakken, enkel en alleen om het genoegen van het terugvinden

'Nu ligt ze te huilen.'

en alles aan haar te geven. Bankbiljetten en munten om Julian terug te betalen

'Floria...'
'Ze heeft pijn.'
'Stil.'

Stil, eerst moet ze stil zijn, want haar vader veegt het stof van een grammofoonplaat met een opgevouwen onderhemd. Wanneer de stem begint te zingen, wordt hij vlak doordat hij leunt in de adem van die stem, een hoge stem, en ijl als een weeklacht

'Kunnen we haar niet wat geven tegen de pijn?'
'Wanneer zou die dokter hierheen komen?'
Floria klemt haar hand dicht

verbergt het geld voor hen allemaal

'Het is van mij...'
'Natuurlijk is het van jou, tante Floria.'
'Van mij...'

en het is de kiezelsteen in haar hand. Dagen en maanden en jaren heeft ze gedacht aan haar kiezelsteen in het park, aanwezig als ze hem nodig heeft om haar eraan te herinneren dat ze wil blijven leven. Of het mogelijk te maken dat ze niet wil blijven leven. Ze kent de vorm van die kiezelsteen, raakt hem elke dag aan met haar gedachten, ziet voor zich hoe Malcolm haar meeneemt naar Slattery Park, zijn vingers in een spleet tussen twee grote stenen steekt, zijn hoofd schudt, het bij een andere spleet probeert, en haar kiezelsteen tevoorschijn haalt. Maar op een zondag, wanneer ze niet meer bang is en Malcolm vraagt haar daarheen mee te nemen – brengt hij haar naar een kiezelsteen die groter is dan de hare, lichter van kleur.
'Wat heb je ermee gedaan, Malcolm?'
'Je hebt hem in je hand.'
'Nee.'
'Het is maar een steentje.'
'Wat heb je ermee gedaan?'
'Ik heb het weggegooid. Nou goed? Ergens in de bosjes.'
'Maar waar ben je dan al die uren geweest?'
'Wat doet dat er nou toe?'
'Omdat ik me veilig voelde bij de gedachte dat jij een plek voor dat steentje zocht. En nu...

...is het allemaal... onecht.'

Malcolm komt naar haar toe rennen, en haar moeder maakt foto's, en het is niet meer Slattery park, maar Central Park, waar haar moeder haar en Malcolm naar elkaar toe laat rennen op het besneeuwde grasveld, klik-klik zegt het toestel terwijl bruid en bruidegom naar elkaar toe rennen, de een staat stil terwijl de ander rent, met uitgestoken armen. 'Uitbundiger,' eist haar moeder. 'Bewegen.' Ze moeten hun gedraaf herhalen, klik-klik, hun omhelzing herhalen, tot Floria helemaal stijf is. Bevroren. De nieuwe vriendin van haar broer biedt haar haar rode vest aan. Leonora, half zo groot als zij. Probeert dat strakke vest dicht te knopen over Floria's satijnen borsten. Veel geluk. De camera zegt klik-klik. Ze warmt zich in Leonora's strakke rode vest tot haar moeder haar zegt het uit te trekken voordat ze weer op Malcolm af rent. Rennen naar Malcolm, nog eens, en nog eens, tot het alleen nog maar om rennen draait

'Julian? Mag ik je helpen haar lakens te verwisselen?'
'Graag, dank je.'

en ze rent naar Julian, het duurt zo lang voordat ze daar is, bij hem, maar nog vroeg genoeg in haar leven om hem op de proef te stellen – plotselinge verhitting en zijden zweetbloemen – en Malcolm verbleekt... een van zijn grapjes. Hij kan zo kinderachtig doen, Malcolm. Kinderachtig en verwend. Tante Camilla zegt dat hij wolken belooft, maar rommel levert. Elk jaar een buitenlandse reis voor tante Camilla, altijd verder weg dan Italië

'Italië... is niet ver... genoeg voor...'
'Ik neem je mee naar Italië, mama, als je weer beter bent. Dan gaan we naar dat eiland waar ze kant maken.'

Kant en bruiloften.
'Bent u de moeder van de bruid?'
'Bent u een van de gasten?'

'Een gast...'
'Ja?'
'Op... mijn eigen... bruiloft.'
'Jij was de bruid, Floria.' De stem van Leonora. 'Een schitterende bruid.'
'En je hebt al heel wat trouwdagen gevierd met meneer Thompson.' Dat is Bianca.
'Denk je dat ze verstaat wat je zegt, Belinda?'
'Kikkers...'
'Wat zei je over kikkers, lieverd?'
'Julian houdt van... kikkers... mijn geheim.'

De dag voordat ze een jaar getrouwd zijn, en zij plakt de tatoeage van een kikker op haar achterwerk terwijl hij in zijn meubelzaak is. Maar het plakt niet goed, ze heeft vergeten het plastic van het plakplaatje te verwijderen. De tweede kikker lukt goed: ze plaatst hem op haar bil, maakt hem vochtig, wacht dertig seconden voordat ze het papier wegtrekt. En daar is hij – ze kan hem zien in de spiegel, midden op haar linkerbil. Om te voorkomen dat hij wordt weggeveegd door haar onderbroekje, loopt ze in haar blote gat rond, kookt in haar blote gat linguine. Dan trekt ze een rok aan, vlak voordat Julian thuiskomt.

'Ik ken dat lachje van je. Je bent iets van plan.'

Ze schudt haar hoofd. Lacht breed. 'Mijn geheimpje.'

Om vijf uur in de ochtend is ze wakker, ze rolt zich op haar rechterzij, drukt haar rug tegen zijn buik, begraaft zich in de warmte van zijn half slaperige lichaam achter haar, heerlijk tegen haar aan, totdat ze de liefde gaan bedrijven, en hij wordt helemaal wakker, en zij gaat zo liggen dat hij de tatoeage wel moet zien.

'Mijn God.' Hij raakt hem aan. 'Doet het pijn? Waarom heb je dat in vredesnaam laten doen?' En dan de opluchting in zijn stem: 'Het zit boven op je huid.' En dan lachen ze allebei. 'Jij bent mijn wilde vrouw,' zegt hij.

'Wilde... vrouw.' Floria voelt zich nu wilder dan toen ze nog een meisje was.

'Nu weet ik het weer, lieveling. Die tatoeage, die bedoel je.'

'Katten... de wildste... kat...'

'Wat voor katten, tante Floria?'

'Had je moeder een kat, Belinda?'

Wilder. Wilder dan ze zich voelt op haar tweeëntwintigste en achterovergeleund moet lopen met haar enorme buik. Ze haakt met zijdezacht draad aan de doopjurk van haar baby. Eén doopjurk, want ze weet niet dat ze een tweeling verwacht. Dat is de reden waarom de ene van de tweeling die in een winkel gekochte doopjurk moet dragen. Bianca. Die niet in leven is gebleven. Is dat de reden?

'Weten jullie nog... de doopjurk?'
'We bidden allemaal voor je.' Irish Spring en gefrituurd eten. Dus is het de priester die daar boven haar staat.

Ergernis, samen met Julian, over hun brief aan de Irish-Spring-priester na de begrafenis van hun vriendin Maxine, waarbij de Irish-Spring-priester alleen had gesproken van de relatie van de man met God, man-dit en man-dat. Is het onbeleefd om hem daarop te wijzen? Julian zegt dat hun brief een noodzaak is. 'Hoe kan hij anders leren het goed te doen bij de begrafenis van een andere vrouw?'
Bij mijn begrafenis. We wisten alleen niet dat dat al zo gauw zou zijn.

'We... wisten niet... dat het... zo gauw zou zijn.'

Maxine. Radicaal en conservatief, op beide punten heel uitgesproken, geldschenkingen voor zowel Planned Parenthood als het Vaticaan. Telkens wanneer Maxine al te militant wordt, blijft Floria een tijdje bij haar weg. Bijvoorbeeld toen de conciërge in de hal roddelde over zijn nicht. 'Heeft zich met jong geschopt.'
Maxine staart hem aan met haar felle grijze ogen. 'Bedoelt u dat ze een gewapende overval op een spermabank heeft gepleegd?'
Hij lacht, weifelend.
'De enige goede manier is elke jongen, omtrent zijn veertiende, zijn sperma laten doneren bij een spermabank, en hem te laten steriliseren.'
De conciërge schrikt zich dood. 'Steriliseren?'
'Steriliseren.' Maxine knikt. 'Als hij eenmaal getrouwd is, kan hij zijn sperma bij de bank ophalen, als zijn vrouw het daarmee eens is. Dat sperma zal aan hen worden overgedragen als ze beiden een overeenkomst tekenen waarop staat dat ze zullen zorgen voor het kind dat uit zijn sperma voortkomt. Op de lange termijn is dat gunstig voor de belastingen.'
De conciërge schudt zijn hoofd. 'Hoe bedoelt u?'

'Omdat in die overeenkomst ook staat dat hij voor het kind betaalt als het tot een scheiding komt.'
Floria en Julian hebben waardering voor Maxines pit, en dat is de reden waarom ze die brief moeten opstellen voor de Irish-Spring-priester, die nu Floria's benen wast met een spons die bijna droog is. Priesters en dokters. Verwende kerels, allemaal, verwachten onmiddellijk respect en gehoorzaamheid terwijl ze zich alweer van je vandaan haasten. Floria's arts noemt haar 'Meissie', hoewel ze zijn grootmoeder zou kunnen zijn. Dat amuseert haar, maar het ergert haar ook. Toen ze die oogontsteking had, zei hij tegen haar dat ze haar oog moest baden terwijl ze voor de tv zat, alsof vrouwen nooit iets anders doen. Toen haar nagels almaar afbraken, schreef dr. Meissie prenatale vitaminen voor. Ze is niet van plan ze te slikken, en wanneer de apotheker het daarmee eens is en voorstelt in plaats daarvan gelatinecapsules te nemen, begint Floria veel van dr. Meissies adviezen te negeren, en ze maakt zelfs grapjes over hem, thuis met Julian. Maar dr. Meissie neemt wraak. Constateert haar kanker.

De spons maakt een geluid als hees gefluister tegen haar dijen.

Ze wenst de handen van de Irish-Spring-priester niet op die plek.

'Niet doen.' Ze probeert op haar ellebogen overeind te komen.
Maar het is het meisje van de hospice, dat de spons in een kom lauw water dompelt, en hem meer uitknijpt dan Floria prettig vindt.
Gefluister... mensen die aankloppen. Hun voetstappen gesmoord in het tapijt. Buren die fluisteren hoe naar ze het vinden.
'Wat kunnen we doen om te helpen?'
'Ze is veel te mager.'
Buren... allemaal met één neus en één mond en twee ogen en twee oren, maar allemaal zo verschillend.

Neus mond ogen oren... kijken naar gezichten in winkels en metro, in menigten, altijd weer versteld zo uniek als ze er allemaal uitzien, gezien het aantal mensen op de wereld, en dat ze elk dezelfde vier ingrediënten hebben. Neus mond ogen oren...

'Hoe gaat het nu, Julian?'

'De tante van mijn schoonvader heeft hetzelfde gehad.'

'Natte sneeuw. Dat zegt de weerman.'

'Chocolade, een aanbieding, twee voor één prijs, alleen tot vrijdag.'

Floria houdt meer van die van Barricini dan van die van Loft.

'Niet... van Loft...'

'Wij zien Al Gore niet als een knappe kerel, maar hij ziet er lang niet gek uit.'

'Hij is gewoon te netjes. Hij had moeten vechten voor de stemmen die op hem waren uitgebracht.'

Een dief zal meer gaan stelen als hij niet wordt tegengehouden. Als de wet Malcolm niet had tegengehouden, zou hij met haar verhuisd zijn naar het Witte Huis. In plaats daarvan had hij geprobeerd haar naar Co-op City te verplaatsen, gebouwd op moerasgrond, op dat failliete Freedomland. De helft van de Concourse was naar Co-op City verhuisd, waardoor de buurt veranderd was. Sheila Snor had het eerst prima gevonden, maar klaagde vervolgens over structurele gebreken.

'Niet voor... mij.'

Floria weet hoe het is de echtgenote van een dief te zijn. Keurig doen hoewel je je schaamt voor zijn opschepperij en zijn hebzucht en zijn gladde optreden. Maar Malcolm houdt van alles wat nieuw is, en dus van verhuizen. 'Het is op het platteland voorbij Pelham Bay Park,' zei hij. 'En het is betaalbaar. Je kunt toch op zijn minst gaan kijken.' Maar kijken bevestigde wat Floria al wist – dat Co-op City lelijk was en dat ze niet wilde wonen in hoge, magere hokjes, zo dicht bij de wolken dat je niet eens kon kijken naar je kinderen die speelden in het gras.

In de flat van Sheila Snor was een gat ontstaan toen het gebouw verzakte naarmate het bewoond raakte, en dat gat was met beton opgevuld.

Franklin... die bij haar staat te bidden. Franklin, Belinda's priester, die leraar geschiedenis is geworden toen Malcolm doodging en zijn dakdekkersbedrijf instortte, alleen gesteund door Malcolms grootse plannen. Franklin bidt elke avond twee uur lang, en Belinda is jaloers. Jaloers op de God van haar man. Jaloers op Bianca.

Floria sluit haar ogen om hun stemmen beter te verstaan en de adem van sneeuw te verdringen, sneeuw die zich tegen de ruiten drukt, sneeuw

op de dag dat ze Julian ontmoet, maar trouwt met Malcolm. Wit op wit.

'Je bent zo dapper, Julian.'

'Het probleem met mijn dochter is dat ze met alle geweld wil dat het ditmaal een meisje wordt.'

Floria is meer op Franklin gesteld dan op de Irish-Spring-priester. Meer dan op de televisiebisschop.

'Geloof in het ongelooflijke, dan kun je het onmogelijke doen.' Maar twee mannen dragen het tv-toestel weg uit haar flat. In gebreke gebleven bij de afbetaling.

'Geen televisie... bisschop...'

'Die show was de allerergste katholieke kitsch.' Leonora. Natuurlijk.

'Voor anderen is het misschien geen kitsch.'

Leonora. Ze zijn weer bezig, zij en Franklin, over het geloof.

Leonora. Weer bezig, zij en een van de nonnen bij Anthony's eerste communie. 'Ondanks al die katholieke preutsheid zitten we met het sprookje van de onbevlekte ontvangenis, de rechtvaardiging van een vrouw die een kind baart dat niet van haar echtgenoot is.'

'Dat is geen sprookje. Dat is een wonder. Vanwege Jezus.'
Leonora's nek wordt langer, rechter.
'Jezus helpt altijd wanneer ik me zenuwachtig voel,' zegt de non. 'Dan hoef ik alleen maar te bidden: "O Jezus, Jezus, help me."'
'Ik geloof in openheid tegenover andere godsdiensten... tegenover andere mogelijkheden.'
'Maar Jezus leert ons dat Zijn geloof het enig ware is.'
'Alle godsdiensten schenken ons symbolen, dingen die ons helpen ons iets voor te stellen buiten onszelf.'
De non raakt helemaal van de wijs. 'Maar Jezus...'
'Het is te letterlijk. Katholieken willen het allemaal precies weten, tot en met de knopen op de gewaden van de engelen. En dan beweren ze dat hun beelden beter zijn dan de beelden van anderen. Zo houdt de katholieke Kerk ons onder controle. Zelfs de zonde wordt door de Kerk onder controle gehouden.'
'Hoe kunt u dat zeggen?'
'Doordat seksuele gedachten en gevoelens het etiket onrein krijgen. Kinderen wordt wijsgemaakt dat ze zich onrein moeten voelen als ze genieten van hun lichaam en er...'
'Vertelt u me eens, zuster,' – Floria's vader valt Leonora in de rede en doet een stap naar voren zodat zij de non niet kan zien. 'Ik heb me altijd afgevraagd wat de betekenis van wijwater is.'
De non knippert met haar ogen.
'Wat is de oorsprong daarvan, zuster?' vraagt hij, en hij luistert aandachtig wanneer zij vertelt van de doop en Jezus en andere sacramenten en nog wat Jezus...
Floria heeft hem nooit eerder zo gezien, haar zachtmoedige vader die er niet van houdt anderen in de rede te vallen, maar daar staat hij, en hij leidt het gesprek af van Leonora, houdt Leonora weg van de non. En dan begrijpt Floria opeens dat hij, in zijn zachtmoedigheid, de sterkste man van de familie is.
Na afloop zegt Leonora tegen hem: 'Dankjewel dat je me gered hebt.'
'Heb ik dat gedaan?'
'Dat weet je best.'
Hij lacht.

'Ik had het gevoel dat dit niet de gelegenheid was om over religieuze verdraagzaamheid te praten.'
'Als je strijdt om te veel dingen,' zegt hij zachtjes tegen haar, 'blijf je met niets achter.'

'...nooit te... jong om te... geloven.' Maar wel te jong om te neuken. Alsof dat God iets kan schelen. Daar is Floria van overtuigd. 'Neuken...'

'Hoor je dat...'

'Zegt ze echt wat ik denk dat ze...'

'Neuken, neuken... neuken.' Hoe ouder Floria wordt, des te meer geniet ze van dat woord, en van de schok die het teweegbrengt.

Voor haar betekent die uitgemergelde, geslachtsloze Jezus, wachtend aan zijn kruis op de postulanten, helemaal niets. In tegenstelling tot de Jezus met zijn bruine ledematen op het schilderij in haar ouders' slaapkamer, de Jezus met zijn eindeloos diepe ogen die verwijzen naar menselijke hartstocht.

'Misschien zei ze keuken of leuke of...'

'...neuken.'

'Floria zegt duidelijk neuken.'

'Moet je haar ook nog aanmoedigen, Leonora?'

'Het is helemaal niet geestig.'

'...neuken neuken...'

Leonora lacht.

'Ze zeggen dat het vannacht wel twintig graden kan vriezen.'

'Mohair.'

Floria houdt hen voor de gek door niet te laten merken dat ze hen kan horen.

Zoals ze ook de tandarts voor de gek houdt. 'Ik voel het lachgas niet. Staat het al aan?' Als ze laat merken hoe gek ze daarop is, zal hij de toevoer lager zetten. Lachgas geeft haar de verrukkelijkste orgasmen, en die trekken door haar lichaam – traag en zalig en aanhoudend.

'Hoe lang denk je dat ze nog...'
'Kunnen jullie... het wat... hoger zetten?'

Floria vraagt dat aan de tandarts, en zegt bij zichzelf dat ze moet zorgen dat haar heupen niet bewegen van zaligheid.

'Wat doet ze nu?'
'Dat is van de pijn.'
'Mama, wil je dat we je op je zij keren?'
'Het... werkt niet...'

'Het gas kan niet hoger afgesteld worden,' zegt de tandarts tegen haar.

'Wat werkt niet, lieverd?'
'Zeg wat we voor je kunnen doen, mama.'
Lachgas is de reden waarom Floria begrip heeft voor verslaafden. Verslaafden die veel erger zijn dan sigarettenrokers met gaatjes in hun keel. Plotseling is ze ervan overtuigd dat haar tandarts het weet,

dat alle tandartsen het weten en orgasmen voor hun patiënten plannen bij congressen van tandartsen, en dat wat zij ziet als haar eigen kunstje, in werkelijkheid een truc van tandartsen is om patiënten terug te lokken naar hun boren.

Ze moet erom lachen –

en helemaal zonder gas, stel je voor

– maar haar tong drukt slechts tegen haar kaken.
'Tante Floria stikt. Kijk maar –'
Een brede hand achter in haar nek. De hand van Julian.
Ze verplaatst haar tong naar haar gehemelte.

Mijn geheim.

'Nu wordt ze rustiger.'

Geheimen. Luipaardman. Mieren in een kasteel van klei. Geheimen die Leonora's helderziende niet kan zien.
'Ik ken een helderziende op Burnside Avenue.'
'Ik hou niet van helderzienden. Die maken je bang.'
'Deze is anders. Ik ben tweemaal bij haar geweest. Sheila Snor gaat naar haar toe, en die helderziende heeft haar gewaarschuwd voor een los wiel aan de taxi van haar man. En het zát ook los.'
'En wat heeft die helderziende jou voorspeld?'
'Dat er een andere man in mijn leven zal komen.'
'Dat zeggen ze allemaal. Jij slikt ook alles.'
'Slikken... Dat is niet het juiste woord. Naïef ben ik. Onschuldig. Vol vertrouwen. Niet argwanend.'
Toch gaat Floria naar Burnside Avenue, waar ze voor de helderziende staat met haar kraagje los.
Maar zodra de helderziende Floria's keel aanraakt, trekt ze haar hand weg. 'Ik zal u niets rekenen.'
'Wat hebt u dan gezien?'
'Ik kan uw toekomst niet zien. En ook uw verleden niet.'
'Waarom niet?'
'Maakt u zich geen zorgen. Ik reken u niets.'
'Vertelt u me dan wat u gezien hebt.'
'Ik heb niets gezien. Daarom reken ik u niets.'
'Dat kan me niet schelen, betaling. Kijkt u alleen nog een keer. Alstublieft'

'Kijk... beter... alstublieft...'
'Waarnaar kijken, mama?'
'Tante Floria?' Anthony. Vlak in de buurt.

Floria is woedend op de helderziende dat ze haar niet gewaarschuwd heeft. Omdat ze ziet dat ik Bianca's dood in me draag, evenzeer een onderdeel van mij als de schoot waarin Bianca geleefd heeft. Maar als die helderziende me gewaarschuwd had? Zou ik mijn dochters elke seconde bewaken? Zou ik alle deuren en ramen dichthouden? Ze dag en nacht aan me vastbinden? Ja. Dat zou ik gedaan hebben. Het is gemakkelijker kwaad te zijn op de helderziende dan op Anthony die vlak in de buurt staat, probeert te helpen. Altijd aanwezig, vlakbij. Bij het raam op de dag dat Bianca eruit viel

en nu bij de bank. 'Tante Floria.'

'Vlak in de buurt...'

Iemand huilt, een vrouw die Floria ooit ergens gezien heeft

in een winkel misschien. Of in een film. En voor die huilende vrouw haalt Floria de adem van sneeuw weg van het raam, tot in haar stem

zodat ze duidelijk kan zeggen wat ze, dat wéét ze, allemaal van haar verwachten: 'Ik... wil niet... doodgaan.'

Dood. Woede tegen de dood, huilend van doodsangst tegen Malcolms borst, met de wens dat hun liefde blijft bestaan, in de overtuiging dat ze niet kan doorleven als hij doodgaat. Op een avond, in de eerste maand van hun huwelijk, zit hij kip cacciatore te eten, tegenover haar aan tafel, en opeens is ze doodsbang dat hij zal stikken en sterven. Of dat hij die avond gaat slapen en doodgaat. En zo niet nu, dan morgen. Of volgende week. Of dat hij op een dak zal omvallen en sterven. Of een ongeluk krijgt op weg naar zijn werk. En sterven. Sterven. Maar dan komt het zo ver dat afstand van Malcolm het meest wenselijke aspect van hun huwelijk is, en ze zweert dat ze nooit meer zo bang zal worden om iemand te verliezen. Want als die wens van altijd met Malcolm samen te zijn zou uitkomen, dan zou dat een hel zijn. En toch, met Julian, durfde ze te hopen dat 'voor altijd' is wat ze beiden wensen en hebben

'Nog één lepeltje, mama?'

'Soep... tijd...'

'Ssst – ze zegt iets.'

Floria's moeder roept iedereen aan tafel door te vermelden wat ze gekookt heeft – 'Tijd voor pannenkoeken...' 'Tijd voor linguine...' – en haar stem spreekt van de herinnering en de geuren van de laatste keer dat ze dat eten had klaargemaakt: vis of pannenkoeken of linguine of kip. Na de zondagse maaltijd, terwijl de mannen op de sofa zitten voor hun dutje en de kinderen buiten spelen met knikkers of springtouwen, zweeft die stem het keukenraam uit: 'Kwarktaart

'Tijd voor... kwarktaart...'

Haar moeders handen die over haar haren strelen

Nee. Het meisje van de Hospice. Floria geneert zich voor die vreemde die haar verkleefde haren aanraakt. Ze wast. Van spoelen in een kom wordt het nooit echt schoon.

Floria ligt in de badkuip, beweegt haar hoofd heen en weer onder water tot haar haren uit eigen kracht in het rond draaien. Prachtige haren.

'Joelle...?'

De slanke jongen komt achter haar staan, spreidt zijn vingers, omvat haar schedel als een wieg. Joelle. Een meisjesnaam voor een jongen. Snel en zacht spreidt hij zijn vingers opwaarts door het gewicht van haar haren, tot ze naar haar schouders neervallen. 'U hebt prachtig haar

'Prachtig... haar...'

'Even stil blijven liggen. Ik ben bijna klaar.'

Twee dagen voor haar huwelijk met Julian betreedt ze de dure kapsalon aan Madison Avenue – impulsief, klaar om te vluchten – om te informeren wat voor kapsel het best zou passen bij haar gelaatsvorm. Zijn gezicht in de spiegel, achter het hare. Joelle. Hoekige kaken en de ogen van een kunstenaar. Zijn schouders zijn ongelijk, iets te hoog. Opnieuw spreidt hij zijn vingers opwaarts. En hij zucht. 'U hebt prachtig haar.' Alleen al door haar haar aan te raken, licht en volledig en nogmaals, maakt hij haar haren prachtig, en natuurlijk loopt ze niet weg, laat ze hem knippen. Te duur om hier ooit nog terug te komen. Met fooi en al de prijs van een echt mooie japon. Maar ze rechtvaardigt het met haar huwelijk. En ze zal eeuwig fantaseren dat ze daar weer is, met Joelle, vingers opwaarts gespreid door haar haren, en hij zegt tegen haar: 'U zult versteld staan hoe weinig shampoo u nodig zult hebben nu uw haar korter is. Eerst zal het een vreemd gevoel zijn, alsof u niet genoeg op uw hoofd hebt, maar u zult eraan wennen.' Joelle geeft haar een afscheidsgeschenk, een zeemleren doek voor haar gezicht, en hij zegt waarschuwend: 'Spoelen, spoelen, spoelen. Ik hoop dat u nog eens terugkomt.'

De vrouw huilt nog steeds.

'Ik... hoop dat je nog eens... terugkomt,' zegt Floria tegen haar, om haar te troosten.

'Maar mama, ik ben hier de hele dag geweest.' Bianca.

'Spoelen, spoelen, spoelen...'

Bianca die vooruitrent in de dierentuin, rent alsof ze danst, met armen die door de lucht maaien, schreeuwend dat ze zo van die grote dieren houdt. 'Van de gorilla's en de nijlpaarden, en de neushoorns... en vooral van de olifanten.'
En Belinda, achter haar aan, springend. 'Ik hou meer van vogels. Bij die grote dieren weet je meteen waar ze zijn. Maar bij de kleine moet je een hele tijd kijken tot je iets ziet bewegen. En dan denk je: Daar zit een dier. Maar misschien toch niet

'Wachten even... op mij... meisjes...'

'Niemand gaat weg, tante Floria.'

'We zijn allemaal bij je, mama.'

'Die grote dieren raak je tenminste nooit kwijt,' roept Bianca. 'Je weet altijd waar ze zijn.'

Kleiner, ze worden kleiner, haar meisjes. Gemakkelijk kwijt te raken. Ze kruipen door de bus. Uien en benen en roze katoen. Warm. Vreselijk warm en stoffig. Manden. Ze worden kleiner – 'Wachten jullie...'
'Vogels zijn de gelukkigste dieren.'
'Niet als ze in kooien zitten.'
'Mussen en zwaluwen. Gewone vogels. Buitenvogels.'

'Wacht even...'

'Ik zal op je wachten.' Julian. Die de gehaakte deken om haar schouders trekt, in de kleuren van kerkvloeren, drie tinten grijs, twee van terracotta.

Maar Floria schuift de gehaakte deken weg

kilometers gaas

'...te zwaar...'

en volgt haar meisjes, die rennend dansen naar de nevel, op en neer als marionetten

'We zijn er allemaal, mama.'
'Dat is... goed, Bianca...'
'Maar ik ben Belinda.'
'Ssst. Laat haar maar.'

Dichterbij, steeds dichter bij haar meisjes, maar ze ziet hen niet, hoort hen alleen het olifoonversje van school zingen, heel snel, alsof het één zin is: 'Er was eens een olifant die probeerde de telefoon te gebruiken nee nee ik bedoel een olifoon die probeerde de telefoon te gebruiken maar zijn slurf raakte vast in de telefurf en hoe meer hij trok, des te luider zoemde de telefok ik geloof dat ik beter kan stoppen met dit versje van olifoppen en telefersje

'...en telefersje...'

'Tante Floria zegt dat ze wil telefoneren.'

'Wil je dat ik iemand voor je opbel, lieverd?'
'Waarom laat je haar niet gewoon de telefoon vasthouden?'
'Hier is-ie.'
'Maar nu wil ze hem niet aannemen.'
Warme handen om Floria's enkels. Magere handen met lange nagels. Leonora. 'Laat me je voeten wrijven.'
Floria wordt verlegen. 'Ik wil dat Julian... dat doet... dat is iets... speciaals... van ons tweeën...'
'Natuurlijk.' Een snelle kus op haar voorhoofd. Leonora. Lippen die Floria's gloeiende voorhoofd verkoelen.
Dan zijn handen. Julian weet instinctief waar ze wil dat hij haar aanraakt

na het dansen. Hij wrijft haar enkels, haar hielen, de vlezige kussentjes achter haar tenen. Precies goed. Met zijn tong tussen haar tenen. Achter haar tenen. Zijn haar

grijs nu, grijs en weerbarstig. Lang is hij, Julian, lang, en hij beweegt zich vlotter dan zijn zoon Mick

er zullen vrouwen zijn die wel wat met Julian willen

'Toe maar... Wacht niet... al te lang...'
'Weet je nog hoe lang ik eerder op jou heb gewacht?'

Ze doen het goed op de dansvloer, zij en Julian, soepel en jeugdig voor hun leeftijd, zoals iedereen zegt, dansend in stedelijke wedstrijden – de cha-cha-cha, de wals, de tango – en ze winnen prijzen. De tango, de tango dansen met Leonora. Julian is de enige man die even goed danst als Leonora. Op Floria's eerste bruiloft danst hij met Leonora. Bij haar tweede bruiloft houdt Floria hen scherp in het oog, verbijsterd zo jaloers als ze is, ondanks en dankzij haar liefde voor hen beiden: haar liefde voor Julian is direct; die voor Leonora is langzaam gegroeid, en steeds ruimer geworden sinds de avond van de sambuca

'...sambuca...'
'Hebben jullie sambuca in huis, Julian?'
'Luipaard... man...'
Er wordt gelachen. Leonora. 'O, hang je daar uit? Veel plezier...'
'Maar Mama mag geen alcohol drinken bij haar medicijnen.'
'Maakt dat echt nog enig verschil?'
'Zo moet u niet praten, tante Leonora.'
'Ik wil alleen dat Floria krijgt waar ze om vraagt.'
'Dank... je...' Floria weet dat zij en Leonora alles voor elkaar zouden doen. Uit liefde voor hun kinderen.

Eén verloren aan de dood; één verloren aan argwaan.

Haar voeten worden gewreven, Julian,

die haar voeten gereedmaakt om te dansen. Nu. Licht. Zo licht wanneer ze danst in de nevel die half doorschijnend is, kant en gaas, wit op wit, en hem achter zich laat. De kanker heeft haar naar de hoogste leeftijd gesleurd, een generatie vóór op Julian, en nu zal hij haar nooit meer bereiken. Ze heeft medelijden met hem. Een stem die vlakbij praat, zo dichtbij dat Floria het zoemen van die stem binnen in haar slapen kan voelen... over lepels en gebroken glas en de noodzaak van haasten. Gezoem

van haar eigen stem, gezoem over lepels, al weet ze niet wat het betekent, alleen dat het belangrijk is, zijn best doet eruit te komen.
'Wat is er, mama? Wat zeg je?'
'...lepels... wacht op... me... Bianca?'
'Ik ben er.'
Maar Floria kan zien dat het Belinda is.
'Ik luister, mama.'
'Nu wil je... luisteren...'

Belinda luistert niet op de dag dat Floria Victors auto leent om haar naar haar studentenhuis te rijden. Het college is maar een paar kilometer van thuis verwijderd, en toch blijft Floria pra-

ten... praten – hoewel ze weet dat ze moet ophouden – alsof ze niet meer dan die veertig minuten in de auto heeft om al haar wijsheden door te geven aan haar dochter, die haar niet wil aankijken. Zo gekwetst als ze zich voelt in de hal van het gebouw, als Belinda zegt: 'Geen van de andere moeders is gekomen.'

'...heel wat... andere moeders...'

'Mama?'

'Toch echt heel wat andere moeders...' Julian, met zijn ene hand luchtig op haar pijnlijke buik, met ogen die zo angstig staan. 'Rustig maar, kalm maar, lieveling.' Fluistert tegen de gasten: 'We kunnen beter instemmen met alles wat ze zegt. Om te voorkomen dat ze overstuur raakt.'

'Overstuur...'

Er zijn dingen waarvan Floria weet dat ze hen allemaal overstuur zouden maken... geheimen die in haar rusten en soms opflakkeren als op het scherm van RKO, haar doen schrikken met dat plotselinge gevoel van dat-ben-ik-dat-ben-ik-dat-ben-ik. Geheimen. De signora die haar vroeg op een ochtend in februari leert waar vrouwen hun genot vinden. Krullend zwart ijzerwerk langs het trapje naar de voordeur van haar ouders. Haar moeders bloempotten, geraniums, anjelieren, in zwarte krullen onder de ramen geplaatst. Een rode tuin, daar houdt haar moeder van. Rood als het gat in Floria's ziel wanneer ze Emily ontwortelt. Een leegte die wacht op de signora.

'Je kunt... het rood... niet zien in de winter.'

'Heb je het koud, lieveling?' Daar komt die gehaakte deken weer.

Belinda heeft moeite met haar ademhaling in stoffenwinkels. Dat komt van het stijfsel, daarvan raken haar voorhoofdsholten verstopt. Emily die het schetsboek doorkijkt: lijnen en kleuren uit winkels, uit tijdschriften, van de straat zelfs. Modes en lapjes en technieken. Een speciaal soort plooi. Ontwer-

pen die Floria uitgevoerd heeft en ontwerpen die ze nooit zal maken. Emily... Verhuisd? Dood al, als nonnen in de opera?

'En van wie de... dood...'

'Mama? Nog niet weggaan, mama.'

'...ga ik... dood?'

'Maar je wordt weer beter, tante Floria.'

Nonnen, wachtend op de guillotine. Een moeilijker sterven dan ik nu onderga. De dreun van de bijl, terwijl de resterende nonnen in de rij staan en gezangen laten horen: '...de telefant nee nee ik bedoel een olifoon die probeerde de telefoon te gebruiken maar goed, zijn slurf raakte vast in...' hun stemmen worden steeds minder in aantal tot er nog maar één over is. Stilte, vervolgens. In de damestoiletten een gezoem van stemmen, afnemend naarmate de hokjes leegraken en anderen naar binnen gaan. Deuren die dichtslaan als de bijl van de guillotine. Floria zegt bijna hardop dat ze lijken op die wachtende nonnen. Maar ze durft niet. In de metro zegt haar vader: 'Dat had je tegen hen moeten zeggen.' Andere manieren van sterven. Een guillotine. Een open raam. Dansend tegen de heuvels boven de turquoise baai op rennen, huppelend

'Voorzichtig..., meisjes...'

Dansend rennen over paden met de kleuren van duinen en aarde, langs ezeltjes en rotsrichels, tijm en rozemarijn vertrappend. Ver beneden hen de havens van Santa Margherita en Rapallo. Poorten van olijvenbosjes en wijngaarden, van boerderijen en schuren. En de echo's van duiven die de meisjes volgen die vallen of verdrinken of dansend rennen, weg van de geur van vis en mango's en dieren, naar de glinstering van ringen die eruitzien als één ring, niet twee

'Niet aankomen...'

Andermans ongeluk en vreugde vlak tegen haar huid

'Ik controleer alleen de zuurstoftoevoer, Meissie.'

terug uit Italië, vragen aan anderen wat zij met die ringen gedaan zouden hebben. Leonora: 'Ik zou ze zelf hebben gehouden.' Haar vader: 'Als je eenmaal een jong vogeltje hebt opgepakt, heb je schade aangericht. Vanwege jouw geur zal zijn moeder hem niet meer te eten geven.'

'Vogels... jonge vogeltjes... ringen zijn geen...'
'Oké, Meissie.'

De vogels met rust laten op het verlaten pad in het olijvenbosje. Maar wat jou verlaten voorkomt, is voor iemand anders een belangrijke plek

'Niet... storen...'
'Het spijt me als ik je gestoord heb, Meissie.'
'...het patroon.'
'Maak eens een vuist. Daar gaan we.'
'Komt de priester nog terug, Julian?'

Priesters en dokters. Verwende mannen die gehoorzaamheid eisen. Die haar meisjes niet toestaan de ringen aan te raken

'Iemand had ze... daar... expres neergelegd.'

Rozemarijn en tijm en je overgrootvader trekt door Ligurië, een jongeman die door een olijvenbosje loopt, de zon schijnt tussen de bomen door, raakt iets glimmends op de grond. Waterdruppels? Een spinnenweb? Zilver... een ring. Nee, twee ringen... glad, afgesleten. De ene een trouwring. De andere vertoont vier knopen, van binnen zwart geworden. Hij laat de ringen achter in het volgende dorp dat hij bereikt, aan de voeten van het Madonnabeeld. Een dag later hoort hij van een wonder op het kerkhof van Nozarego, waar de Madonna twee verloren ringen heeft teruggegeven aan een jonge vrouw, een paar uur nadat ze bij dat beeld had gebeden, de trouwringen van haar overleden ouders, ringen die ze aan een ketting om haar hals droeg omdat haar vingers er te dik voor waren. Je overgrootvader keert terug naar Nozarego, klopt op de deur van het huis van de priester, vertelt hoe hij de ringen had gevonden en bij het beeld had achtergelaten. Maar de priester wil daar niets van horen. Hij zegt tegen je overgrootvader dat het een wonder is, en dat hij dat wonder bewerkstelligd heeft. Waarschuwt hem dat het een zonde zou zijn dat wonder ongedaan te maken, je overgrootvader moest dat wonder laten zoals het was. De priester neemt hem mee voor een ontmoeting met de familie van die jonge vrouw, en de week daarop trouwt je overgrootvader met haar, in de overtuiging dat het eigenlijke wonder is dat de ringen hem naar haar toe hebben gebracht

'Even stilhouden, Meissie. Ontspan je hand maar.'

Je meisjes die het pad op rennen, met dansende haren – natuurstenen bogen en trapjes en muurtjes. Schoenen in een etalage

'Ga daar... niet naar binnen. Ze...'

Het heeft geen zin je tweeling angst aan te jagen door hen te vertellen dat de verkoopster liever hun tenen zou afhakken dan hen laten weggaan zonder knellende schoenen

'Ze verwachten... dat je... koopt.'

Pruimenyoghurt kopen, twee in een paars pakje, met rimpelige pruimen erop. Vitasnella. Con pezzi di prugna.

'Ik raad nog steeds aan uw vrouw in het ziekenhuis te laten opnemen.' Dokter Meissie.

'Dat wil Floria niet.'

'Uw vrouw zou daar veel rustiger zijn. En ik ook.'

'Gaat niet... om uw... rust... dokter Meissie.'

'Floria en ik hebben erover gepraat.' Julian. 'Dat is niet wat we willen. Anthony? Wil je me helpen je tante naar de slaapkamer te dragen?'

'Hier ben ik.'
'Til haar benen op. Voorzichtig. Juist, zo. Ik pak haar schouders.'

Twee mannen om één magere vrouw te dragen. Jarenlang gesnakt naar vermagering, en nu mis je die zwaarte. Alweer een vorm van alleenzijn. Telkens wanneer je erover nadenkt, over dat alleenzijn, houdt het je voor de gek, voert het je één graadje verder weg. En toch: hoe meer je alleen bent, des te dichter kom je bij jezelf

Julian doet het licht uit, en dan is het weer nacht, zijn gedaante naast de jouwe, zijn verdriet. Zijn koele vingers strijken over je nek, en dan over je voorhoofd, alsof je breekbaar bent. Waar je behoefte aan hebt, dat is het gewicht van zijn lichaam op het jouwe

om je te verankeren, samen met jou te zoeken naar je meisjes in het apenhuis dat uitkomt op de kerk waar de Madonna eeuwig en altijd op haar arm de zuigeling heeft die al de man is die vlak in de buurt aan het kruis is gespijkerd, en dan naar buiten in de mist van de piazza – 'Stoom zal de ademhaling verlichten... mooi, goed zo, Floria, meisje, doorgaan met ademhalen...' – een zilverkleurige mist, en door die mist heen rent dansend een meisje jouw kant uit, zonder hulp, niet meer hinkend, maar speels, en Belinda vlak achter haar, huppelend, allebei in fluwelen manteltjes, allebei heb je ze teruggekregen, en opnieuw is de tijd eeuwig en vroeger. Eeuwig en voordat Bianca valt

En voorgoed en eeuwig komt Julian naast je liggen, voorzichtig om niet te verbrijzelen wat er nog van je over is.

Voorgoed en eeuwig opstaan uit het bed van de signora. Zoveel warmer als het lichaam van de signora is... Floria heeft er geen spijt van. Jarenlang heeft het aangevoeld als iets waarmee ze voor de dag moest komen, iets wat ze moest uitpraten en te rusten leggen en daarna gewoon voortleven. Alleen heeft ze het niet bekend. Niet tegenover Malcolm. Niet tegenover Julian.

Geheimen hebben iets van loyaliteit – ze zijn van jou, helemaal van jou, en houden zich aan je vast wanneer niets anders dat meer doet – en Floria heeft niet meer het gevoel dat iemand, zelfs een echtgenoot, daar recht op heeft. Ze zou zelfs wensen meer geheimen te hebben, want het gewicht van al die dingen die nooit uitgesproken zijn, is zo kostbaar geworden, zo vertrouwd, dat ze, als ze er afscheid van zou nemen, nog minder zou wegen

Anthony 2002: *Gewelddadigheden*

Mijn moeder neemt lessen in zelfverdediging in het souterrain van een pandjeshuis aan East 149th, de ergste buurt van de zuidelijke Bronx. Van de negen deelnemers is mijn moeder de oudste. De enige andere vrouw is half zo oud als zij en heeft een massagesalon in de buurt waar vroeger Alexander's was.

Tot dusver heeft mijn moeder geleerd hoe ze zich moet bevrijden uit een wurggreep; hoe ze iemand moet aanvallen die op haar afkomt met een biljartkeu of een kapotte fles; hoe ze de neus en de elleboog van haar aanvaller kan breken. Wanneer ze Joey en mij bezoekt voor een weekend in Brooklyn, brengt ze verse mozzarella van Arthur Avenue mee, en wil ze haar handigheden oefenen op de patio, waar ik de tafel aan het dekken ben.

'Hup, Joey, wurg me eens van achteren.'

Mijn zoon is op zijn elfde al een hoofd groter dan mijn moeder, en wanneer hij op haar af komt, beweegt hij zich met een elegantie die ik bepaald niet had toen ik zo oud was als hij. Hij heeft Ida's lichaamsbouw, lang en smal.

Ik grijp hem bij zijn elleboog. 'Ik vind niet dat het een goed idee is om je grootmoeder te wurgen.'

'Wurg jij me dan, Anthony,' zegt ze.

'Laten we gaan eten. Ik heb pa's minestrone voor je gekookt.'

'We kunnen eten nadat je me gewurgd hebt.' Witte haren hangen rond het vlekkerige gezicht van mijn moeder, transformeert haar tot een negatief van de moeder met wie ik groot ben geworden, de moeder met gitzwart haar en een huid die zo blank was dat hij gloeide. Toen ze grijs begon te worden, begon dat langs haar linkerwenkbrauw totdat al haar haren wit waren, alsof dat aldoor al haar ware kleur was geweest, en het juiste moment had afgewacht.

'Maar die biljartkeus?' vraag ik. 'Kapotte flessen? Waar denkt die man dat jij moet vechten? In cafés?'

'Hij heeft als uitsmijter gewerkt.'

'Cool,' zegt Joey.

'Helemaal niet cool.'

'Cool,' herhaalt hij, met uitdagende blikken – de eerste opvlamming van haat? – en nog terwijl ik me afvraag of me soms iets is ontgaan, weet ik dat hij me vaker zo zal aankijken.

'De instructeur zegt...' Ze spreekt zachter. Haar stem wordt scherp. '"Hard toeslaan. En dan de benen nemen. De rechtbank geeft criminelen meer rechten dan slachtoffers. Iemand kan je een proces aandoen als je hem niet knock-out slaat. Laat nooit je visitekaartje achter. Ga naar huis. Lees er de volgende ochtend over in de krant. Zeg bij jezelf: Hé, een overvaller gedood... Hmm... Nounou."'

'"Nounou."' Joey doet het accent na. '"Hé, een overvaller gedood. Hm."'

Ik ben jaloers op hun opwinding, hun onderlinge band. Wring me ertussen. 'Wat is de achtergrond van die man?'

'Hij is in de veertig, een jaar of tien jonger dan jij, Anthony. Als jongen hierheen gekomen uit Noorwegen. Heeft nog steeds het gezicht van een jongen, met die...'

'Dat vroeg ik niet.'

'Maar dat is mijn antwoord.'

'Wat is zijn intellectuele achtergrond?'

'Van alles een beetje.'

'Zal wel.'

'Hij heeft een zwarte band en geeft ook andere lessen.'

'Waar je leert hoe je een drankwinkel moet beroven? Een bank?'

'Karate. Judo. Kickboksen.'

'Je zou je kunnen inschrijven voor lessen in zelfverdediging voor vrouwen. De YWCA heeft vast wel een dergelijk programma... met andere vrouwen die de lessen volgen.'

'Als ik word overvallen...' Mijn moeder rekt zich uit tot haar volle lengte van een meter drieënvijftig, 'is het onwaarschijnlijk dat mijn overvaller een vrouw is. Dus dan kan ik beter trainen met mannen. En die instructeur weet er heel wat van. Hij leidt zelfs brandweerlieden op.'

'En ook criminelen, wil ik wedden.'

'In de week na 9/11 is hij gestart met twee cursussen voor brandweerlieden.'

'Geloof je echt dat wat jij bij hem leert, terroristen kan tegenhouden?'

'Het is veel ingewikkelder, Anthony.'

'Je hebt gezien hoe Ground Zero eruitzag.'

'En dat zal ik nooit vergeten ook.' Mijn moeder was vorig jaar oktober bij ons toen Ida en ik Joey meenamen naar Ground Zero en daar stonden op een trottoir vol mensen uit allerlei culturen, allemaal sprakeloos, allemaal rouwend tegenover wat een massagraf was geworden. Velen huilden. Niemand begon te dringen.

Totdat, heel plotseling, een jonge vrouw met koperrood haar en een stem als een trompet begon te duwen, en ze schreeuwde: 'Mensen, doorlopen. Lopen. Dit is een trottoir.'

Ik was verbijsterd. Al die tijd had ik hier niet naartoe gewild, ik had niet gewenst dat Joey het zag; maar hij had Ida en mij verteld dat hij, voordat hij ooit nog van iets in Manhattan kon genieten, eerst moest huilen bij Ground Zero. En dat deed hij dan ook.

'Begrepen, mensen? Een trottoir. L-O-P-E-N.' Goedkoop leren jasje. Goedkope make-up. Een stem die een heel continent door elkaar kon schudden. 'Begrepen?'

'Stil een beetje,' zei iemand.

'Dus... lopen, mensen.'

Maar terwijl ze zo doorging, moest ik wel glimlachen – voor het eerst in weken – omdat zij hier het enige sprankje leven en energie was: zij was het ware New York. Achteraf praatten we over haar, toen we over Washington Square liepen waar jongleurs omringd werden door publiek, waar jonge paartjes in de zon zaten, op het gras. Normaal. Als altijd. Het leven ging verder zoals het voor de aanval was geweest.

'Ik heb jou nodig om te oefenen, Anthony,' zegt mijn moeder.

'Ik wil je niet wurgen.'

'Wil je me dan misschien vooraan bij mijn kraag pakken?'

Voorzichtig neem ik een rand van haar zijden kraagje tussen mijn rechterduim en -wijsvinger.

'Niet op die manier.' Ze slaat haar ogen rollend ten hemel. 'Jezus Christus. Je bent geen textiel aan het keuren.'

Hoe kan ik haar vertellen dat we naar ons toetrekken wat onze hartstocht wenst – wat we vrezen of waar we dol op zijn of wat we intens haten – en dat ik bang ben dat zij geweld jegens ons oproept met die lessen van haar. Precies zoals ik geweld naar mijn familie heb aangetrokken. Als jongen was ik hebberig – 'zeuren' had zij het genoemd – totdat ik bang werd iets te wensen. Als het verlangen naar plakplaatjes dodelijk kon zijn, zo had ik besloten, zou ik definitief ophouden ook maar iets te verlangen. Maar binnen in me groeide het verlangen, een vraatzuchtig beest. Mijn levenswerk: het gevangen houden in zijn kooi.

Mijn moeder kijkt me aandachtig aan, zo aandachtig dat ik me afvraag of ik hardop heb gedacht. 'Er zijn dingen die we onszelf moeten vergeven als we willen doorgaan met ademhalen,' zegt ze langzaam. 'Bepaalde dingen die we... als kind gedaan hebben, Anthony. Met name als we ze gedaan hebben om ons gezin intact te houden.'

We?

'Maar ik heb ons niet intact gehouden,' verbeter ik.

'Je hebt het geprobeerd.'

'En... wat voor slechte dingen heb jij als kind dan wel gedaan?'

Ze geeft me geen antwoord, heeft me geen zonden te bieden; toch zie ik in haar ogen een nalatenschap van zonden die geen zoon zich voor zijn moeder zou moeten kunnen voorstellen.

'Ik begrijp niet wat je bedoelt.'

'Vergiffenis,' zegt ze, 'komt in de vorm van een rode paraplu. Van een dravend paard.'

'Ik begrijp het nog steeds niet.'

Ze knikt. Gaat zitten. 'Kunnen we nu gaan eten?'

'Maar... Natuurlijk.' Ik geef haar waar ik goed in ben. Eten.

Ze neemt een hap. 'Dat tikkeltje ham... maar een vleugje, de manier waarop je vader zijn minestrone maakte. Heerlijk. Hoe maakt Ida het?'

'Prima.'

'Praten jullie?'

'Ja.'

'Met elkaar?'

'Natuurlijk praten we met elkaar. We moeten onze bezoekjes bij Joey afspreken.'

'Noem het geen bezoekjes.' Ze ontrolt haar servet. 'Vader zijn betekent niet je kind bezoeken.'

'Dacht je niet dat ik veel liever voortdurend hier met Joey zou willen wonen?'

Ida en ik wonen om de beurt in dit huis en in het appartement boven de boekwinkel, zodat Joey in één vertrouwde omgeving kan opgroeien. Tijdens ons werk omzeilen zij en ik elkaar – vriendelijk en behulpzaam, te oordelen naar wat onze klanten zien – zij in de boekwinkel, ik in het aangrenzende café waar ik, gehuld in de geuren van knoflook en kaas en rozemarijn, de maaltijden imiteer waar ik als jongen zo gek op was. Het meeste wat ik weet van koken, is afkomstig van mijn vader en tante Floria: zijn vaardigheid; haar hartstocht. 'Italiaans troostvoedsel voor eenzame lezers,' aldus een van de restaurantcritici. Ik stel me graag voor dat mensen daarheen komen om alleen te zijn, tevreden terwijl ze eten en lezen. Als ik naar hen kijk, word ik minder bang om alleen te zijn. En dus geef ik hun te eten, en ik overreed hen met mijn kookkunst tot volgende bezoeken.

Ik heb me in Ida's winkel ingekocht voordat we trouwden. Vóór die tijd had ik haar vaak geholpen met het café, nadat ik de hele dag als dakdekker had gewerkt. Zo hadden we elkaar ontmoet, toen ze een parttime kok nodig had. Het is moeilijk de hele dag in de buurt van Ida te zijn. 's Nachts word ik achtervolgd door de gedachte van Ergens Anders zoals ik die als jongen had ontwikkeld – dat mannen niet bestonden buiten een huwelijk. Vroeger had ik dat afgedaan als iets wat ik als kind verkeerd had begrepen, maar als ik weg ben bij Ida, Ergens Anders – niet bij iemand horend, zonder wortels – dan voel ik me precies zo. Het herinnert me aan oom Malcolm, en hoewel ik nooit gevangen heb gezeten, heb ook ik me aan de rand van het fatsoen bewogen. Nadat ik begonnen was oom Malcolm te helpen in zijn dakdekkersbedrijf, wist ik niet hoe lang ik uit zijn buurt kon blijven, totdat hij doodging, en ik de vrijheid kreeg om het werk te doen waar ik gek op was. Toen ik met Ida trouwde, voelde ik dat ik me voor haar openstelde, voorzover ik dat kon. En vervolgens voor Joey. Maar er zijn dingen in me die ik niet aan hem of Ida kan laten zien. Het minste wat ik verdien is de eenzaamheid van die situatie.

Voor mijzelf. Maar niet voor hen.

In de weken dat ik in het huis woon, nodig ik vaak mijn moeder uit, ter verzachting van de afwezigheid van Ida – zij is de enige vrouw die zowel mij als Joey heeft liefgehad. Maar de laatste tijd heeft mijn moeder niets zachts meer.

'De instructeur heeft ons laten zien hoe je een vuistslag in de onderbuik moet geven,' vertelt ze ons. 'Alsof je een ijspriem hanteert.'

'Telkens wanneer je die vent citeert, spreek je met zijn nepaccent... uit een of andere goedkope spionnenfilm.'

'Alsof je een ijspriem hanteert.' Joey oefent zich in dat accent. 'Alsof je...'

'Precies zo klinkt mijn instructeur,' zegt mijn moeder met haar eigen stem.

'Ik wil niet dat Joey dat allemaal hoort.'

'Jij wilt Joey veel te veel beschermen.'

'Ik had nooit verwacht dat ik hem tegen jou zou moeten beschermen.'

'Tegen mij?'

'Tegen jouw invloed.'

'Dat moet je niet zeggen.' Ze ziet er geschokt uit.

'Niet tegen *jou*. Sorry. Tegen jouw verhalen over zelfverdediging.'

Achter haar zie ik de ranken van de blauweregen die Ida en ik zo radicaal teruggesnoeid hebben toen we tien jaar geleden dit huis kochten. Het had al jaren leeggestaan, en de steen brokkelde af in een tuin zo overwoekerd met sumak en blauweregen en trompetbloemen dat we Joey daarvandaan hielden. De derde keer dat Ida me verliet – zes scheidingen van tafel en bed en vijf herenigingen tot dusver – kocht ik rubberhandschoenen en ging ik achter de sumak aan met onkruidverdelger en snoeischaren, verbaasd over de bevrediging die ik voelde terwijl ik die lange ranken losrukte. Mijn wraak. Als jongen had ik expres *sumak* aangeraakt om te bewijzen dat ik, net als Kevin, immuun was voor sumak en zonde en straf, maar die hete blarenuitslag had alleen maar bevestigd dat ik niet ongedeerd kon blijven.

Onder de wirwar van ranken achter ons huis vond ik een diepe kuil, afgedekt met rottende planken. Een aardappelkelder, nam ik aan; maar toen ik een ladder had gehaald en erin afgedaald was – dankbaar dat we Joey buiten de tuin hadden gehouden –, bleek de kuil bekleed met sintelblokken. Een vervallen schuilkelder tegen fall-out, daterend uit de jaren vijftig, ongeveer tweeënhalve bij tweeënhalve meter. Olijfgroene watervaten. Twee verroeste zaklantaarns. Een metalen kist vol hard geworden pakketten. Op een ervan kon ik nog de letters 'General Mills' ontcijferen. Overlevingsrantsoenen die ons, als er inderdaad een kernbom was gevallen, evenmin hadden kunnen redden als wegduiken onder onze banken op school, kin naar beneden, armen tegen je oren gedrukt, vingers achter het hoofd in elkaar gehaakt, teneinde te bidden, zoals de zuster had voorgedaan, dat we het voorgeborchte mochten overslaan en rechtstreeks in de hemel zouden komen. *Wegduiken en afdekken.*

Waar ik de sumak heb ontworteld en de schuilkelder heb volgestort, groeien nu seringen en pioenen; rozen en trompetbloemen. Ik heb begrepen dat de sumak, gezien zijn wortels en de aard van onze tuingrond, zal terugkomen, maar ik heb geleerd die plant in alle seizoenen te identificeren – zelfs zonder zijn glanzende blad – aan de bruine duizendpoothaartjes op de ranken die zich aan bomen hechten. Ik heb geleerd wat ik moet doen om die plant te doden.

Onze achtertuin is nu veilig: dat is mijn werk geweest.

Maar met conflicten gaat dat niet zo gemakkelijk. De grootste worsteling tussen Ida en mij: zij wil in mijn duisternis klimmen en me begrijpen, terwijl ik haar met zwijgen afweer, teneinde haar te beschermen tegen mijn duisternis. Soms verlang ik er nog steeds naar in geen dagen een woord te zeggen. Maar dat lukt me niet meer. Niet als vader. Voor Joey heb ik geleerd woorden uit mezelf te trekken.

De laatste keer dat wij drieën samenwoonden was na de aanval op het World Trade Center, toen Ida en ik ons naar Joey's school hadden gehaast, ontzet. We namen hem mee naar huis, maar zelfs daar voelden we ons niet meer veilig. Niet in Brooklyn. Niet in de wereld. Na een paar dagen keken we niet meer naar het nieuws op de televisie, en luisterden we in plaats daarvan naar NPR; en toch kwamen beelden van de afbrokkelende Twin Towers – eindeloos vaak – terug wanneer we de ogen sloten.

Ida en ik sliepen niet goed, en telkens wanneer een van ons wakker werd, lag de ander al met open ogen. In een van die nachten hoorde ik haar uit bed stappen, haar trage blote voeten op de houten vloer, het doortrekken van de wc. Toen kroop ze weer terug onder de gestikte deken. Huiverde. Vier uur in de ochtend, en het huis was koud.

'Eigenlijk,' zei ik, 'zouden we een je weet wel, een revolver moeten aanschaffen.'

'Misschien... Maar zouden we daarmee schieten?'

'Ik zou het doen. Als terroristen in ons huis inbraken, zou ik het doen.'

'Terroristen hebben grotere doelwitten nodig dan ons huis. Doelwitten die doordringen tot het wereldnieuws.'

'Gebouwen... Bruggen... Je voeten...'

'Mijn voeten?'

'Koud als ijs.'

'Daarom wil ik ze warmen bij jou, Antonio.' Ida noemde mij Antonio, net als mijn grootouders vroeger. Ze zei vroeger vaak dat de Italiaanse versie van mijn naam sexy was, maar dat had ik al heel lang niet meer gehoord, niet sinds ze me ervan beschuldigd had dat ik niet naar haar verlangde. En toen ik had gezegd dat dat wel het geval was, hield ze vol dat ze geen enkel verlangen mijnerzijds kon voelen.

'We zouden de kogels afzonderlijk moeten bewaren,' zei ik. 'Verborgen voor Joey.'

'Geloof je soms dat het nog een keer kan gebeuren?'

Ik aarzelde. Volgens Ida was ik een weifelaar. Verlegen. 'Ooit,' zei ze graag, 'zul je eindelijk iets moeten besluiten, Antonio.' Toen ik haar nu voelde wachten, zei ik, met een overtuiging die ik niet voelde, dat ik, inderdaad, zou schieten, en dat ik op de benen zou mikken.

'Waar zou dat goed voor zijn?'

'Dat zou ze tegenhouden.'

'Te gemakkelijk om naast te schieten.' Ida keek graag naar *Cagney en Lacey*. 'Bovendien – als je één been raakt, kan iemand nog steeds achter je aan komen. Om maar te zwijgen van de andere terroristen.'

Ik bedacht plaatsen waar ik kogels kon verbergen. Dacht na over neergeschoten worden. Bukte me en wreef de voeten van mijn vrouw tussen mijn handen.

Ida zuchtte. Schoof dichter naar me toe. 'Wat doe je... eigenlijk?'

Ik streelde de fijne botjes boven de wreef van haar linkervoet. 'Ik warm je voeten,' zei ik, en streelde de zachte plekjes tussen de tenen, de ruwe huid boven haar hielen.

Mijn moeder zet een gebakdoos met florentines op het aanrecht, en wanneer ik haar een zoen op haar wang geef, leunt ze tegen me aan. 'Moet je toch eens kijken.' Ze gebaart naar Joey die het gras maait en zijn eigen sporen maakt.

Hij draagt zijn rode jasje met de symbolen van alle clubs erop genaaid, en het rode leren petje dat erbij hoort. Als hij ons ziet, wuift hij. Huppelt. Doet twee gewone stappen en huppelt dan weer.

'Wat een showjochie,' zegt mijn moeder vertederd.

'Dat heeft hij van jou.'

'We zijn vroeg met de training begonnen.' Ze wuift terug, en verspreidt een vleugje van het zwembad in de kelder – chloor en schimmel en groezelige kleedhokjes – een geur die ik sommige dagen ook bij Ida rook, en ik ben weer helemaal terug *daar in het water met Springtij, allebei even dwaas en wild, genietend, alsof we van dezelfde leeftijd waren. Zij drijft op haar rug, laat me zien hoe je dat moet doen: 'Als je eenmaal gelooft dat je op het water kan liggen, zul je nooit meer bang zijn om te zinken.'* Mijn moeder heeft de sleutel van het zwembad geërfd van Springtij, die hem weer geërfd had van oudtante Camilla, en het gebouw is zo groot dat anderen aannemen dat mijn moeder daar woont, zelfs de portiers die waardering hebben voor de gulle fooien die ze in de week voor Kerstmis geeft.

'Elke week maait Joey een ander patroon,' vertel ik. 'Achten, ruiten, tralies.'

'Dat betekent dat hij er plezier in heeft.' Ze is verrukt dat ze een kleinkind heeft, nadat ze me jarenlang had gewezen op wat zij 'schoondochtersmateriaal' noemde – in restaurants of in winkels of op straat. 'Deze is intelligent,' zei ze dan. Of: 'Wat een vriendelijk gezicht... duidelijk schoondochtersmateriaal.' Of: 'Geen schoondochtersmateriaal. Hebberige ogen.'

Joey kijkt even over zijn schouder, gaat rechtop lopen, sneller, terwijl hij diagonale strepen in het gras maakt. Wanneer we naar buiten komen, naar het zoemen van zijn maaimachine, zet hij de motor af.

'Ik wil leren kickboksen, oma.'

'Kickboksen is gevaarlijk,' zeg ik.

'Oma doet het ook.' Groene ogen, net als de mijne. Kikkerogen, zegt mijn nicht Belinda.

'Ook voor je grootmoeder is het gevaarlijk.'

'Niet als je het op de juiste manier doet,' verbetert ze me. 'De instructeur maakt gebruik van het beste van elke vorm, alles wat het meeste effect heeft.'

'Hoe heb jij je instructeur gevonden, oma?'

'In de Gouden Gids.'

Ik kreun.

'Ik heb vier nummers gedraaid, en deze man was de enige die net met een nieuwe groep zou beginnen op de dag dat ik belde. Hij zei: "Kom maar kijken en doe mee, als het u aanstaat."'

'Waarom had je zo'n haast?' vraag ik.

Ze rekt haar magere schouders, tere vleugels waarmee ze niet kan wegvliegen, en ik heb zin om haar in mijn armen te nemen, haar te beschutten. 'Ik dacht altijd dat je angst achter je kon laten als je dat wilde. Maar de laatste tijd voel ik me weer angstig. Over wat er in ons land gebeurt. Bijna elke dag worden we gewaarschuwd voor terroristische aanvallen, en...'

'Maar 9/11 is toch gebeurd,' helpt Joey haar herinneren.

'Precies.' Ze knikt. 'En het was vreselijk. Monsterlijk. En dat maakt die angst zo echt – 9/11 is gebeurd, maar dat is steeds monsterlijker geworden doordat de overheid dat gebruikt om ons onze rechten af te nemen... zogenaamd ter wille van onze veiligheid. "Ga dichter bij elkaar zitten. Alleen wij kunnen je beschermen."'

'Je moet voorzichtig zijn,' zeg ik. 'Als je dat soort dingen hardop zegt...'

'Laten we het dan op kleinere schaal bezien... als een gezin waar een van de ouders – laten we zeggen de vader – het kind slaat... het kind angst aanjaagt. Het is bang voor hem, én bang om het te vertellen. En al die tijd beweert de vader: "Ik ben de enige die je kan beschermen." Hij leert het kind bang zijn. Herinnert het kind aan wat er gebeurd is en wat opnieuw kan gebeuren.'

Joey zit te knikken. 'Precies zoals wij herinnerd worden aan 9/11.'

'Precies. Het is niet zo dat terroristen ons dagelijks aanvallen. Maar wij krijgen te horen dat we bang moeten zijn dat het opnieuw zal gebeuren. De overheid voorziet onze angst van een kleurencode, en vertelt ons hoe bang we vandaag moeten zijn. En morgen. En we krijgen te horen dat de enige die ons kan beschermen, degene is die ons waarschuwt. En dus geven we meer steun aan die leider. We laten hem over ons regeren met angst.'

'Het is niet verstandig zulke dingen hardop te zeggen.'

'Dat is waar. En alleen dat feit al toont aan hoeveel rechten we al kwijt zijn. Herinner je je die drie brandweermannen die geschorst zijn in de week na 9/11, omdat ze niet de Amerikaanse vlag wilden voeren op hun brandweerwagens? Veel mensen worden nog steeds lastiggevallen omdat ze de vlag niet hijsen. Dat betekent dat je geen patriot bent. Luister, ik heb een lang leven achter de rug, maar dit is veel erger dan de jaren van McCarthy. En het zal alleen maar erger worden als wij er niets tegen doen. Als we die vrijheid van angst niet heroveren.'

Ik kijk even naar Joey. 'Niet waar hij bij is.'

'Joey kan voor zichzelf denken. Wat dat gedoe van de "as van het kwaad" betreft ben ik veel banger voor onze overheid dan voor terroristen.'

'Ik wil niet dat Joey iets van wat jij zegt op school herhaalt.'

'Als zijn onderwijzers ook maar een beetje deugen, zullen ze hun leerlingen laten nadenken... discussiëren over nationalisme...

en ook over de invloed daarvan op andere landen, in de loop van de geschiedenis. Maak jij je zorgen dat we onze vrijheid van meningsuiting helemaal kwijtraken?'

'Eigenlijk niet.'

'Nou... ik wél.'

'Doe me een plezier,' zeg ik tegen Joey. 'Laten we dit gesprek binnen deze muren houden, oké?'

Mijn moeder lacht. 'Je klinkt net als je vader, Anthony. "Alle dingen waarover de Amedeo's in de auto praten, blijven in de auto. En alle dingen waarover..."'

'"...de Amedeo's thuis praten, blijven in huis." Mijn vader was een heel wijze man. Maar vertel me toch even... wat hebben die lessen van jou met dat alles te maken?'

'Leren hoe ik mezelf kan verdedigen is iets wat ik kan doen om mezelf hier en nu te beschermen.'

'Het zal je niet tegen terroristen beschermen.'

'Nee.'

'Of tegen de overheid.'

'Nee.'

'Maar waarom...'

'Het beschermt me tegen de angst.'

'De ethiek van die man baart me zorgen.'

'Zeg dat wel.'

'Hij is een opportunist.'

'Een opportunist. Ik ben blij dat je dat inziet, Anthony.'

'Dat spreekt toch vanzelf. Bedenk eens hoe hij 9/11 heeft aangegrepen om zichzelf te promoten.'

'Hij is een dictator.'

'Hal-lo...' Joey wuift met beide handen om ons te onderbreken. 'Hal-lo...'

'Ik zou hem geen dictator noemen. Maar lessen organiseren voor brandweermannen en profiteren van...'

'We hebben het niet over dezelfde persoon, Anthony.'

'Hal-lo...' Joey heeft zijn handen nog steeds opgestoken. 'Dat wilde ik jullie juist vertellen.'

'Geen wonder dat we het eens waren,' zeg ik.

'Laten we verder praten. Laten we het hebben over landsbestuur en godsdienst op één kussen. Ik weet dat we het daarover eens zijn.'

'Ja, ik heb liever dat ze tegen elkaar strijden dan dat ze zich bij elkaar aansluiten.'

'Inderdaad.'

'En laten we het nu hebben over de ethiek van die *instructeur*.'

'O... zijn ethiek baart ook mij zorgen, Anthony.'

'Eindelijk.'

'Nee. Aldoor al. Maar ik ga niet naar hem toe om ethiek te leren.'

'Het gaat om straatgevechten.'

'Daar wil ik van leren.'

'Cool,' zegt Joey.

Ik werp hem een waarschuwende blik toe. 'Niet cool.' Vanaf zijn geboorte heb ik voor hem gevreesd. Zelfs al vóór zijn geboorte. Daarom heb ik gewacht met vaderschap. Te lang. Ida wilde minstens twee kinderen; maar ik weet wat voor verschrikkelijke dingen er gebeuren.

Dat ik dat soort dingen laat gebeuren.

Het enige wat Ida weet is dat mijn nichtje als kind is gestorven.

In het begin van ons huwelijk, tijdens een familiediner waar Ida aan mijn moeder vroeg hoe Bianca was gestorven, staarde iedereen ons aan; en op dat wrede moment – dat wrede en eeuwige moment zonder geluid – bedacht ik dat familie de gewelddadigste grootheid is, en ik was er zeker van dat de straf zou komen van binnen mijn familie.

Tante Floria was de enige die haar blik afwendde. De dood van haar dochter is één enorme rimpeling – of eerder een vloedgolf – die ons allemaal gegrepen heeft, ons neergesmeten heeft in vreemde formaties, vanwaar wij ons best hebben gedaan om terug te keren tot wat vertrouwd was. Het is voor elk van ons verschillend geweest. Er was geen helderheid, geen gemeenschappelijke visie, alleen tegenstrijdige gezichtspunten die botsten en zich in een mozaïek voegden, chaotisch en ordelijk, verschuivend, telkens wanneer een van ons een zekere schuld op zich nam om onze band met Bianca te handhaven: voor mijn moeder dat het gebeurde toen ik alleen met Bianca in de keuken was; voor tante Floria dat zij niet in de keuken was om het te voorkomen; voor Belinda dat zij de onyx giraf had verstopt.

Voor mij is het natuurlijk die laatste minuut bij het open raam.

Soms droom ik de geschiedenis van mijn familie, het droomverhaal waarin Bianca nog leeft. Structuur en kleur zijn voor het merendeel afwezig, alsof ik door een doorschijnend gordijn kijk naar schaduwdansers, vlakke schimmen die inkrimpen of oprijzen, afhankelijk van de vraag hoe dicht ze bij de lichten komen, de een plotseling tweemaal zo groot als de ander, zoals mensen oprijzen in je hoofd wanneer ze je gedachten vullen. Als een van de dansenden voor het gordijn verschijnt, is ze plotseling van normaal formaat, driedimensionaal, en gekleed in kleuren: rood en geel en paars. In mijn droomverhaal is het enige moment dat zich op die manier onderscheidt – scherp, levend, onherroepelijk –, het ogenblik dat Bianca van de stoel naar de vensterbank klimt. Talloze malen heb ik dat moment aangeraakt, net als die dansers het gaasgordijn voor hen aanraakten, wanneer het leek of de danser daar vooraan zijn hand uitstak naar de hand van een schimmige reus achter het gordijn, die zijn hand naar beneden uitstrekte. Talloze malen heb ik het moment waarop Bianca op de vensterbank gaat staan herzien, en gewoonlijk slaag ik erin haar vast te leggen op het moment *voordat* ze wegvliegt.

Dat kan ik. Zolang ik ophoud ook maar iets te wensen. Zolang ik me het volgende herinner: wensen is een reden om niet te hebben. Ik oefen me in niet veel dingen hebben. Als dingen zich ophopen, geef ik ze weg.

Ik word zo verteerd door de inspanning om Bianca daar te houden, op die vensterbank, dat ik soms wens dat ik haar kon laten vallen, haar gil kon horen terwijl zij naar beneden valt, naast haar graf kon staan en toekijken hoe haar kist wegzakt in de grond. En dat ik dat overleef.

Niemand heeft me gevraagd: 'Hoe heb je haar wijsgemaakt dat ze kon vliegen?' En omdat niemand dat deed, kon ik mijn familie niet overvallen met de waarheid, kon ik een bekentenis niet inruilen voor verzoening. Mijn straf: mijn familie versterken door middel van mijn zwijgen. Eerst zweeg ik om mezelf te beschermen.

Vervolgens om mijn ouders te beschermen. En daarna tante Floria. En nu mijn zoon, hoewel ik vermoed dat wat schadelijk blijkt tot ver voorbij de gewelddaad, het zwijgen is. Niemand praat over Bianca wanneer ik in de buurt ben. Nog steeds ben ik ervan overtuigd dat elk gesprek dat afgebroken wordt wanneer ik een kamer binnenkom, over Bianca moet zijn gegaan. Ik geloof dat ze willen dat ik vergeet dat Bianca ooit bestaan heeft. Maar ik wil dat ze bestaat. En sommige dagen slaag ik erin mezelf ervan te overtuigen dat ze uit zichzelf is weggevlogen. Dat ik haar alleen maar voor de gek hield. Dat we beiden de langgerekte zuchten van een accordeon hadden gehoord. Dat ze zei: 'Daar is papa.' En dat ik probeerde haar tegen te houden.

Als ik aanbied taxi's te betalen waarmee mijn moeder naar haar cursus kan gaan, weigert ze dat: ze blijft van haar flat naar Jerome Avenue lopen, waar ze de Woodlawn IRT neemt naar 149th Street, en dan steekt ze over naar de Hub. En dan is het nog licht, moet je bedenken. Haar terugkeer na het vallen van de duisternis, helemaal alleen, maakt me misselijk van bezorgdheid.

'Ik hou van lopen,' zegt ze geruststellend.

'Als je mij vraagt is die cursus het gevaarlijkste in jouw leven.'

Ze verzekert me dat de cursisten kussens van vinyl tussen hen houden wanneer ze hun schoppen en vuistslagen repeteren.

'Dat bedoel ik niet, maar zelfs daarbij zou je je kunnen verwonden. Een paar van die kerels zullen tweemaal zo zwaar zijn als jij. En dat op jouw leeftijd...'

'Het enige vervelende tot dusver is uitslag aan mijn voeten.'

'En als je nou eens gevolgd zou worden door een van die kerels uit die buurt?'

'Dat komt van de tapijten daar... Maar nu draag ik sokken.'

'Je zei dat je benen pijn deden.'

'Alleen de spieren in mijn kuiten. Dat betekent dat ik sterker word. En zeur nou niet verder, Anthony.'

Ik lees de *New York Times* met grote aandacht, in plaats van alleen de koppen. Opeens zijn er meer berichten over bloed en geweld in de wereld, wat weer aanleiding is tot nog meer geweld.

Op woensdagavond bel ik mijn moeder op om me ervan te vergewissen dat ze terug is van haar cursus. Maar niemand neemt op. Tien minuten later bel ik weer. Niets. Inmiddels zal Ida Joey hebben ingestopt. Dat is wat ik het meest mis wanneer ik in de flat woon, het ritueel van goedenacht zeggen tegen mijn zoon, zijn leeslampje naar de muur richten zodat we schaduwdieren kunnen maken, en dan vraag ik hem: 'Lig je lekker?' en dan hoor ik hem zeggen: 'Heel lekker, pappie.'

Kon ik hem maar op deze leeftijd houden, nu hij tevreden is schimmen van dieren te vinden in de stand van zijn handen. Telkens wanneer het Ida's beurt is om met Joey in het huis te wonen, bel ik vaak op, omdat de flat naargeestig aanvoelt nadat de boekwinkel en het café beneden gesloten zijn. Ik maak plannen met Joey om te gaan fietsen of naar het Yankee Stadium te gaan. Ik zorg voor goede plaatsen, al heb ik om een of andere reden nog steeds een voorkeur voor de goedkope zitplaatsen boven aan de tribunes.

Sporen van Ida zie ik overal in deze flat. In ons huis ook, maar daar ben ik tenminste samen met Joey, en heb ik Ida niet zo nodig.

Om kwart voor tien bereik ik eindelijk mijn moeder. 'Vertel me eens...'

'Wacht even, Anthony. Ik ben nog maar net binnen.'

Ik hoor hoe ze de hoorn neerlegt. Een mannenstem op de achtergrond. Wat gerinkel. Ik sta op het punt de politie te bellen.

Een klik. 'Versta je me?'

'Word je door iemand lastiggevallen?'

'Ja. Door jou.'

'Wat was dat voor geluid?'

'Mijn schoenen. Die heb ik uitgeschopt, zodat ik op het bed kan zitten en mijn benen rust kan geven terwijl ik telefoneer met mijn zoon die...'

'Ik hoorde ook een stem.'

'Nou, dat noem ik nog eens iets uit een goedkope film, Anthony.'

'Ik kan horen dat er iemand bij je is.'

'Waarschijnlijk alleen de televisie.'

'Het klinkt niet naar televisie.'

'O... dan moet je James Hudak hebben gehoord. Die doet wat

elektricienswerk.' Ze heeft altijd medelijden met James gehad – ze had hem af en toe te eten gevraagd in de maanden dat mijn vader bij Elaine zat. Na de dood van James' grootmoeder heeft hij haar flat overgenomen, en sindsdien woont hij parterre, nooit getrouwd, werkt een paar dagen per week als kelner, ruilt reparaties voor mijn moeders kookkunst.

'Zorg ervoor dat de deur op slot is als James weggaat. Ik heb me de hele dag in het café zorgen over je gemaakt.'

'Je zou daar alleen maar moeten koken.'

'Ik kan koken én me zorgen maken.'

'Je bent als kok te goed om dat door bezorgdheid te verpesten.'

Vervolgens bel ik Ida op, probeer haar terug te winnen door haar samen met mij te laten tobben over mijn moeder. 'Ik zie al hoe mijn moeder verpletterd wordt door een vuilnisvat, hoe ze bloedt van een messteek in haar buik. Of in een doodkist, met haar lippen geverfd in een ordinair roze dat...'

'Roze is niet haar kleur,' valt Ida me in de rede.

'Ik krijg visioenen van mijn moeder die trapt en slaat tegen vier harige motorduivels die haar gezicht bedreigen met een gebroken fles.'

'Nadat ze uit haar doodkist is gekomen?'

'Dit is een ander scenario. Totaal anders. Je neemt me niet serieus. Al die dingen *zouden* haar kunnen overkomen. Ik heb visioenen van haar in een coma dat jaren aanhoudt, verbonden met allerlei apparatuur, met een huid zo wit als zout. Zelfs in mijn dromen zie ik haar. En nu wil ze dat ik als aanvaller optreed.'

'Dat heeft Joey me verteld.'

'Vechten met woorden is haar niet meer genoeg, zegt ze. Denk je dat ze misschien... je weet wel, seniel aan het worden is?'

'Nee,' zegt Ida vol overtuiging. Ida is heel helder en vastberaden. Ida is dol op mijn moeder. Bewondert mijn moeder. Eens per maand gaan zij tweeën zwemmen in een oeroud zwembad ergens in een kelder, waar grootmoeder Springtij vroeger elke dag haar anderhalve kilometer zwom, na de mis.

'Ze praatte altijd over toneelstukken die ze wilde zien, over haar vriendinnen. Nu praat ze alleen nog over die cursus in zelfverdediging. Ik geloof dat het gevaar haar wel aantrekt.'

'Daar ben ik van overtuigd.'

'Echt waar?'

'Leonora heeft een beetje spanning nodig.'

'Ik heb aangeboden haar te helpen bij de verhuizing naar een flat met beveiliging. De oude buurt was vroeger fantastisch, maar daar is het inmiddels claustrofobisch. Het lawaai, het vuil...'

'Ze heeft daar gewoond sinds ze een jonge vrouw was.'

'Toch begrijp ik niet waarom ze daar wil blijven wonen.'

'Omdat mensen zich identificeren met buurten waar ze lange tijd gewoond hebben. Leonora weet waar alles is. De mensen kennen haar. De meeste winkeliers zijn veranderd, maar enkele zijn er nog. Ze zit er ook dicht bij de metro, ze kan met de D-trein in een halfuur Macy's of Rockefeller Center bereiken.'

'Ja, maar...'

'Dat alles betekent kennelijk iets voor haar. Bovendien valt haar flat onder de huurbescherming.'

'Er gaat voortdurend iets kapot. Elke keer als ik daar ben, is James Hudak wel wat aan het repareren. Ze woont in een oase uit een andere tijd, toen we onze ramen open hadden en via de binnenplaats vioollessen konden horen. Saxofoonlessen. Toen de buurt nog een klein dorp was, en de kinderen op straat speelden.'

'Jij romantiseert de jaren voordat je airconditioning had.' Ida's stem klinkt nuchter. 'Zo was het ook waar ik vroeger woonde. We kregen airconditioning en deden de ramen dicht, en wanneer we de trappen beklommen, hoorden we de airco, en geen muzieklessen.'

'Dat heeft ons geïsoleerd... onze hele buurt is veranderd.'

'En wij hadden een veel aangenamer leven.'

'We konden geen geluiden van andere gezinnen meer horen.'

'Daarvoor mag je God dankbaar zijn.'

'Oké, jij wint,' zeg ik lachend.

'Het gaat niet om winnen, Antonio. Tenzij...'

'Ja?'

'Tenzij de eerste prijs is dat jij me toestaat dat ik ga slapen.'

Om Ida te verlokken om wakker te blijven, creëer ik woorden. Ik imiteer gevoelens. Leg mezelf open voor haar, beetje bij beetje.

Sta toe dat ze me weer binnenlokt in mijn bestaan, al weet ik dat ik haar of Joey niet verdien. Gedurende veertien jaar huwelijk hebben Ida en ik meer dagen alleen doorgebracht dan samen. De eerste keer dat ze me verliet, was nog voordat Joey op komst was, toen we nog met ons tweeën waren, en hoewel ze na eenenvcertig dagen terugkwam, en hoewel we samen dat kind hebben gemaakt en opgevoed, verwacht ik dat ze opnieuw zal vertrekken.

'We hebben allemaal dic duisternis,' zei ze vorige winter tegen me. Het was avond, we zaten in de metro, op weg naar de Brooklyn Academy of Music, en ik voelde me zo door haar in het nauw gebracht dat ik me afvroeg hoe het zou zijn om haar het hof te maken met mijn duisternis. Net op dat moment strompelde een man in een vuile jas langs ons door het middenpad, met armen als vinnen, en ik dacht: Mijn God, zo is het ook voor mij, dag in dag uit, ten dode opgeschreven en alleen. Waar ging het bij hem naartoe, de vrees en de angst? En toen wist ik het. Want het barstte los toen hij op een lege zitplaats klom en ging staan, en zijn armen als vinnen sloegen door de lucht terwijl hij schreeuwde: 'Ik ben de duivel. Ik ben de duivel.' Ik zei tegen Ida: 'Dat ben ik. Zo is het wanneer je mij bent.'

Ik ben bang voor wat er met mij zal gebeuren als Ida iemand anders vindt om lief te hebben. Ik denk niet dat ik dit nog eens kan doen met een ander. Mensen blijven niet al te lang bij mij. Behalve dan Joey. Maar ja, die heeft ook eigenlijk geen keus. De langste relatie die ik heb gehad voordat ik Ida kende, heeft zeven maanden geduurd. Het soort liefde waarnaar ik verlang, is de liefde die mijn grootvader en Springtij voor elkaar voelden. Ik zie hoe ze *drijven in de oceaan, wachtend op het moment om uit het tij te zwemmen, samen, wachtend tot het afneemt. Drijvend in Springtijs omarming, met zijn handen op haar lichaam, haar omhelzend zoals ze een vreemde nooit zou hebben toegestaan, denkt mijn grootvader aan verdrinken, en aan de liefde die hij met haar zou kunnen bedrijven. En hij geeft de voorkeur aan haar, boven verdrinken.*

'Je kunt me in elk geval niet verwijten dat ik me van je terugtrek,' zeg ik tegen haar.

'Jij interpreteert alles nog steeds verkeerd.'

'Wat bedoel je?'

'Dat je hele plannen verwacht achter de gewoonste conversatie.'

'Mijn moeders conversatie over doden en verminken is niet gewoon.'

'Ga slapen, Antonio. Je moeder is koppig. Sterk.' En dan is ze weg, mijn vrouw, en ze vertrekt nog verder dan de vorige keer.

'Ik zou hoger willen kunnen trappen,' zegt mijn moeder, 'en tegelijkertijd mijn vuisten klaar houden.' Ze begint met de stem van haar instructeur: '"Omdat de natuurlijke reactie is ze te laten vallen wanneer je trapt. Allemaal een kwestie van TVK."'

'Ik durf haast niet te vragen waar die letters voor staan.'

'Timing. Verrassing – als in het element van verrassing. En kalmte – kalm blijven. "De drie belangrijkste elementen van effectieve zelfverdediging. TVK kan je het leven redden. Dat is bij een van de cursisten het geval geweest."' Haar instructeursstem is ruig. Hard. '"Een verkrachter was ingebroken in het huis van een studente. Hij bedreigde haar. Dus deed ze of ze erop in ging. Tot hij zijn broek uit had. Toen greep ze hem. Bij de ballen."'

Joey giechelt.

'"Hij probeerde haar te slaan, maar ze hield vol. Tot hij brulde om genade. Toen sleurde ze hem naar de deur. Ze trapte hem naar buiten. Hij rende weg, de straat door. En zij pakte haar honkbalbat. Ging hem achterna, met de kreet. Ik ben nog niet klaar met je."'

'Wil hij nou ook al dat je verkrachters achternagaat?' Ik ben woedend. Hulpeloos.

'Dat leert hij ons niet.'

'Ik zou die instructeur dolgraag nazitten met een honkbalbat of erger. Omdat hij jou een onecht gevoel van veiligheid geeft.'

'Het is helemaal niet onecht,' zegt mijn moeder. 'En ik wil nooit meer rondlopen zonder dat inzicht.'

Elke ochtend oefent ze in haar eentje in haar slaapkamer. Ik stel me haar voor zoals ze voor de spiegel staat – *nog steeds elegant, zij het ook van een tragere gratie. Ze is sterk: ze houdt haar houding in het oog terwijl ze schopt en ronddraait en vuistslagen uitdeelt en zich uitrekt. Maar haar vloeren zijn nog steeds kaal en niet klaar om een val op te vangen, zoals dat zal zijn in de winter, wanneer ze haar kleden heeft laten leggen.*

Ze heeft nog steeds dat esdoornhouten slaapkamerameublement en de familiefoto's die ze altijd op de ladekast zette, inclusief de foto van mijn vader die me hoog optilt, en die van haarzelf als bruid. En dat is eigenaardig: haar linkerelleboog rust op een marmeren zuiltje dat precies even hoog is als haar elleboog. Als ik me niet diezelfde foto van haar met mijn vader herinnerde, had ik kunnen geloven dat ze zo geposeerd had, alleen, op haar trouwdag. Maar toen ik klein was, stonden zij en mijn vader samen op die foto, gearmd, en daar wil ik de tijd stopzetten, de tijd waarin iedereen van wie ik hield, vlak in de buurt woonde; de tijd waarin ik geloofde dat mijn ouders altijd samen zouden blijven, en dat de hele wereld bestond uit flatgebouwen met geteerde daken en brandladders en waslijnen en buren die hun tuinstoelen op het trottoir zetten en kinderen die blikjeschoppen deden, en hinkelden.

Toen de trouwfoto verdween, bleef er een bleke vierhoek achter op het behang, een tijd-van-niets voor een nu-niets. Dat was gebeurd op de dag van het verlovingsfeestje van mijn vader, en ik was daarbij, als getuige van zijn onbehagen, met tenen die pijn deden in mijn nieuwe schoenen. De volgende ochtend, toen ik wakker werd, zat tante Floria te slapen op een stoel in onze keuken, geurend naar zoethout, met haar haren over haar schouders, terwijl mijn moeder alleen in het grote bed lag, eveneens geurend naar zoethout. De trouwfoto hing niet aan de muur.

Toen mijn vader eindelijk weer verscheen om het nu-niets in te vullen, stond hij er niet meer op; maar aangezien niemand over die verandering sprak, leek het gevaarlijk ernaar te informeren, want dan zou mijn vader ook van mijn babyfoto kunnen verdwijnen. Ik had nachtmerries dat ik omhoog zweefde naar de plafondventilator, als een ballon die op het punt stond door de ventilatorbladen opengereten te worden, niet in staat zonder mijn vaders armen naar de grond terug te keren.

Die foto brengt me nog steeds in verwarring. Soms zou ik kunnen zweren dat het gordijn achter dat marmeren zuiltje beweegt, alsof het zojuist is aangeraakt door een goochelaar die mijn vader achter die stof heeft opgesloten; en het stelt me op een merkwaardige manier gerust te denken dat hij zich daar bevindt – niet in de hemel of in het voorgeborchte; en zeer bepaald niet in de hel – maar bij die goochelaar, terwijl hij een ander soort hiernamaals beleeft dan wat de priester beloofde bij mijn vaders begrafenis, gretig achter dat gordijn wachtend op mijn moeder: nog steeds in zijn jacquet; nog steeds met zijn gokkerslachje; nog steeds zo oud als hij was toen hij van die foto verdween, jonger dan ik nu ben, half zo oud als mijn moeder nu is; en nog steeds heel dichtbij, als ze hem ooit wilde terugroepen. Wachtend. Zoals ik wacht op Ida.

Vroeger hoopte ik dat mijn moeder die foto zou vervangen door een nieuwe afdruk van het oorspronkelijke negatief, en misschien is ze dat ook van plan geweest, uiteindelijk, wanneer ze mijn vader niet meer wantrouwde. Ik betwijfel of zijn blijvende verwijdering op vergeetachtigheid berustte, of dat de foto haar niet meer opviel, zoals ze ook gewend was geraakt aan het patroon van varens op ons behang. Ik geloof eerder dat ze opzettelijk *hem* heeft laten leven met zijn afwezigheid, precies zoals zij had geleefd met zijn afwezigheid, bij wijze van herinnering aan wat hun beiden opnieuw zou kunnen overkomen.

Op de dag voordat ze mijn vader toestond bij ons terug te komen, vroeg hij mij te helpen bij het schoonmaken van de Studebaker. Ik zei ja, maar keek hem niet aan. Ik werkte gewoon met hem mee. Onder de stoel van de bestuurder vond ik een kwart dollar, een vijfcentstuk en een uitgedroogde biet.

'Mag ik je wat vragen?' vroeg mijn vader.

Ik haalde mijn schouders op.

Mijn vader borstelde stof uit de vloermatten, en er viel een opgedroogd slablad op de straat, heel dun, als de huid van een hagedis. 'Mag ik weer thuiskomen bij jou en je moeder, Anthony?'

Ik bracht de biet naar mijn neus. Hij rook naar opgedroogde aarde. 'Oké,' zei ik. 'Ja.'

'Ze is een echte vechtjas, je moeder.'

Wat ik me vooral herinner van mijn vaders terugkeer was zijn aanbidding van mijn moeder, wat echter bedorven werd door behoedzaamheid. Zo ga ook ik om met Ida, telkens wanneer ze bij mij terugkomt. Alleen blijft zij niet lang, terwijl mijn ouders bij elkaar zijn gebleven na die ene breuk, en aan hun huwelijk rukten om het weer de vorm te geven die ze zich herinnerden. Door de muur van mijn slaapkamer hoorde ik hem 's avonds, hij praatte meer met haar dan hij ooit eerder had gedaan. *Mia cara* noemde hij haar. Het heeft mijn ouders jaren gekost voordat ze erachter kwamen dat hun huwelijk anders was geworden – sterker; tederder – en net toen ze gewend waren in dat nieuwe huwelijk en het durfden te koesteren om wat het was geworden, kreeg mijn vader een beroerte.

Tijdens zijn herstel kookte hij. Niet meer voor Festa Liguria, maar voor familie. 'Zelfs nu nog brengt Victor eten mee,' zeiden mijn familieleden.

Mijn moeder was niet zo geïnteresseerd in eten, maar nadat mijn vader zijn tweede beroerte had gehad, die hij maar negen dagen heeft overleefd, was zij degene die begon te koken, eten naar familie bracht.

Hoewel ze niet van luide muziek houdt – ze beweerde altijd dat de opera's van mijn grootvader haar pijn in haar ellebogen bezorgde doordat ze ze tegen de armleuningen drukte terwijl ze probeerde weg te komen –, draait ze nu snelle en dreunende muziek, telkens wanneer ze de flat verlaat, opdat indringers denken dat daar iemand woont die jong is, en sterk en van het mannelijk geslacht. In plaats daarvan is dit een signaal voor haar buren geworden dat ze niet thuis is.

Ik ben begonnen mijn moeder op te bellen op de maandag- en woensdagavonden, om kwart voor tien.

'Je moet me niet bespioneren, Anthony.'

'Ik kan niet slapen voordat ik weet dat je in veiligheid bent.'

'Daar kan ik niets aan veranderen.'

'Meestal ben je blij van me te horen.'

'Niet wanneer jij me bespioneert.'

'Ik spioneer niet. Sinds je met die lessen bent begonnen, ben je niet meer de vrouw die ik ken.'

De week daarop draai ik haar nummer om kwart voor tien, en ik hang op zodra ze aanneemt, al moet het overduidelijk zijn dat ik het ben. En voor het eerst voelt het inderdaad aan als spioneren.

Op die zaterdag nemen Joey en ik de metro om haar te gaan bezoeken. Wanneer we de trappen beklimmen bij Fordham Road, zit er een rat op het trottoir. Een paar mensen wijzen ernaar. Lopen er met een grote boog omheen. Afgezien van één man met een boodschappentas die grijnzend naar de rat loopt. De rat verroert zich niet. Hij is zijn oriëntatie kwijt. Is zwak. Twee vrouwen gillen, en Joey houdt zijn hand voor zijn ogen; maar ik wend mijn blik niet snel genoeg af.

'Heeft hij van opzij of van boven op dat beest getrapt?' vraagt Joey wanneer ik hem meetrek.

'Zo was de Bronx niet toen ik klein was,' vertel ik hem als we langs een gebouw komen met gebarsten ruiten, gerepareerd met plakband en karton. 'Nadat je in de stad was geweest en op de Concourse kwam, kon je frisse lucht inademen. Met al die bomen was het net of je op het platteland was. En het was ook elegant, met die gebouwen en winkels in art-decostijl. In de weekends wandelden vrouwen met nertsstola's over de Concourse.'

'Je probeert me af te leiden van die rat, pappie.'

'Dat ook. Maar het is ook zo dat de veranderingen in de wijk me meer opvallen wanneer ik hier met jou kom, omdat jij niets hebt om dit mee te vergelijken.'

'Dat is niet waar. Ik heb jouw verhalen. De glimmende deuren van "Paradise". Misje spelen op het dak van Kevin. Je oom Malcolm die de brandkraan opendraaide in augustus...'

'Dan richtte hij de straal op ons met het deksel van een vuilnisbak, en dan liet hij Belinda en mij door dat koude water rennen.'

'De ijscokar die naar jouw straat kwam...'

'Dan riep ik omhoog naar mijn moeder om geld voor een Bungalow Bar.' Terwijl ik naar mezelf luister, krijg ik het gevoel dat ik met mijn woorden iets van die magie herover.

'Vertel eens over de Kitchen Sink.'

We passeren de Indiase specerijenwinkel die vroeger de Fordham Boys Shop was. Soms gaan we daar naar binnen voor kardemom en gedroogde gember. Voor koriander- en venkelzaad. Aan de overkant is de kruidenier waar we rijpe bakbananen kopen. Joey vindt het heerlijk ze te frituren tot ze zwart zien. De laatste keer dat we in St. Simon Stock waren, was het misrooster op de deur in het Spaans gesteld. De meeste joodse, Ierse en Italiaanse immigrantenfamilies zijn uit onze buurt vertrokken – sommigen naar de voorsteden of naar Manhattan; de meesten, zoals Kevin, naar Co-op City – en ze zijn vervangen door meer recente immigranten dan mijn grootvader, die ons vaak vertelde hoe moeilijk hij het had gehad om rond te komen toen hij hier was gearriveerd. Alleen zijn deze nieuwe immigranten niet in zo'n veelbelovende omgeving terechtgekomen als hij in de naoorlogse jaren, toen deze flatgebouwen nieuw waren. Nu zijn ze vervallen, het sanitair is verouderd, en veel ramen zijn van stalen tralies voorzien. Tegenspoed is meer zichtbaar geworden.

'Misschien zal deze wijk als volgende gerenoveerd worden,' zeg ik tegen Joey. 'Dat heb je in Brooklyn gezien. Huizen net als het onze. Stratenlang. Complete huizenblokken.'

'Cool.'

Ik denk aan SoHo – die lege pakhuizen waar zelfs studenten niet wilden wonen, en waar je je auto niet zou durven parkeren. Ik had East Village zien veranderen. Allemaal oorden waar de tegenspoed ongetwijfeld nog bestaat, maar de wijken niet meer karakteriseert.

'Kitchen Sink? Eerst ging je naar de bibliotheek met je moeder...'

'...en daarna nam zij me mee naar Jahn's. Die waren beroemd om hun Kitchen Sink-ijscoupe. Mijn moeder zei dat je met zes mensen moest zijn om de Kitchen Sink te bestellen, zo groot was die.'

'En daarom heb jij die nooit kunnen proeven.'

'Jij onthoudt toch ook alles.'

'Weet je nog hoe lang de staart van die rat was?'

'Wil je over staarten praten? Ik heb een muts gehad met de staart van een wasbeer toen ik een jaar of negen was, een Davy-Crockett-muts. Kevin had er ook een. En hij had bovendien een gesigneerde foto van Fess Parker.'

'Wie is dat?'

'De acteur die Davy Crockett speelde. Op een dag was Fess Parker, voor het Concourse Plaza Hotel, in de taxi van Kevins vader gestapt, en die had hem naar Yankee Stadium gereden. Toen hij tegen Fess Parker zei dat hij voor zijn zoon de grootste acteur van het hele continent was, haalde Parker een foto tevoorschijn, en daar zette hij zijn handtekening op: "Voor mijn vriend Kevin, van de koning van het woeste grensgebied. Fess Parker."'

'Cool.'

'*King of the wild frontier...*,' zong ik. '*Davy, Davy Crockett...*'

'Pappie...' Joey kijkt om zich heen.

'*...born on a mountain top in Tennessee, greenest state...*' Ik lachte. 'Ik zong altijd "cleanest state".'

Joey gaat sneller lopen, hij geneert zich dat hij zich in dezelfde straat bevindt als ik.

'Nog maar een jaar geleden zou je met me mee hebben gezongen.'

'Een jaar geleden was ik nog een kind.'

'Het Palisades-lied? "*Come on over...*"'

'"*Palisades has the rides after dark...*"' Hij rent voor me uit.

'Wacht even. Als je wilt, praten we over die rat.'

Hij blijft staan. 'Is die man van opzij of van boven op die rat gaan staan?'

Ik ontzie hem door te liegen dat ik niet gezien heb waar de voet van die man neerkwam.

'Nu mag je de rest van dat Davy Crockett-lied zingen.' Hij klinkt opgelucht.

'Ach, wat aardig van je.' Ik begin te zingen: '"*...brought up in the woods, so he knew every tree, killed him a bear when he was only three...*"'

'Bedoel je dat een beer doodmaken niet zo erg is als een rat doodmaken?'

'Jij bent gefixeerd op ratten, geloof ik. Goed dan. Mijn vader, haatte ratten nog meer dan alle andere mensen die ik kende. Op een middag kwam hij vroeg thuis, rukte zijn broek uit en sloeg ermee tegen de muur, terwijl hij in het rond danste.'

Joey lacht.

'Hij was ervan overtuigd dat ratten tegen zijn benen op waren geklommen. Een hele troep had om hem heen gedraafd toen hij langs Smelly Alley kwam. "Honderden ratten," zei hij, "een zee van ratten. Ratten van allerlei formaat." Het begon ermee dat een van die beesten over zijn schoen liep, en binnen een paar seconden kon hij alleen nog maar ratten zien – voor zich, achter zich. Er stonden geen auto's langs het trottoir waaronder ze konden schuilen, en hij bevond zich tussen die ratten en hun schuilplaats, de struiken en het onkruid in dat steegje.'

'Misschien waren ze bang toen er opeens een mens verscheen,' oppert Joey.

'Mijn vader werd helemaal waanzinnig. Sprong op en neer, ervan overtuigd dat hij klauwen en vachten voelde tegen zijn benen. Eén rat had zich naar een rioolrooster gehaast. En toen volgden de anderen. Naar beneden. Hij zag hun achtersten verdwijnen. Een zee van achtersten, en toen was het voorbij. Mijn vader nam een douche tot al het warme water op was. Die broek heeft hij nooit meer gedragen.'

'Laten we niks tegen oma zeggen over die zieke rat,' zegt Joey wanneer we de snoepwinkel op de hoek naderen, waar mijn moeder nog steeds haar sigaretten en tijdschriften koopt, en waar Joey vaak een Snickers krijgt. Maar vandaag praat hij niet over snoep.

Joey en ik naderen het flatgebouw waar ik ben opgegroeid, waar de heggen al vele jaren dood zijn. In plaats daarvan: keiharde aarde. De binnenplaats is voorzien van een stalen hek. Op het gebouw zie ik oude graffiti, nieuwe graffiti: *'fuck you suck me lola loves tommy up yours happy eater...'*

'Eater?' vraagt Joey. 'Waarschijnlijk iets met eten, of seks, of "*Easter*", verkeerd gespeld.'

'Ik stem voor *Easter*.'

'Wat ben je toch een... pa.'

'En dan te bedenken dat ik op mijn donder kreeg als ik met krijt op het trottoir tekende...'

'Wat gebeurde er dan?'

'De conciërge zei het tegen mijn moeder, en dan mocht ik niet buiten spelen.'

'Andere generaties, pa.'

Ik kijk van opzij naar Joey, en we lachen allebei.

Mijn moeders bel doet het niet meer, maar ik heb een sleutel voor het hek en voor de voordeur. Zes betonnen treden met betonnen bloempotten, gebarsten en grijs met witte stippels waar de verf niet afgebladderd is, gevuld met sigarettenpeuken en snoeppapiertjes en cellofaan. Het zou zo anders kunnen zijn.

Wanneer Joey en ik om het hardst de trap op lopen, ruik ik kardemom en kurkuma, spekvet en nat gips, urine en vis van gisteren.

Na drie verdiepingen sta ik te hijgen. 'Wacht even...'

Joey blijft staan, halverwege de volgende trap. We schelen meer dan veertig jaar. Als ik een jonge vader was, zou ik hem meer energie kunnen geven. Meer speelsheid. Minder van al die voorzichtigheid waartegen hij al in opstand komt. Hij wacht tot ik hem heb ingehaald. Samen klimmen we naar de vijfde verdieping, waar het stil is op de gang. Geen luide muziek. Dus weet ik dat mijn moeder thuis is. Ik klop op de deur.

Wanneer ze opendoet, zit James Hudak op haar bank, gekleed in spijkerbroek en mouwloos onderhemd, bezig met een van haar kruiswoordraadsels, met het vulpotlood dat ik haar heb gegeven. Hoewel zijn leeftijd ergens tussen die van mijn moeder en van mij in ligt, ziet James er jonger uit dan ik, gezonder. Als gewoonlijk blijft hij niet zitten. Hij mompelt iets van later terugkomen om het uitzetijzer van het raam te repareren. De vorige keer was het de gootsteen. Toen ik een jongen was, zag ik hem vaak – te vaak, eigenlijk –, want elke keer dat hij zijn grootmoeder bezocht, negeerde ze mij. James en ik reageerden met scherpe en snelle afkeer op elkaar tot hij bij de marine ging, en vervolgens ging ik naar de koksschool, en daarna hebben we elkaar jarenlang niet gezien.

Hij graait zijn spijkerhemd van de bank, knikt even naar me. 'Anthony.'

Ik knik terug. 'James.'

'Ik bel je nog wel,' zegt mijn moeder tegen hem.

'Heb je nog wat nodig uit de winkel?'

'Misschien een paar uien voor de stoofschotel, morgen.'

Hij fluistert iets, en zij fluistert terug.

Ze haalt borden en bestek met het logo van Festa Liguria erop. Terwijl ze Joey en mij te eten geeft, probeer ik niet aan de rat te denken; juist de inspanning echter om niet aan die rat te denken, *brengt die rat in mijn moeders keuken, komt de voet van die man neer om hem te vertrappen, telkens en telkens weer, vult mijn hoofd met de geur van natte veren en zaagsel, en ik sta met Springtij op de gevogeltemarkt waar de kalkoen met de verlegen ogen bij zijn poten aan de weegschaal is gehangen.*

'Kijk eens hoe die kalkoen naar dat jongetje kijkt.'

'Die kalkoen kijkt naar jou, Antonio.'

'Gobbobbobbob...'

'Brave kalkoen, brave...'

'Antonio heeft gekozen. Questo.'

'Nee...'

En dan denk ik alweer aan die rat, *en de schoen van die man komt op hem neer, bloed en geweld, leidend tot ander geweld*, en wat je binnen in je hoofd ziet, dat moet je zeggen. Het is zoiets als een biecht, waar alles wat je gedaan of gedacht of gezegd hebt, zal blijven aandringen tot je het aan de priester hebt verteld, en dan zul je je beter voelen. En dus mompel ik 'rat' voor me heen, zonder mijn lippen te bewegen. 'Rat. Rat.' Terwijl ik denk: dit is onzin. En ik voel me helemaal niet beter. Mijn moeder houdt me in het oog. Ze lijkt zo klein. Zo alleen.

'Alleen,' fluister ik.

'Wat zei je?'

'Dat je veel te veel alleen bent.'

'Maar oma heeft James,' zegt mijn zoon.

'Ik heb het nu over een ander soort relatie.'

Joey kijkt me aan alsof hij de vader is en ik het kind. Hij staat naast haar gettoblaster, bekijkt haar cd's. 'U hebt de nieuwe Busta,' zegt hij opgewonden.

'Je mag hem van me lenen.'

'Bedankt.' Hij en mijn moeder ruilen vaak cd's: Busta en Mystical en The Neptunes en Lil' Kim.

'Waarom zoek je niet weer een vriend?' vraag ik aan mijn moeder.

Ze kijkt even naar Joey. Ze halen beiden hun schouders op.

'Pap...' Joey harkt met zijn handen door zijn korte haren. Ze staan in plukjes overeind. 'Oma heeft James.'

'Ik wil iemand met wie ik al vertrouwd ben,' zegt mijn moeder.

'Hij zal vertrouwd worden.'

'Wie?'

'Een nieuw iemand.'

'Ik wil geen nieuw iemand.'

'Als je hem eenmaal leert kennen, wordt hij vanzelf vertrouwd.'

'Ik zou me als een kind van vijftien in een lijf van tachtig voelen.'

'Er zijn mannen met een lijf van tachtig... met een lijf van negentig... die alleen zijn en op zoek zijn naar een vrouw om...'

'Oude mannen...' Ze wuift mijn voorstel weg. 'Wat moet ik in vredesnaam met een oude man beginnen?'

'Misschien kan een van je vriendinnen je aan iemand voorstellen.'

Joey kreunt. 'Pap...'

Mijn moeder knipoogt naar hem. 'Een afspraakje met een onbekende... Wat romantisch. Ik zie het al voor me... Ik kleed me mooi aan voor onze ontmoeting, en al voordat ik hem ontmoet heb, ben ik bereid hem te zien als degene die voor mij bestemd is. Maar dan doe ik mijn deur open en daar staat hij, nauwelijks even lang als ik, kalend, of met een scheiding in zijn haar boven zijn ene oor, geurend naar een of ander mannenwatertje...'

'Alsjeblieft geen mannenwatertje.' Ik moet wel lachen.

'En ik wil hem meteen veranderen in de man over wie ik hoor te dromen.'

'Wratten,' zegt Joey, 'je afspraakje heeft wratten.'

'O ja, zeker wratten,' zegt ze.

Ik voel me opgewekt. 'Waarom moeten jullie tweeën tegen mij samenspannen?'

Twee weekends later arriveert mijn moeder per trein, met rozijnenbroodjes, en ze wil repeteren voor meer dan één aanvaller. Na het eten instrueert ze Joey dat hij haar armen moet vasthouden terwijl ik haar van voren moet naderen.

'Even wachten, alsjeblieft...,' zegt ze, wanneer we staan waar zij dat wil. 'Ik moet bedenken wat ik het eerst moet doen.' Ze licht haar ene hiel op. Beweegt haar voet op en neer. 'Dit bestaat uit zes onderdelen.'

Ik ben verbijsterd. 'Ga je dat soms zeggen als je in een dergelijke situatie terechtkomt? "Dit bestaat uit zes onderdelen. Wacht even, alstublieft, tot ik de volgorde weer weet."'

'Dat is nou juist wat ik met jou moet repeteren.' Haar stem is geduldig en traag, alsof ik een kind van vier ben, een bijzonder stompzinnig kind van vier. 'Ik moet met jou repeteren, Anthony, zodat het allemaal een reflex wordt.'

Ze zwaait haar rechterbeen in mijn richting, maar stopt voordat ze mijn dij raakt. 'Dat zal ik een stuk harder doen als ik echt word aangevallen,' belooft ze, en ze draait zich naar opzij, gebruikt haar rechterbeen – nog steeds opgetild – om achteruit te trappen, Joey's knie aan te raken en vandaar naar voren te schoppen langs mijn been.

'Goeie schop, oma.'

'Moedig haar nou niet aan,' zeg ik nijdig.

Maar mijn moeder kijkt hem stralend aan. Ze bloost. 'Als ik de volgorde eenmaal in mijn hoofd heb, zal ik het veel sneller kunnen doen.'

'Het enige wat je doet met die malle kunstjes is een aanvaller ergeren.' Ik vind het afschuwelijk dat mijn stem zo afkeurend klinkt.

'Niemand wil vechten met een wilde, krijsende vrouw. Kijk maar naar Salome... En als de vrouw van Lot had gevochten, zou ze geen zoutpilaar zijn geworden... Weet je, daarin willen ze dat we veranderen wanneer we in gevaar verkeren – in zoutpilaren. Op die manier krijgen ze ons te pakken. En als de vrouw van Lot...'

'Vertel me nou niet dat je instructeur ook nog dominee is.'

'Dat is iets wat ik zelf heb bedacht.'

'Nou wil ze mevrouw Lot worden.'

'Praat niet over me in de derde persoon, verdorie.'

'Ik citeer alleen wat pap zou zeggen: "Nou wil ze mevrouw Lot worden."'

'En dan zei ik tegen je vader wat ik nu tegen jou zeg: "Praat niet over me in de derde persoon."'

'Maar hij zou je vertellen dat je de bijbel alleen citeert om gelijk te krijgen.'

Even glimlachen we allebei. En ik zie hoe mijn vader *zijn keel rekt terwijl zij zijn nek streelt, zie hen naar elkaar toe buigen, fluisterend, lachend. En ik zie hem tegenover me aan tafel zitten bij Hung Min, om triktrak te spelen, met zijn ogen op het bord en op het rimpelige gezicht van zijn tegenspeler gericht, terwijl ik thee voor ons allemaal schenk in heel kleine kopjes, en in elk daarvan drie lepeltjes suiker doe.*

'De instructeur zegt dat zelfverdediging voor negentig procent bestaat uit opstelling... hoe mijn houding is.'

'Opstelling? Ik dacht dat het BLT of zo was.'

'Niet BLT, pap. TVK. Timing, verrassing en kalmte.'

'Precies,' zegt mijn moeder. 'En opstelling, die brengt je tot TVK.'

'Waarom is het dan geen OTVK?'

'Jij bent op ruzie uit.'

'Ik ben uit op veiligheid. Veiligheid voor jou. Kan je niet een andere cursus volgen die je een sterk gevoel zou geven? Iets als... aerobics? Als het maar niet zo heftig is. Yoga zou zelfs nog beter zijn.'

'Yoga is niet wild, pappie. Oma wil wild zijn.'

Ik negeer Joey. 'Een van Ida's klanten – ze is halverwege de tachtig – is een paar jaar geleden aan minder heftige aerobics begonnen, en ze loopt nu beter dan destijds.'

'Met lopen heb ik geen enkele moeite.' Mijn moeder kijkt me aan, recht. 'Luister nou eens. Herinner je je het voorbeeld dat ik je heb gegeven, van een ouder die een kind pijn doet, zodat het kind bang wordt?'

'Ja, dat kan ik me herinneren.'

'Dat kind, dat ben ik.'

Ik sta stil, heb het koud. De hemel is roerloos. En ik sta weerloos tegenover haar, met mijn schaduw over haar gezicht.

'Ik ben geslagen. Heel vaak. Op een wrede manier.'

Mijn zoon houdt nog steeds mijn moeders armen vast. Terwijl ik bang ben het te horen... bang het niet te horen.

'Het is gebeurd over een periode van vier jaar... voordat mijn vader zelfm... Voordat hij doodging.'

Joey beweegt zijn ene hand omhoog over haar arm. Streelt haar schouder.

'Zijn werk als bewaker in de gevangenis had hem veranderd... hij was wreed geworden.'

'God... wat vreselijk voor je...' Ik wil mijn moeder omarmen, maar mijn schaduw ligt nog over haar gezicht. 'Waarom heb je me dat nooit verteld?'

'Het is niet direct iets wat je aan je zoon vertelt.' Ze staat daar zo rechtop en breekbaar dat ik haar niet durf aan te raken.

Maar Joey durft wel. Joey blijft haar schouder strelen.

'Wat afschuwelijk voor je.'

Joey slaat zijn ene arm om mijn moeders schouders. En nu staan zij tweeën tegenover mij. Ik voel me los van hen. Alleen verbonden met die grootvader – beiden hebben we kwaad aangericht – en terwijl ik me afvraag wat voor slechtigheid ik van hem heb geërfd, word ik duizelig. Ik heb maar één foto van hem gezien, in een of ander uniform, hoekig en somber, alsof hij zich voorbereidde op die doorgebroken blindedarm. Mijn moeder praatte zelden over hem. Nu echter, nu ze me vertelt van dat slaag, rijt ze me helemaal open. Hoe kan ik ooit nog langer vasthouden aan mijn geheimen? Ik probeer te verstaan wat ze zeggen, mijn zoon en mijn moeder.

'Ik zou willen dat ik zelfverdediging had geleerd toen ik een meisje was.'

'Zou je die hebben toegepast, oma?'

'O ja,' zegt ze zonder enige aarzeling.

'Bij je eigen vader?' vraagt Joey, maar daarbij staart hij me aan, met die nieuwe uitdaging in zijn ogen.

'Hij heeft zich doodgeschoten,' zegt ze. 'Hij stak liever zijn pistool in zijn mond dan ook nog maar één dag naar de gevangenis te gaan, als bewaker. Ik ben er pas achter gekomen toen ik twintig was.'

En opeens heb ik mijn armen om haar heen geslagen, en samen schommelen we heen en weer.

'Mijn moeder zei dat hij anders was toen ze met hem trouwde...'

We schommelen heen en weer, heen en weer, huilend nu.

'Als meisje geloofde ik: wat er eigenlijk in hem was doorgebroken, dat was niet zijn blindedarm, maar zijn woede. Want dat was wat ik hem altijd had toegewenst, telkens wanneer hij me met zijn vuisten bewerkte, dat zijn woede in hem zou losbreken en hem vermoorden. En toen gebeurde het... en ik voelde me machtig en schuldig en dankbaar dat de woede hém had gedood. En niet mij. Want dat had óók kunnen gebeuren.'

Ik klem haar nog steviger in mijn armen.

'Soms zeg ik tegen mezelf dat mijn vader niet méér was dan een arme klootzak, die in zijn eigen hel leefde. Die mij sloeg, bang was dat men erachter zou komen, zich bedreigd voelde. Volgzaamheid uit vrees. Dat komt voor.'

'Maar je hoeft je nooit meer tegen hem te verdedigen. Dat is definitief voorbij.'

'Het is nooit voorbij.' Ze stapt uit mijn armen. 'Het is nooit voorbij, Anthony. Want elke nieuwe angst zal samengaan met je vroegste angsten, en als je eenmaal van angst bezeten bent...'

'Maar ik wil dat je een veilig leven leidt.'

'Je begrijpt het niet, hè?' zegt mijn moeder op zachte toon. Ze pakt me bij mijn pols. Neemt me mee naar buiten. 'Leg allebei je handen om mijn nek.'

'Moeder...'

Ze grijpt mijn handen, bestudeert mijn handpalmen alsof ze mijn levenslijn taxeert, en plaatst mijn vingers rond haar nek.

Onder mijn handen voelen haar botten heel breekbaar.

Haar huid is als papier.

En zou kunnen scheuren.

Wegglijden.

Haar lippen bewegen. 'Steviger,' zegt ze.

Ik voel me ontzaglijk groot.

En even gevaarlijk als op die avond dat ik Bianca had verlokt tot vliegen.

Mijn moeder – mijn heel kleine, bejaarde moeder – licht haar rechterarm op. Ze wijst naar de wolkenloze hemel en draait naar links, waardoor ze mijn greep ongedaan maakt. Haar elleboog komt op me af. Maar ditmaal stopt ze niet. In haar beweging voel ik haar woede, ze is woedend dat ze mij verloren heeft aan het zwijgen, en terwijl ze haar elleboog tegen mijn borstbeen laat komen, omhooggaan tegen mijn ribbenkast, begrijp ik dat ze het weet van Bianca, dat ze altijd al heeft geweten dat ik Bianca met mijn woorden uit het raam heb geduwd om te vliegen, en dat er sinds dat moment voor mij nooit meer zoiets spannends en gruwelijks is geweest als het moment waarop ik wist dat Bianca zou gaan vliegen.

En nu val ik.

Ik val naar de geur van pas gemaaid gras. Val naar een verrassende bevrijding omdat we het allebei weten, naar de mogelijkheid van samen met mijn moeder teruggaan naar die eerste vrees van mij, naar de mogelijkheid van bevrijding, van verlangen zelfs. Ik val in begeerte.

Ik val zo hard dat het tegen me weerkaatst, in me slaat, die begeerte. En ik durf Ida te begeren. Durf te wensen dat onze verloren verhalen terugkeren in mijn familie. Ik durf *te staan voor ons oude flatgebouw en omhoog te staren naar onze keukenramen, het ene open, het andere besmeurd met glaswas, terwijl Bianca mijn kant uit komt – traag en buiten alle tijd – ronddraait en wentelt, als een verdoofde ster, met haar cape om haar heen wapperend. Terwijl ik bid. Bid om die seconde van genade wanneer beide ramen gesloten blijven terwijl Bianca volmaakte glaswasversieringen aanbrengt. Bid dat – voorbij Bianca in onze keuken – mijn moeder en tante Floria dansen, met hun gezichten dicht bij elkaar, alsof ze al hun tijd hebben doorgebracht met samen instuderen. Bid dat grootmoeder Springtij en oudtante Camilla zich bij hen voegen, dat mijn vader en grootvader en oom Malcolm in hun handen klappen en roepen: 'De tango... Jullie moeten de tango dansen,' terwijl tante Floria mijn moeder zo ver achterover laat buigen dat haar zwarte haren over de vloer vegen. Sneeuw dwarrelt om mijn enkels terwijl ik bid dat mijn moeder en tante Floria blijven dansen, en dat de glaswasversieringen een bleke gloed over hun donkere japonnen werpen terwijl ze hun handen naar me uitsteken en mij in hun kring trekken,* maar wanneer ik opkijk is het de zon die wervelt, geen sneeuw, wervelend rond mijn moeder die boven me staat, met opgeheven vuisten, haar voeten uiteen in haar vechthouding, in haar heftigste en definitieve strijd om mijn ziel.

Dankbetuiging

Ik dank mijn fantastische agente, Gail Hochman, voor haar enthousiasme, steun en de Italiaanse recepten. Als steeds heb ik grote waardering voor mijn vrienden bij Simon & Schuster – inclusief Carolyn Reidy, Victoria Meyer, Marcia Burch, Doris Cooper – en vooral voor mijn redacteur, Mark Gompertz, die mijn aard en visie kent en die me alles geleerd heeft over de 'Yankees'. Tijdens mijn research voor dit boek ben ik veel over de Bronx te weten gekomen uit de boeken van Lloyd Ultan, *The Beautiful Bronx 1920-1950* en *The Bronx: It Was Only Yesterday 1935-1965*. Bovenal dank ik mijn echtgenoot, Gordon Gagliano, want hij heeft me meegenomen naar de Bronx, en die heeft hij tot een wonder gemaakt.